Елена Трегубова

Байки кремлевского диггера

Ad Marginem

УДК 821.161.1-32. Трегубова
ББК 84 (2Рос-Рус)6-44
Т46

Художественное оформление
А. Бондаренко

Редактор
М. Кошелева

ISBN 5-93321-073-0

Содержание

Предисловие

Насколько сильный наркотик – близость к власти, мне довелось испытать на собственной вене.

Я проработала кремлевским обозревателем четыре года и практически каждый день близко общалась с людьми, принимающими главные для страны решения. Я лично знакома со всеми ведущими российскими политиками – по крайней мере, с теми из них, кто кажется (или казался) мне хоть сколько-нибудь интересным.

Небезызвестные деятели, которых Путин после прихода к власти отрезал от властной пуповины, в редкие секунды откровений признаются, что страдают жесточайшей «ломкой» – крайней формой наркотического голодания. Но есть и другие стадии этой «ломки»: пламенные реформаторы, производившие во времена Ельцина впечатление сильных, самостоятельных личностей, теперь отрекаются от собственных принципов ради новой дозы наркотика – чтобы любой ценой присосаться к капельнице новой властной вертикали.

Точно так же искушение близостью к власти на моих глазах сломало и многих талантливых журналистов.

Что до меня, то к изучению существ, населяющих Кремль, я изначально относилась как зоолог или даже уфолог. Если быть еще точнее – на протяжении всех этих лет я чувствовала себя в Кремле диггером из фантастического фильма, который спускается в канализационный люк и в кромешной темноте и адском зловонье пробирается по запутанным лабиринтам. И, наконец, – что самое мучительное – вступает в контакт с местными обитателями. Внешне они иногда слегка напоминают людей, но в действительности – совсем не люди, а абсолютно другой, даже не скрещивающийся с нами биологический вид.

Мутанты эти перманентно норовят сожрать не только друг друга, но заодно и тебя. Но еще опаснее – если ты все-таки ухитришься выжить. Поскольку чем дольше ты с ними живешь и контактируешь, тем больше начинаешь проникаться логикой этих чудовищ. И даже любить их. Просто потому, что ты – в отличие от них – человек и умеешь чувствовать.

А потом, когда твои легкие уже окончательно отравлены ядовитыми испарениями этого кремлевского подземелья, тебе вдруг начинает казаться, что настоящая жизнь – только там. И спускаться туда каждый день за новой дозой становится для тебя не просто работой, а физиологической потребностью. И в какой-то момент, выбравшись однажды на поверхность, ты замечаешь, что твои друзья из прошлой жизни (в смысле, люди) начинают как-то странно, с опаской на тебя поглядывать: «А не мутант ли ты, часом, уже и сам?» – и тайком ищут на твоей нежной ключице след от укуса кремлевского вампира.

Если честно, то, несмотря на все свои диггерские прививки, боюсь, что по собственной воле из этого заколдованного мира на свежий воздух я бы никогда не выбралась. Так что, надо признать, что есть свои плюсы даже и в нынешней борьбе Кремля с независимыми СМИ: у меня хотя бы появилось время написать эту книгу.

Теперь, когда среди кремлевских журналистов о президенте Путине уже принято писать почти как о покойнике – или хорошо, или никак, – я и решила рассекретить свои диггерские файлы и рассказать то, что раньше оставалось в сейфе «не для печати». И попробовать разобраться: как могло случиться, что молодая властная элита, медиа-магнаты и даже сами российские журналисты так легко согласились расстаться со свободой СМИ. А вместо воплощения великих надежд на великие преобразования моя страна вдруг опять незаметно очутилась на пороге авторитаризма.

Эта книга – ни в коем случае не попытка написать политическую историю России последних лет. Ее и так еще никто не успел забыть. Кроме того, вся новейшая политическая история и так уже написана в моих ежедневных газетных статьях.

Так что это – не история страны, это – моя личная история. История России имеет, конечно, отношение к моей личной истории – но, пожалуй, не большее, чем стоппардовские «Розенкранц и Гильденстерн» к шекспировскому Гамлету.

А поскольку это – моя история, то и рассказывать я ее буду в том порядке, как это подсказывает моя собственная, автономная «историческая» память. И начну я со странной истории моего знакомства с человеком, сыгравшим роковую роль не только для моей диггерской карьеры в Кремле, но и для всей страны.

Глава 1

КАК МЕНЯ ВЕРБОВАЛ ПУТИН

– Давайте вместе отпразднуем День чекиста в каком-нибудь ресторане? – неожиданно предложил мне Володя Путин.

Я сидела у него на Лубянке после интервью, одна, в кабинете директора ФСБ и, сохраняя непринужденную улыбку, судорожно старалась понять, что же пытается сделать главный чекист страны – завербовать меня как журналиста или закадрить как девушку.

– Оставьте мне свой телефон, я на днях перезвоню, и мы договоримся о времени и месте, – попросил он.

– Мой телефон вообще-то есть у вас в приемной... – с опаской процедила я.

– Ну вы вот здесь мне все равно на всякий случай напишите еще раз...

Отпираться дальше было глупо – мой телефон все равно не секрет, и тем более для главы ФСБ узнать его не составило бы труда.

Начальник секретного ведомства явно заметил, что я напряглась от «интимного» предложения. Чтобы хоть как-то разрядить обстановку, я весело заявила:

– Хорошо, я вам оставлю свой домашний телефон, а вы за это проверьте, пожалуйста, чтобы его больше не прослушивали! Вы же можете это поставить под личный контроль как директор ФСБ?

– А вас что – прослушивают?! – изумление, изображенное Путиным на лице, выглядело до того неподдельным, что я невольно расхохоталась. Но тут же взяла себя в руки и сделала серьезное лицо:

– Да вот, понимаете, Владимир Владимирович, я каждый день в Кремль хожу, часто езжу с президентом. А тут я недавно в одной статье прочитала, что в России вообще всех политических журналистов просто «по должности» прослушивают... Вы-то сами как думаете – правда это или неправда?

Последний вопрос, я, понятно, произнесла как можно более наивным голосом и выжидательно уставилась на Путина.

– Ну что вы!!! Мы?! Вы думаете, это МЫ вас всех прослушиваем? – еще более искренне изумился Путин.

Накал всеобщего изумления и наивности между нами возрастал.

– Ну что вы, Владимир Владимирович! Как я могла о вас такое подумать...– еще раз подыграла я, чуть не прыснув от хохота, и увидела, что глаза Путина тоже смеются. Правда, его маска искренности и девственного непонимания была сработана гораздо профессиональнее моей.

– Вот-вот, – ловко пряча ухмылку, подхватил он, – это не мы, а кто-то другой!

– Кто же тогда, Владимир Владимирович? – не унималась я. – Вы же – самое осведомленное ведомство в стране, у вас же должна быть информация о том, кто это делает!

– Ну это, наверное, какие-нибудь конкурирующие коммерческие структуры. Знаете, у них есть такие свои маленькие службы безопасности... И кстати, там иногда работают наши бывшие сотрудники...

– И что же, вы не можете их контролировать?

– Нет, абсолютно – творят что хотят! Вот – уважаемых журналистов прослушивают! – тут уже Путин откровенно усмехнулся.

«Черт, какая жалость, что передать этот разговор в виде газетного интервью не удастся! – пронеслось в тот момент у меня в голове. – Ну как вот, например, передать на бумаге этот особый юмор главы секретной службы?»

Перед моим уходом Владимир Владимирович весьма профессионально попросил меня перечислить симптомы прослушки моего телефона. Выслушав, он удовлетворенно заключил: «Ага. Проверим!» На том и расстались.

Как только я шагнула за порог, на волю из мрачного здания КГБ, странный разговор с Путиным и необходимость что-то решать насчет обеда с ним моментально выветрились из головы. Навалились личные проблемы. У моей подруги Маши Слоним незадолго до этого умер муж – всеми нами любимый Сергей Шкаликов, прекрасный актер МХАТа, которому было всего тридцать пять лет. Маша передала мне на пейджер, что хочет встретиться, и мы условились поужинать в соседнем от Лубянки здании – в мексиканском ресторане на Пушечной улице. Фахитас в рот не лез. Мы смотрели Сережины фотографии и утирали друг другу слезы. И вдруг – ресторанный антураж спровоцировал чудовищную аллюзию. Меня прямо-таки обожгла мысль об обеде с Путиным. Какой ужас! Как я могла согласиться, идиотка?! И как Путин вообще все это себе представляет: вот сидит красивая молодая женщина за столиком в ресторане, а напротив нее – директор ФСБ?! Хорошенькая парочка! Я огляделась: маленький фонтанчик, грот из камней, приглушенный свет – и ярко представила саму себя за нашим столиком не с моей милой Машей, а с Путиным. Какой позор!

В общем, домой я доехала уже в состоянии полного транса. Оставшись одна, я начала в деталях восстанавливать разговор с Путиным, пытаясь понять, что же ему от меня нужно и правильно ли я себя с ним вела.

Все началось с того, что уже после интервью, когда я начала задавать главе ФСБ вопросы «не для печати», он вдруг заботливо поинтересовался:

– Леночка, скажите, чем я вообще могу помочь вам в вашей работе?

– Чем-чем? Давать больше информации, конечно, Володенька! – не растерялась я.

– Может быть, мы можем организовать для вас постоянный канал информации? – из уст главного чекиста страны такое предложение в адрес журналиста звучало довольно двусмысленно. Именно поэтому я постаралась внятно перевести разговор из русла его профессии в русло моей.

– Разумеется, Владимир Владимирович, нам хотелось бы получать как можно больше информации. Знаете, у нас в газете есть отдел, который занимается преступностью и расследованиями, и я думаю, они были бы счастливы, если бы ваше ведомство делилось с ними оперативными данными.

– А как мы можем сотрудничать лично с вами?– не отступал Путин.

– Вы же знаете – я политический обозреватель, меня прежде всего интересует, что происходит в Кремле. Но ведь вы же мне не станете рассказывать правду о том, что там, в «застенке», происходит, правда?

Путин чуть заметно улыбнулся в ответ своей фирменной загадочной улыбкой Джоконды.

– Было бы просто отлично, – продолжала я, – время от времени получать от вас напрямую официальные комментарии по основным политическим событиям в стране. Но я же знаю, что вы на своей должности стараетесь держаться максимально аполитично. При том что ситуацию знаете, наверное, даже лучше многих в Кремле...

В этот момент путинская Джоконда разулыбалась еще довольнее.

– Поэтому из реальных моих пожеланий, – подытожила я, – остается одно: почаще видеться с вами, чтобы вы хотя бы не для печати объясняли свое понимание расстановки сил в стране.

Вот тут-то директор ФСБ и сделал мне предложение, от которого отказаться было еще труднее, чем согласиться: пообедать вместе. Да еще и на День чекиста.

Я была в шоке. Конфликт чувства и долга во мне начался почище, чем в трагедиях Расина. Точнее, совсем наоборот: чувство говорило «нет», а долг вопил «yes!!!».

С одной стороны, обедать вместе с кагэбэшником – западло. А уж праздновать с ним День чекиста – это вообще позор на всю жизнь. Мне ведь потом даже друзьям об этом рассказать будет стыдно!

С другой стороны – встретиться один на один, в неформальной обстановке с главой самого засекреченного ведомства страны и задать ему любые, самые откровенные вопросы – это ведь несбыточная мечта любого журналиста! И наконец – это ведь просто круто!

После секундного колебания профессиональное любопытство во мне все-таки взяло верх:

– Отличная идея! Только, Володь, одна просьба: давайте не приурочивать это к вашему профессиональному празднику, а просто пообедаем и поболтаем, хорошо?

Когда я прокрутила все это в памяти, то осталась вполне довольна собой. Мне показалось, что я четко расставила все акценты и никакого недопонимания между нами возникнуть не должно.

Тем не менее какое-то неприятное предчувствие почему-то все-таки продолжало меня донимать. Да плюс к этому у меня впервые в жизни примерно на сутки появился какой-то необъяснимый страх разговаривать по телефону.

Чтобы избавиться от этой дурацкой фобии, я, специально по телефону, запросто рассказала всю эту историю Юле Березовской (которая совсем не родственница Бориса Абрамовича, а моя однокурсница – теперь, правда, по иронии судьбы, контактирующая по работе со своим знаменитым однофамильцем).

– Ты что, дура? Зачем ты рассказываешь мне все это по телефону, тебя же наверняка слушают! – завопила Березовская.

– А от кого мне теперь скрываться? Директор ФСБ и сам уже об этом знает! – расхохоталась я.

– Ты вообще понимаешь, что ты наделала? – тоном еврейской мамы запричитала Березовская. – Тебе директор ФСБ свидание назначил, а ты согласилась! Он тебе хотя бы нравится?

Через несколько дней, когда безобидно миновал уже и День чекиста, и вышло мое интервью с Путиным в «Известиях», я с облегчением подумала, что никакого обеда не будет.

Но на следующее утро в моем кабинете в «Известиях» раздался звонок:

– Елена Викторовна? Владимир Владимирович Путин хотел бы пообедать с вами. Он предлагает завтра в два часа дня в японском ресторане «Изуми» на Спиридоновке. Вам подойдет это время и место? Прекрасно, спасибо! Владимир Владимирович будет вас там ждать!

Звонил Игорь Сечин, нынешний руководитель канцелярии президента, исполнявший в то время функции не только пресс-секретаря, но заодно, по сути, еще и денщика Владимира Путина.

Вот тут-то, когда эта авантюра обрела реальные очертания, я, наконец, не на шутку испугалась.

Единственным человеком, с которым я всерьез (и уже не по телефону) посоветовалась, был мой отец. Оптимизма он мне не добавил.

– Знаешь, Алена, Лаврентий Палыч Берия тоже вот так вот молоденьких девушек на обед приглашал. А потом их никто и никогда больше не видел...

Вот в таком бодром настроении в декабре 1998 года я отправилась на свидание с человеком, которому всего через год предстояло стать новым президентом России.

Поверить в это тогда, разумеется, было невозможно. Точно так же, как и в то, что мой обед с Владимиром Владимировичем Путиным через год станет косвенной причиной моего изгнания из «кремлевского пула». И уж тем более в то, что еще через несколько месяцев, получив верховную власть в стране, этот мужчина практически уничтожит независимую политическую журналистику в России.

Однако теперь расскажу обо всем по порядку и начну с того, как в 1997 году состоялось мое журналистское внедрение за кремлевскую стену.

Глава 2

КРЕМЛЬ С ЧЕРНОГО ХОДА

Даже и не знаю, для кого мой приход в Кремль стал бо́льшим шоком — для меня или для Кремля. Сергей Ястржембский, пресссекретарствовавший в тот момент у Ельцина, дружелюбно пошутил на мой счет: «Лена, такое впечатление, что вы выросли в инкубаторе или в другой стране — для вас как будто не существует окружающего мира!» Я не стала его огорчать, что меня-то, вообще, всегда мучило обратное подозрение: что как раз его собратьев по разуму, пасущихся на политическом поле, разводят в каком-то отдельном, таинственном инкубаторе. Причем в том месте наверняка частые перебои со светом и электричеством — со всеми вытекающими для их развития последствиями.

Но в шутке Ястржембского, безусловно, была доля правды. Когда я стала кремлевским обозревателем, мне было всего 24 года, а всю предыдущую сознательную жизнь меня окружали люди, для которых любой чиновник, тем более советский, являлся по определению существом чужим и скорее всего враждебным. Мои ближайшие друзья и учителя в журналистике всю жизнь проработали в западных СМИ. Которые, в свою очередь, даже для большинства нынешних молодых российских политиков всю жизнь были «вражескими голосами», «боровшимися против системы».

В общем, не удивительно, что когда я из своего «инкубатора» вдруг попала прямиком в «инкубатор» кремлевский, эффект получился термоядерный.

Как я перешла Стикс

Кремль в отличие от театра начался для меня не с вешалки, а со Старой площади. Что, в принципе, было одним и тем же.

В 1997 году в бывшем здании ЦК КПСС, которое теперь выполняет роль политического предбанника Кремля, обитали наследники крестного отца «Video International» Михаила Лесина – молодые пиарщики Алексей Волин и Михаил Маргелов. Для них это был приз за ударно проведенную избирательную кампанию Ельцина 1996 года: возглавить Управление президента по связям с общественностью. Начали они с того, что вместо убогого, серенького названия своего чиновничьего органа ввели шипучую аббревиатуру: УПСО.

Интервью, которое в мае 1997 года я взяла у «продавца УПСО» Маргелова, стало для меня первым культурным шоком на пути в Кремль. Михаил Витальевич откровенно заявил мне под диктофон, что после института, который он закончил (ИСАА – Институт стран Азии и Африки), могло быть только два пути: – либо в КГБ, либо «по партийной линии». «Все остальное – это только ответвления от этих линий – либо ты в АПН, либо в МИДе, либо в идеологическом отделе ЦК... Либо ты в ПГУ сидишь в Ясенево...»

– То есть, если какой-то выпускник ИСАА официально не работал в партийных органах, значит, он был сотрудником КГБ? – уточнила я.

Мальчики с довольным смехом закивали.

Для меня это открытие имело еще и некоторый личный подтекст: дело в том, что в «Московской Хартии журналистов», в которую я незадолго до этого вступила, состояла также и однокурсница Волина Анна Мельникова. Она работала тогда переводчицей в японском корпункте и вроде бы никогда в партийных органах не трудилась. «Значит?..» – тут же пронеслось у меня в голове. Но этого вопроса я им, разумеется, не задала.

Забегая вперед, скажу, что в начале 2000 года бедная Аня была тихо отлучена от «Хартии» за то, что сначала подписала вместе с нами заявление в защиту Бабицкого (который, как мы подозревали, был задержан в Чечне российскими спецслужбами по приказу Путина), а днем позже поставила свою подпись под статьей, фактически провозглашавшей Бабицкого американским шпионом, на ленте государственного агентства РИА «Новости», которым к тому времени руководил Алексей Волин.

Сами Волин с Маргеловым при первом же знакомстве весело мне признались, что предпочли после института поработать немного преподавателями в Высшей школе КГБ.

Из их рассказа выходило, что вся новая российская система власти построена исключительно на выходцах из КГБ и руководящих партийных органов, причем прежняя иерархия во многом сохранена.

– Ну кем я был в советское время? – сетовал Маргелов. – Я был простым переводчиком – ниже меня была только урна. А вот, например, Ястржембский и Малашенко успели дослужиться до референтов международного отдела ЦК КПСС...

А под конец разговора, видимо, решив окончательно меня «добить», Маргелов с Волиным сообщили, что у них даже секретарши все «из органов»:

– Одна наша секретарша прошла тяжелую школу Главного разведывательного управления Генштаба и Штаба Варшавского договора, а другая – не менее тяжелую школу Совмина еще в прежние времена. В них у нас нет никаких сомнений.

– И что, здесь все секретарши такие? – опешила я.

Ответ был бесхитростен:

– Что касается других секретарш... То их мы уволили.

Отношение моих новых знакомых к прессе тоже было закалено крепкой пропагандистской школой СССР. Волин как-то раз рассказал мне, как в Индонезии, где он несколько лет проработал представителем советского официозного агентства АПН (ныне – РИА «Новости»), ему пришлось отвечать за раздачу денег аборигенам, писавшим для местных газет заказные статьи, воспевавшие Советский Союз. Так вот один из таких «журналистов», по рассказам Волина, пришел к нему как-то раз и попросил выдать денег авансом – за несколько заказных статей вперед. И – что вызывало в этой истории особый хохот Волина – давал при этом «честное слово офицера», что «отработает».

Впрочем, в новых российских реалиях Волин быстро пристрастился работать не только с традиционными клиентами, но и с журналистами, которые принципиально отказывались брать деньги за публикации. Как объяснял сам пиарщик, «А это интереснее! Из чисто спортивного интереса...»

К тому же, наверное, и экономнее.

Безграничный цинизм Волина и Маргелова, с одной стороны, шокировал, но с другой стороны – был для меня в тот момент просто неоценим. Именно такие, циничные и прямолинейные, «гиды» и были мне необходимы, чтобы понять тот чужой мир, в котором мне предстояло работать.

Так Волин стал для меня вскоре примерно тем же, чем был Вергилий для Данте в «Божественной комедии» – проводником в кремлевскую «Долину теней». Он заочно знакомил меня с обитателями кремлевской «преисподней», объяснял, кто из них, за какие грехи и на чьи деньги в каком круге ада находится. И самое главное – из его рассказов я вскоре почерпнула ясное представление о «Ближнем круге» (звучит жутковато, но на кремлевском сленге ближайшее окружение президента называют именно так, не стесняясь прямых стилистических аналогий с терминологией дантевского «Нижнего ада»).

Теперь я уже четко знала направление, в котором мне необходимо было двигаться сквозь концентрические круги разноуровневых чиновников к самому центру кремлевской преисподней.

Благодаря откровениям моего «Вергилия»–Волина я быстро отдала себе отчет и в том, что Стигийское болото, которое отделяет Кремль от внешнего мира и которое мне, диггеру, предстоит перейти вброд, пахнет отнюдь не розами. Так началось мое рискованное путешествие к «Ближнему кругу».

«Сам ты передаст!»

Кремлевские брифинги, как афористично подметил один мой коллега, точно так же, как и переломы, бывают открытыми и закрытыми.

Так вот, с аккредитацией на открытые брифинги у меня, разумеется, с самого начала не было никаких проблем. Потому что при Ельцине пресс-служба президента не позволяла еще себе такой откровенной идеологической сегрегации, как сейчас, при Путине.

За всю эпоху Ельцина из «кремлевского пула» выгнали только одного журналиста — Александра Гамова из «Комсомолки» — за то, что тот, по мнению тогдашнего президентского пресс-секретаря Сергея Ястржембского, оскорбил в своей публикации Наину Иосифовну, супругу Ельцина. Да и то потом Ястреб (как мы называли между собой кремлевского споуксмена) еще долго к месту и не к месту каялся перед нами за то, что «погорячился».

Еще одной жертвой ельцинской цензуры пала Елена Дикун из «Общей газеты». Ее на несколько месяцев отрезали от всех информационных каналов во властных структурах за то, что во время предвыборной кампании 1996-го она в красках расписала, как ельцинский избирательный штаб прикармливал (в прямом, гастрономическом смысле) тогдашнюю придворную прессу. В тот момент «Общая газета» из-за позиции ее главного редактора Егора Яковлева оставалась, без преувеличения, единственным в стране центральным изданием, которое наотрез отказалось участвовать во всеобщем негласном сговоре российских журналистов и их спонсоров-олигархов по переизбранию Ельцина на второй президентский срок.

Но к тому времени, как я появилась в «кремлевском пуле», Ястржембский уже исправил ошибку своих предшественников, и реабилитированная Дикун опять уже трубила на боевом посту в Кремле. И тогдашняя ельцинская пресс-служба в отличие от нынешней, путинской, беспрекословно аккредитовывала на все официальные президентские мероприятия любого журналиста по требованию газеты.

Но вот с закрытыми кремлевскими переломами, в смысле — брифингами, дело обстояло чуть хуже. Потому что каждый чиновник предпочитал пускать туда только своих, проверенных, журналистов.

Через месяц моей работы в «кремлевском пуле» Алексей Волин решился с глазу на глаз выложить, какое мнение обо мне сложилось в тусовке (как иронично называет само себя околокремлевское сообщество):

– Ты понимаешь, в Кремле тебя просто боятся! Ты абсолютно неподконтрольна, девушка со снесенной крышей, пишешь что вздумается, и уж если начинаешь мочить когонибудь в статьях, то мочишь так крепко, что потом над ним вся тусовка смеется...

Именно с неофициальной мотивировкой «он тебя боится» первое время меня отказывались аккредитовать и на закрытые брифинги тогдашнего кремлевского идеологического комиссара с одноименной фамилией: Комиссар. Кстати, на имена и отчества чиновников кремлевская почва тоже скупилась, предпочитая их клонировать – так, например, человек, профессия которого так удачно совпадала с фамилией, оказался к тому же еще и полным тезкой своего тогдашнего подчиненного, уже знакомого мне господина Маргелова: Михаил Витальевич Комиссар.

Запрет подогревал мой интерес: попасть к Комиссару на брифинг хотелось позарез – хотя бы затем, чтобы понять: а нужен мне вообще-то этот Михаил Витальевич № 2 – или вполне хватит первого?

Я отправилась за советом к Маше Слоним, работавшей тогда на Би-Би-Си, и пересказала ей диагноз Волина:

– Маш, говорят, они меня боятся. Просто не знаю, что делать!

– Я догадываюсь, в чем дело, Ленка: у тебя, знаешь, временами бывает слишком пристальный и тяжелый взгляд. Ты на них смотришь как следователь на подсудимого. А ты попробуй смягчать взгляд! – наивно советовала подруга.

И я смягчала... Однажды я ворвалась в кабинет к Волину на Старой площади, задыхаясь от хохота:

– Слушай, Леш, а как ты думаешь, если до сих пор Комиссар не пускал меня на свои брифинги, то, после того как я в лицо обозвала его ПЕРЕДАСТОМ – он меня аккредитует?

– Кем-кем ты его назвала? – не понял он.

– Ну как, ты разве не помнишь знаменитый армянский анекдот: «– Здравствуйте, Левона можно к телефону? – Нет, папы нет дома. Есть только я и дедушка. – Ну тогда позови дедушку – он передаст. – Сам ты передаст! И отец твой передаст! И мать твой передаст!»

– Ну и причем здесь Комиссар? – опять не понял Волин.

Отдышавшись, я объяснила, в чем дело.

Во время торжественной церемонии в Екатерининском зале Кремля, когда Ельцин спокойненько вручал награды студентам, я увидела в одной из живописных архитектурных ниш Комиссара, который что-то отчаянно диктовал корреспондентам «Интерфакса» и «ТАССа». Я заинтересовалась и подошла поближе.

Но Комиссар, завидев меня, испуганно замахал руками и закричал своим доверенным журналистам:

– Только Трегубовой не рассказывайте – она передаст!!!

– Сами вы ПЕРЕДАСТ, Михаил Витальевич, – на автомате парировала я и гордо удалилась прочь.

Волин от души поржал над моей выходкой.

А вывод его изо всей этой истории оказался неожиданно обнадеживающим:

– Ничего, Ленка, они быстро поймут, что если с тобой ругаться, то «мочить» ты их будешь еще сильнее!

А очень скоро я убедилась, что в Кремле, точно так же как и в жизни, все происходит не по правилам, а по чуду. Поехав как-то раз на Кутузовский навещать свою бабушку, я совершенно случайно наткнулась у Триумфальной арки на того самого Комиссара, с которым уже отчаялась когда-нибудь наладить отношения. Он сидел за рулем машины, а на заднем сиденье лежала невероятно трогательная, милая, вся трясущаяся от холода и от старости, крошечная собачка Комиссара. С ее хозяином мы просидели и поболтали в машине битый час и, конечно же, помирились. На зависть его доверенным журналистам, которые тут же, перефразировав старый анекдот про «собаку Рейгана», таким образом родили новый анекдот про своего патрона...

– Ну, конечно, тебе везет... – попрекали они меня. – Мы-то в отличие от тебя собаку Комиссара в глаза не видели...

Опасные связи

Самым болезненным моментом моего вживления в кремлевскую субстанцию были встречи «без галстуков». Потому что ужин с чиновником – это тебе не брифинг. И тут уж, как мутант ни маскируйся, стилистическая пропасть оказывалась просто зияющей.

К примеру, до поездки с Ельциным в Кишинев в октябре 1997 года мне в страшном сне не могло привидеться, что когда-нибудь я сяду за один стол с человеком, произносящим слово «перспектива» с лишней буквой «Е» в середине: «перЕспектива» – по советской партийной традиции. А именно таким человеком оказался тогдашний пресс-секретарь президента Сергей Ястржембский, с которым мне предстоял дружеский ужин в теплой Молдавии.

Стилистика нашего хлебосольного застолья в центральном ресторане Кишинева вообще напоминала фильм ужасов про клонов: все мои кремлевские спутники вдруг оказались Сережами (Ястржембский, Приходько и Казаков), а все мои спутницы – журналистки –Танями (Малкина, писавшая тогда, кажется, для «Московских Новостей», и Нетреба из «Аргументов и Фактов»).

А уж музыкальное оформление вечера было и вовсе беспрецедентным.

– А теперь для наших гостей из Москвы – музыкальный подарок–музыкальный сувенир! – вдруг задорно, с подвывертом, кричал хозяин заведения.

Сомневаться в том, кто же эти «гости из Москвы», которым так щедро преподносился заплесневелый музыкальный сувенир, не приходилось: наша компания сидела в ресторане в полном одиночестве. И местная ресторанная дива принималась завывать для нас в микрофон такую заскорузлую попсу советских времен, что у меня просто начинало тоскливо ныть под ложечкой. Воспроизвести название песен я, к сожалению, затрудняюсь – за отсутствием в моем образовании этого культурного слоя. Но что-то, помню, было там про березки и про любовь.

В какой-то момент Сережи, не выдержав родных зажигательных ритмов, предложили Таням, а заодно и мне, потанцевать. И я, в каком-то легком тумане, не веря до конца, что вся эта махровая безвкусица происходит со мной, согласилась.

Беседы с ельцинским пресс-секретарем в медленном танце еще более усугубили у меня ощущение нереальности происходящего. Охотник Ястржембский интимно признался мне, что уток стрелять ему «совсем не жалко – потому что там мозгов совсем нет», а вот убитого им зайчика пресс-секретарь однажды пожалел: «Потому что там мозгов уже побольше, и агония была – фу, кошмар...»

Я, несколько лет вообще не евшая мяса (и способная временно отказываться от вегетарианства только после удачного сеанса самовнушения, что мясо растет в супермаркетах), слегка щипала себя, чтобы проверить: я ли – та красавица, которая нежно танцует с этим кремлевским чудовищем.

Впрочем, мои ответные шуточки тоже не на шутку испугали чиновников. Надо было видеть, как неприятно напряглись их физиономии, когда я образно объяснила, где находится дача Маши Слоним: «Да это же просто на расстоянии ружейного выстрела от дачи Ельцина!»

Как ни странно, в моих научных наблюдениях за кремлевскими обитателями «без галстуков» таилось гораздо больше опасности для меня, чем для них самих. Потому что моя-то нервная система оказалась, разумеется, куда менее прочно защищена, чем мутантская. И чем более жалкое впечатление они производили, тем психологически труднее было мочить их в статьях.

В Стокгольме, например, в декабре 1997 года со мной случился натуральный приступ «стокгольмского синдрома» – широко известный в психиатрии феномен, когда заложники начинают отождествлять себя с удерживающими их террористами. Одной человекоподобной фразы Сергея Ястржембского (о том, что он «испытывает физическую боль», когда видит Ельцина в таком ужасном состоянии, в каком тот выступал в шведской ратуше) было достаточно, чтобы я начала отчаянно, чуть не до слез, жалеть этого кремлевского чиновника. И несколько недель после этого, из жалости, я сознательно слегка смягчала в статьях обычно предельно жесткие оценки в адрес публично врущего о президентском здоровье споуксмена.

В один прекрасный день начальник отдела политики осторожно сказал мне:

– Не обижайся, но, по-моему, ты начинаешь постепенно проникаться их логикой. Будь, пожалуйста, осторожна. Ты уже несколько раз, рассуждая о сути кремлевских интриг, произнесла фразу «я прекрасно их понимаю».

Я почувствовала, что он прав. И ровно в тот момент я раз и навсегда выработала для себя абсолютно железное противоядие от кремлевского вируса, который мы, диггеры, рисковали подхватить при неформальных контактах с мутантами: упоминая в статьях о политиках, с которыми знакома лично, мочить их в два раза сильнее. И в результате, если наложится плюс на минус, то как раз и получится объективно.

Во время «римских каникул» с Ельциным в феврале 1998 года к нашей компании, регулярно устраивавшей смешанные, мутантско-диггерские ужины во время каждого зарубежного визита президента, присоединился и еще один завсегдатай – Борис Немцов.

Незадолго до поездки в Рим я брала у вице-премьера Немцова интервью. И когда после этого он увидел меня на аэродроме, в специальном загончике для прессы, где нас заставляли ждать прилета президента, молодой реформатор, моментально позабыв про Ельцина, рванул к ограждению.

– Трегубова, мы идем сегодня ужинать, – безоговорочным тоном заявил вице-премьер.

Ельцин покосился на своего несостоявшегося преемничка недовольным глазом. И мне во избежание скандала в присутствии президента пришлось пригласить Немцова присоединиться к нашей компании.

Ужин с мутантами в средиземноморском ресторане получился во вполне вампирском духе. Как только журналистке Вере Кузнецовой подали пасту с чесночной заправкой, главный редактор «Эха Москвы» Алексей Венедиктов, сидевший с ней рядом, вдруг заволновался, втягивая носом воздух, потом вскочил, пересел на другой край стола, а в конце концов уже оттуда истошно закричал нам:

– Уберите это отсюда немедленно! Там же чеснок!

– Vampire, – хладнокровно констатировал наш официант и поспешил удалиться.

Из всех сидевших за столом только одна я точно знала, что Венедиктов – не вампир, а аллергик. Потому что даже во время октябрьского мятежа 93-го года, когда мы с ним и еще десятком журналистов вместе безвылазно сидели у Сергея Юшенкова в «демократическом» Федеральном информационном центре на Страстном бульваре, куда вот-вот грозили зайти в гости боевики, уже разгромившие Останкино, под окнами стреляли, и поэтому о том, чтобы выйти на улицу купить еды не могло быть и речи (мне, как самой маленькой, Сергей Николаевич благородно скормил за эти трое бессонных суток три полные сахарницы с рафинадом – единственный провиант, который был в запасе) – так вот, даже тогда, когда на третий день нам героически, практически под пулями, доставили туда заказанную из «Пиццы-Хат» по телефону еду, смертельно голодный, как и все мы, Венедиктов, судорожно раскрыв принесенные картонные коробки, чуть не заплакал – и наотрез отказался от найденных внутри вкуснейших горячих сырных тостов, едва почувствовав от них легкий чесночный аромат.

Но в мирном феврале 1998-го суеверный итальянец еще долго, разнося десерт, исподтишка пытался заглянуть, не прячет ли Венедиктов, часом, под бородой еще и клыки.

Зато вице-премьер Немцов в тот «вампирский» вечер в Риме, наоборот, быстро доказал нам, что если он и вурдалак, то какой-то неправильный. Бракованный экземпляр.

Например, к моему любимому Риму он сразу применил весьма точный, но не вполне типичный для кремлевской дипломатии эпитет:

– Это – самый разъе...ский город из всех, которые я знаю!

Я не преминула тут же сообщить вице-премьеру, что это – как раз то самое определение, которое лучше всего подходит и к нему самому.

– Знаете что, Лена! – слегка обиженно заявил мне на это вице-премьер, мой будущий друг, с которым мы в тот момент обращались друг к другу еще на «вы». – А вы вообще все ваши статьи о Кремле пишете по принципу: «Мимо тещиного дома я без шутки не хожу!»

Кто не знает продолжения этого хулиганского стишка – спросите у Немцова. Я вам пересказывать отказываюсь.

Очень скоро я вообще уже запуталась, кто же из нас на кого больше влияет в этих «опасных связях»: журналисты – на ньюс-мейкеров или, наоборот, они – на нас.

Кстати, возвращаясь к стилистическим проблемам: часто случалось даже, что кремлевские чиновники заражали журналистов с ослабленным иммунитетом лингвистическими паразитами. Например, среди моих коллег можно без труда опознать исторический пласт журналистов, которые работали в «кремлевском пуле» еще во времена администраторства Чубайса. Индикатор был очень простой: все они, как и Чубайс, ошибочно употребляли слово «накоротке» не в классическом, крыловском значении «интимно, дружески», а в вульгарном смысле «недолго». И еще, так же, как и он, по поводу и без повода прибавляли ко всякой фразе бессмысленное, но экспрессивное выражение «на секундочку»: «А кто, на секундочку, страну спасать будет?!»

Вскоре я даже научилась с большей или меньшей статистической погрешностью определять, кто из кремлевских чиновников с каким журналистом или журналисткой «накоротке». Сделать это было необычайно просто: у таких парочек всегда был идентичный запас анекдотов и идентичная манера их пересказывать.

В силу крайней узости политической тусовки можно было даже самой запустить в нее какой-нибудь свежий анекдот и подождать, с какой стороны и в каком виде он к тебе вернется – проследив, таким образом, цепочку связей. Как мне впоследствии рассказывали, тот же прием (прозванный в кремлевском просторечии эхолотом) обильно использовал и Валя Юмашев, запуская ложные слухи и отслеживая потом цепочку их передвижения.

Хорошая квартира

К счастью, даже в момент моего «глубокого погружения во власть», совсем неподалеку от Кремля для меня всегда оставался магнит попритягательнее. На Тверской, 4, в квартире моей ближайшей подруги Марии Слоним, собиралась Московская хартия журналистов. В советское время Маше, внучке первого сталинского наркома иностранных дел Литвинова, а по совместительству – злостной диссидентке, пришлось эмигрировать в Англию, где она стала самым знаменитым голосом русской службы Би-Би-Си. А сразу же после перестройки, как только стало возможным получить въездную визу в Россию, «англичанка» Слоним, ставшая к тому моменту уже леди Филлимор, моментально собрала вокруг себя в съемной московской квартире всех самых ярких молодых российских журналистов. Получить приглашение в эту нашу журналистскую «масонскую ложу» считали для себя престижным все ведущие российские политики.

Пожалуй, только Черномырдин во время своего премьерства к нам прийти отказался: охрана объяснила, что премьеру, по нормам безопасности, нужны два лифта в подьезде – а у нас там был только один.

«Хартия» родилась из легендарного «Клуба любителей съезда», существовавшего еще в кулуарах Верховного Совета. Несмотря на провокативное название, съезд в этом Клубе не любил никто. Точнее было бы назвать его «Клуб любителей выпить». Причем – именно в кулуарах съезда.

Я, еще будучи «салагой» лет девятнадцати от роду, не способной взять в рот ни грамма алкоголя (как, впрочем, увы, и сейчас), с благоговением наблюдала в буфете Большого Кремлевского дворца, как мои «старшие товарищи» – Володя Корсунский с «Немецкой волны», Алик Бачан с «Голоса Америки», Лева Бруни с «Радио Франс» и примкнувшая к ним фракция газеты «Сегодня» – с особым цинизмом, прямо под звуки трансляции из зала заседаний, «принимали поправки». Сначала принималось по рюмке «за основу», через пару минут – уже «в первом чтении». А когда все поправки были уже единогласно приняты, им приходилось удаляться домой к Слоним – «на парламентские чтения».

Никогда не забуду, как я в первый раз попросилась к Маше на «выездное заседание съезда». Мне-то ведь в тот момент казалось, что взрослые, крутые политические журналисты там, у нее дома, только и делают, что дискутируют о ситуации в стране.

Слоним быстро развеяла мои юношеские иллюзии.

– А-а! Да ты еще и не пьешь ничего?! Прекрасно! Приходи! Будет кому потом блевоту за пьяными убирать, – цинично проверила она меня на прочность.

– Ничего-о-о! Будет молодежной фракцией! Комсомол! – подбодрил меня Алексей Венедиктов, который, как настоящий педагог, во время съездов то и дело подходил и, будто своей ученице, ласково вздергивал пальцем нос – для поддержания боевого духа.

Блевоты у Слоним дома по счастливой случайности не оказалось. Зато в изобилии были разбросаны экскременты.

– Мария Ильинична, там у вас в комнате на полу кто-то накакал, – уважительным тактичным шепотом сообщала я Маше на ухо.

– Остается надеяться, что не гости, – хладнокровно комментировала Слоним.

Кроме гостей, нагадить на пол, конечно же, было много кому: в доме у Слоним всегда находились штуки две-три приблудных собаки (сейчас, с переездом Маши за город, амплитуда колебания собачьего поголовья возросла до пяти–семи штук и оказалась щедро разбавлена конем Пушкиным, павлином Кузей и его полигамной многодетной семьей, а также безвестными, но красивыми крылатыми и водоплавающими гадами, породу которых я назвать затрудняюсь).

Среди обитателей же первого, московского Машкиного «ковчега» был и легендарный Палыч – дворовый пес, названный так в честь Антона Палыча Чехова – потому что его, умирающего от чумки, провез контрабандой в поезде с гастролей из Ялты и вылечил Машин муж, актер МХАТа Сергей Шкаликов, Шкала.

Но на Палыча в тот раз грешили зря. Потому что когда я полезла в морозильник, чтобы достать лед, то обнаружила там, внутри, подо льдом, все ту же самую замороженную какашку, что раньше валялась на полу. Оказалось, что это все –

Шкала. Нет, Серега не накакал, конечно, – но зато купил искусственные экскременты и подсовывал их нам везде... Зато как Шкала переводил нас через Майдан на своей гитаре!

Вот в такую, сумасшедшую, квартиру в старинном доме на Немировича-Данченко, как ни странно, и стремились попасть все ведущие политики страны. Дом был замечателен еще и тем, что из кухонного окна по пожарной лестнице можно было вылезти на крышу, а оттуда, сверху, как на ладони было видно Москву. Именно по этой лестнице вместе со мной и парой коллег, которые были еще в состоянии держаться за поручни, на крышу в начале 90-х годов лазал известный экономист Андрей Нечаев (развлекавший меня по пути своим фирменным, фамильным эквилибристским фокусом с нереальным выгибом большого пальца руки), и тогдашний градоначальник – тихий Гавриил Попов (вконец запуганный фамильярным обращением моих сугубо трезвых коллег «дорогой Гаврила!»), и прочие активные действующие лица постреволюционной России первого созыва.

Туда же, к Маше, поднимался выпить водки с журналистами (и по-отцовски посочувствовать мне – непьющей) замечательный актер и потрясающий человек Всеволод Абдулов, живший этажом ниже. Время от времени заваливались и коллеги Шкалы по МХАТу – обаятельный дебошир Ефремов-младший и талантливая актриса Евгения Добровольская.

Каждый раз, прилетая из Нью-Йорка, в гости к Маше Слоним спешил зайти и наш общий «американский дядюшка» – Алик Гольдфарб, всегда приносивший, как волхв, один и тот же набор даров: роскошное (как меня уверяло пьющее большинство) французское вино и, наоборот, самые дешевые советские рыбные консервы на закуску. Потомственный авантюрист Гольдфарб, который во времена СССР даже родного папу умудрился выгодно выменять на советского шпиона, теперь водил дружбу то с Соросом, то с Березовским, но всегда оставался «нашим», готовым в любой момент показать всем своим приятелям-олигархам кукиш в кармане, ради того чтобы затеять какой-нибудь очередной сумасшедший проект в поддержку друзей-журналистов в России.

И именно оттуда, с Машкиной «колокольни» на улице Немировича-Данченко, где открывался прекрасный вид на старый центр Москвы, я впервые свысока и взглянула на Кремль.

Некоторые политики – например Егор Гайдар, в бытность премьером, и Шахрай, в бытность вице-премьером, – просили устроить «выездную сессию» у них в кабинете – потому что охрану их сразу хватал кондратий, как только она видели в какую фата-моргану зовут их босса. Тогда мы приходили к ним сами. А Слоним даже и туда, в кабинеты «высоких начальников», умудрялась пронести с собой частичку своей фиганутой квартиры.

Однажды она вдруг начала громыхать по чиновничьему столу каким-то пакетом:

– Ой, извините, это у меня там кости гремят...

У высокопоставленного чиновника вытянулась морда.

– Ну в смысле – собачьи кости... Ну не собачьи, конечно, – понимаете, а говяжьи – мне собак кормить надо... – начала оправдываться Слоним.

Стук Машкиных костей так до сих пор и остается для меня самым лучшим камертоном в общении с государственными чиновниками любого ранга.

Вскоре, с приходом новой политической эпохи, состав наших гостей резко сменился. По символическому совпадению, переехала в новую квартиру, поближе к Кремлю, и Маша: теперь мы уже звали Татьяну Дьяченко, Бориса Немцова, Альфреда Коха, Михаила Ходорковского, Александра Волошина – в дом на Охотном ряду, дверь в дверь с нынешней Госдумой.

Работать в этой «засвеченной» явочной квартире было уже просто невозможно. Как-то раз, когда к нам в гости заявился Немцов (служивший в тот момент в ельцинском правительстве), я, воспользовавшись тем, что вся компания еще только рассаживалась и разогревалась аперитивом, быстренько додиктовывала в редакцию репортаж о перестановках в Кремле по городскому телефону. И вдруг, безо всякого щелчка, в мой телефонный разговор гладко вклинился нежный женский голос:

– Здравствуйте, извините, пожалуйста, что я вас перебиваю, но не могли бы вы позвать к телефону Бориса Ефимовича?

От такого свинства я просто опешила. Ну, думаю, Немцов совсем уже обнаглел! Мало того что он каким-то девушкам наши телефоны раздает, – так они еще и в телефонные разговоры каким-то хитрым фокусом встревают!

– Нет, не могла бы позвать! – злобно отрезала я. – У меня срочный репортаж, будьте так любезны перезвонить позже.

– Ой, ради Бога, простите, не сердитесь! – сбивающимся смущенным голоском начала оправдываться девушка. – Дело в том, что с ним срочно хочет поговорить Борис Николаевич, – это из приемной президента вас беспокоят...

Как-то раз позвали Березовского. В честь диковинного гостя хозяйка дома даже наготовила котлеток: «Ну он-то, наверняка есть не будет, побрезгует... Ну ничего – нам больше достанется...» Этот прогноз не оправдался. Как не оправдался и прогноз других моих коллег, что «Березовский посидит полчаса – и убежит».

И котлетки почти все съел. И часа четыре с половиной в гостях просидел, уморив разговорами даже самых стойких репортеров. Я в тот день дежурила в газете и приехала позже всех, часа через два после начала встречи. Подхожу к дому, уже даже и не надеясь, конечно, застать Березовского. И тут навстречу мне из подъезда выскакивает совершенно осоловевший Пархом (Сергей Пархоменко – тогдашний главный редактор журнала «Итоги», по сути, уничтоженного потом в ходе путинского раскулачивания Гусинского) и на все мои расспросы только в ужасе машет руками:

– Не-е-е! Никуда он оттуда уже не уйдет!!! Мы все помрем, а он все говорить и говорить будет...

Меня же в Березовском больше всего поразили его длинные, тонкие, музыкальные, невероятно чувственные и нервные пальцы, которыми он эти самые Машкины котлетки тягал из мисочки. Эти аристократичные пальцы категорически не вязались со всем публичным образом этого человека.

Но вот уж кто действительно мог уморить нас беседами, так это Явлинский. Этого политика долго упрашивать прийти в гости не приходилось. Но как только его впускали в дом, он затягивал свое обычное, мерное, нарциссическое соло. И уже примерно на десятой минуте давно знакомой всем арии «Явлинский о Явлинском с любовью» мы тихо начинали засыпать, не похрапывая только из приличия. Из всех его рассказов мне запомнился только один-единственный (видимо, как раз потому что там не было ни слова о нем, любимом)...

Как-то раз правозащитник Сергей Адамович Ковалев пошел к Ельцину заступаться за арестованных в Белоруссии диссидентов, которые устроили демонстрацию против Лукашенко.

– Борис Николаевич, позвоните, пожалуйста, Лукашенко и попросите, чтобы он хотя бы изменил студентам меру пресечения... – попросил правозащитник (имея в виду, чтобы он хотя бы до суда выпустил их из тюрьмы под подписку о невыезде).

Ельцин, который всегда относился к Адамычу с уважением, тут же снял трубку и потребовал соединить с Лукашенко:

– Александр Григорьевич, вот тут у меня Ковалев сидит, уважаемый человек... Знаете, нужно бы изменить меру пресечения вашим арестованным демонстрантам!

И тут, как догадался Ковалев, Лукашенко на том конце трубки возмущенно переспрашивает: «Как это так, «изменить меру пресечения»?!»

И Ельцин ему начинает объяснять. Но – в меру своего понимания:

– Ну как-как! Изменить, и все! Например: у кого пять лет – тому два года дать, у кого два года – тому «условно»...

По словам Явлинского, услышав это, бедный бывший зэк Ковалев чуть в обморок не упал.

К этому времени неофициальный «Клуб» уже институализировался в серьезную, влиятельную, единственную в стране действительно независимую ассоциацию журналистов: «Московскую Хартию журналистов». Каждый из нас добровольно подписался под правилами, которые он обязался выполнять в профессии. Хартия гласила, в частности, что журналист «не принимает платы за свой труд от источников информации, лиц и организаций, заинтересованных в обнародовании либо сокрытии его сообщения».

Кроме того, каждый из нас поставил свою подпись под тем, что журналист «отстаивает права своих коллег, соблюдает законы честной конкуренции, добивается максимальной государственной открытости государственных структур». А также «избегает ситуаций, когда он мог бы нанести ущерб личным или профессиональным интересам своего коллеги, соглашаясь выполнять его обязанности на условиях, заведомо менее благоприятных в социальном, материальном или моральном плане».

Именно эти пункты нашей журналистской «Декларации прав человека» очень скоро стали так болезненно актуальны для многих из нас. Ровно с такой гордой и свободолюбивой цеховой «конституцией» мы, ведущие политические журналисты страны, и встретили внезапно обрушенные на нас олигархами информационные войны, а потом – путинский разгром негосударственных СМИ. И в какой мере каждый из нас сдержал это добровольное обещание, скрепленное подписью, – судить теперь только нам самим.

Турфирма «Президент и Компания»

Кремлевская школа привила мне, пожалуй, единственную полезную привычку: всегда иметь с собой загранпаспорт и две фотографии. Потому что по первому зову кремлевского горна нужно было бросать все и нестись сломя голову на Старую площадь, в отдел аккредитации – сдавать паспорт на визу.

При Ельцине эти внезапные звонки означали, что президент опять ожил и готов к полету. А при Путине – что на Старой площади опять закончилась стопка из 20 моих фотографий, заранее привезенных туда всего за пару недель до этого.

Дедушкины медицинские показатели надежно защищали журналистский пул от всей этой насажденной Путиным бодрой мальчишеской мельтешни туда-сюда по миру задрав штаны. Прежде, из-за постоянных ельцинских болезней, выездной жанр в жизни «кремлевского пула» был редок и изыскан.

Помню свой сильнейший эстетический шок от первой зарубежной поездки с Ельциным: едва самолет приземлился на заморской земле, журналистки «кремлевского пула», словно отряд дрессированных обезьянок, в ту же секунду, как по команде, вытащили из похожих сумочек совершенно одинаковые солнечные очки и синхронно нацепили их на себя как выездную униформу.

«Друзья мои! Даю вам три дня на разграбление города!» – кидал свой фирменный боевой клич предводитель ельцинской «турфирмы» – колоритный начальник отдела аккредитации Сергей Казаков. К моменту приезда журналистов Сергей Палыч, как он сам нам жаловался, уже неделю «не щадя себя, сидел и пил напитки с хозяевами отелей, чтобы выбить выгодные тарифы».

Кстати, сейчас, при Путине, этот выгодный кремлевский туристический бизнес (обороты которого с тех пор, как нетрудно догадаться, многократно возросли прямо пропорционально физической активности нового президента) и вовсе откровенно отдали на откуп специально назначенной придворной туристической фирме – «Моско».

Дальнейшая программа журналисткого пула была проста.

Сначала на фоне чужеземного пейзажа президентские девушки с пристрастием оглядывали друг друга с ног до головы:

– Хм, у тебя новые сапоги... Хорошие, только этот каблук уже вышел из моды.

– А ты почему опять постриглась не у моей парикмахерши?! Ты что, специально каждый раз уродуешь себя – назло мне?!

И весь пул в принудительном порядке всегда бывал оповещен, когда одна из наших коллег начинала вдруг носить трусики стринги.

А затем начинался самый страшный и самый неотвратимый пункт зарубежной программы: коллективный шоппинг исключительно в контексте которого и воспринимался дружным кремлевским коллективом каждый новый город.

С моей патологической аллергией на культмассовые походы в магазины, отдающие какими-то советскими загранкомандировками, мне то и дело приходилось малодушно линять от коллег под любым удобным предлогом. А иногда – и без оного.

Как же подло, помню, однажды в Хитроу, сказав подружкам: «Сейчас-сейчас...» – я метнулась за угол и, прямо как в старомодных детективах, нырнула в первый попавшийся спасительный кеб и крикнула водителю: «Вперед!»

Впрочем, я давно заметила странную закономерность: каждый раз, когда во мне вдруг просыпается снобизм к ближним, жизнь моментально заставляет меня побывать в их шкуре. Ровно так же произошло и с моим брезгливым отношением к шопингу. Однажды, еще в университетское время, сидела я в Исторической библиотеке и писала реферат про «Декамерон» – и случайно встретила там своего бывшего одноклассника Мишу Ламицкого, который бодро сообщил:

– Вот только что из Рима вернулся...

– Ух ты! Понравился Сан-Пьетро? – с завистью спросила я, в тот момент в Риме побывать еще не успевшая.

– Да не-е! Ты меня не так поняла! Мы туда с батяней по бизнесу ездили – кроссовки закупать. А че такое этот Пьетро? Опиши мне, может, я его и видел!

Я еще долго не могла оправиться от этого разговора.

И вот случилось так, что впервые в жизни в Рим я приехала вместе с Ельциным. И как назло, из-за своего бытового идиотизма, оказалась одета совсем не по погоде: потому что в Москве в феврале было минус десять, а в Риме – плюс десять. А через несколько часов нужно было ехать в аэропорт встречать президента. И первое, что мне пришлось сделать, – это побежать на знаменитую торговую улицу Via Nationale срочно покупать себе легкое пальто. А оказавшись в бутике, я, именно из-за своего дилетантизма в шопинге, безвольно позволила продавцам-стилистам начать примерять на меня под это пальто еще десять совершенно посторонних предметов. В общем, часа через три я, с трудом протискиваясь в дверь, вышла из этого бутика с двумя огромными баулами. Потратив, как потом оказалась, абсолютно всю свою зарплату с карточки, которую я так же безвольно, не поинтересовавшись даже ценами, отдала менеджеру магазина для разорения.

В общем, только добравшись со всеми этими пожитками до своего отеля, я вдруг вспомнила, как насмехалась над беднягой Ламицким и его «батяней». И тут, как не трудно догадаться, трижды пропел петух, и я, точно Петр, восплакавши горько, исшед вон из гостиницы – скорее ловить такси и ехать в Сан-Пьетро!

А на обратном пути в Москву, в аэропорту, для смирения гордыни жизнь заставила меня еще и примерить на себя роль моих маниакально шопингующих товарок из «кремлевского пула»: запихивать обновки было некуда, поэтому я так и везла их в тех огромных упаковочных баулах. У главного редактора «Эха Москвы» Алексея Венедиктова, увидевшего меня в этом интересном положении, просто глаза на лоб полезли. Тоном школьного учителя истории, отловившего прогульщицу, он процедил:

– Да-а-а... Съездили в Вечный город, называется...

Именно из-за того что для мелких кремлевских чиновников загранкомандировки во времена Ельцина были раритетом, они старались выжать из них все что можно, до последней капли. Журналистов могли, к примеру, щедрым жестом привезти в Бонн за три дня до начала официального визита Ельцина, а домой отправить только через сутки после отъезда делегации. Я не могла себе позволить бессмысленно тратить столько времени и иногда отказывалась лететь тем рейсом, билеты на который закупал президентский отдел аккредитации (не на кремлевские, разумеется, деньги, а на деньги наших редакций).

Очень скоро я начала вызывать у пресс-службы легкое раздражение неуместным трудоголизмом, когда, прилетая к самому началу визита Ельцина по самостоятельно купленным билетам, я еще и начинала с порога тиранить их:

– Вы обещали нам привести мидовцев для бэкграунда. Когда?

– Та-а-ак! Трегубова опять, кажется, работать приехала! Нет чтобы дать нам посидеть спокойно пивка попить... – недовольно ворчал на меня на Кельнском саммите 1999 года

Алексей Алексеевич Громов (нынешний пресс-секретарь Путина, работавший в то время главой пресс-службы Ельцина).

Впрочем, несмотря на мой добровольный секвестр пребывания в выездном кремлевском санатории, бессмысленного свободного времени все равно каждый раз оставалось — хоть ушами ешь.

Из Страсбурга с саммита Совета Европы я, например, даже успела слетать на ночь в Париж — палакомиться горячими профитролями в Grand Café на бульваре Капуцинов.

Кельн был отмечен знаком вечного поломничества к Стопе Господней — в любимый Домский собор.

Досуг в Кельне и Бонне можно было провести и в буквальном смысле на водах — долгие уединенные купания в «Claudius Therme», обнаруженных мною неподалеку от Кельнского зоопарка, были просто божественны.

Там же, в Кельне, мы с Димой Пинскером из «Итогов», Таней Малкиной из «Времени новостей» и Олегом Текменевым из «Века» умудрились во время президентского визита даже сходить на концерт «Rolling Stones». Жанровую сценку помню как сейчас: чистенький, незагаженный, трамвай, в котором добропорядочные кельнские фанаты-бюргеры чинно, молчаливо, с приличествующими случаю ностальгическими улыбками разъезжаются после концерта, а четверо официально одетых русских, истерически, до слез, в течение пятнадцати минут беспричинно хохочут от одного вида «поджопников» — круглых поролоновых сидений, которые раздавались на концерте. Нетрудно себе представить ход мыслей престарелых немецких хиппи: «Ну, все в порядке — русские ребята просто выкурили лишку, на «хи-хи пробило». Они, вероятно, удивились бы, и даже обиделись, если б узнали, что никто из нас в жизни не забил ни одного косяка. Просто на круглых «поджопниках» оказалась нарисована символика «роллингов» — ясное дело: колеса. Какие ассоциации возникали у нас при слове «колеса» — тоже понятно: такие же, как и у престарелых хиппи. И вот четверо серьезных кремлевских политических обозревателей, которым на следующее утро предстояло писать аналитические статьи об итогах саммита, начали травить анекдоты про наркоманов. А «на хи-хи пробил» всех Пинскер, вспомнив про то, как девочка Оля использовала первый лепесток цветика-семицветика на то, чтобы ее «колбасило», второй – на то, чтобы ее «перестало колбасить», третий – на то, чтобы ее «плющило», четвертый – на то, чтобы ее «перестало плющить», пятый – на то, чтобы ее «торкало», шестой – на то, чтобы «перестало торкать». А потом – увидела мальчика Витю на костылях и думает: «Ой, какая ж я эгоистка! Все шесть лепестков на собственный кайф истратила! Ну ничего, у меня еще остался последний лепесток, сейчас я все исправлю: «Хочу, чтобы мальчика Витю КОЛБАСИЛО!!!»

С тех пор фраза «хочу, чтобы мальчика Витю колбасило» была у нас вместо приветствия, когда мы встречались с Пинскером на кремлевских брифингах, тематика которых становилась все более и более соответствующей. Всего через несколько месяцев путинская пресс-служба отрезала Дмитрия Пинскера от всех кремлевских источников информации как представителя «вражеского» оппозиционного медиа-холдинга Гусинского. Причем большинство журналистов «кремлевского пула» кто молчаливо, а кто и активно, поддержал эти репрессивные действия по отношению к коллеге. А вскоре Димка, которому исполнилось всего тридцать лет, трагически погиб. Странно, но так уж получилось, что запомнила я его именно таким: кельнский вечер после саммита, ярко освещенный трамвай. И мы – счастливые, беззаботно хохочущие над поролоновыми «колесами», и не знающие своего будущего.

Кстати о «колесах»: к зданию саммита «Большой семерки» в этом вольном, сибаритском рейнском городе я добиралась всегда не иначе как верхом на взятом здесь же на прокат велосипеде. Под ненавидящими, и в то же время несытыми взглядами тупо «попивающих пивко» кремлевских чиновников.

Словом, курортная жизнь била ключом. Иногда нашему безбедному отдыху под Дедушкиной десницей мешали только уличные антиглобалисты, преследовавшие нас с Ельциным из города в город, с саммита на саммит, прямо как в бунюэлевском «Смутном объекте желания». Из-за этих ребят любой приличный город сразу же начинал вонять жженой помойкой: они с неправдоподобной быстротой сначала загаживали все центральные улицы, а потом их же еще и поджигали.

Никогда не прощу им тот помоечный аромат, что во время саммита «Большой семерки» в Бирмингеме примешался к нежнейшей курице карри в местном индийском ресторане. Из распахнутых окон которого нам как раз хорошо были видны баррикады и зарево антиглобалистских пожарищ.

Глава 3

БОРИС ЕЛЬЦИН, ЖИВОЙ И МЕРТВЫЙ

Может, со стороны кому-то это и покажется геронтофилией, но абсолютно все, без исключения, девушки «кремлевского пула» любили нашего Дедушку Ельцина нежнейшей, заботливой любовью.

— Что-то у Бориса Николаевича появилась какая-то странная, неприятная манера причмокивать. В чем дело? — периодически строго спрашивала президентского пресс-секретаря в кулуарах какая-нибудь из моих коллег.

— Знаю... Спасибо, что подсказали. Ему просто недавно зуб неудачно вылечили... — отчитывался споуксмен.

— А вы не могли бы все-таки вставить Ельцину в ухо «горошину»? Сейчас же все-таки изобрели уже хорошие, совсем маленькие слуховые аппараты. Потому что иначе все думают, что проблемы у президента — не со слухом, а с головой... — заботилась другая фрейлина.

— Мы подумаем об этом... Но вы учтите: правое ухо у Бориса Николаевича практически совсем не слышит. И поэтому, когда все потешаются, что я Борису Николаевичу якобы все время разъясняю вопросы, потому что президент якобы не адекватен или не понял — на самом-то деле Борис Николаевич просто-напросто вопроса не расслышал, а я элементарно повторяю ему все в левое ухо, — трогательно объяснял нам в неофициальных беседах Сергей Ястржембский.

И мы доверчиво старались кричать президенту свои вопросы именно в левое, действующее ухо.

— Борис Николаич! А правда ли то, что вы вчера в Москве сказали, что уже договорились с Кофи Аннаном о поездке в Ирак? Вы можете это подтвердить? Ведь уже поступила противо-

положная информация, что Аннан отказался от поездки из-за отсутствия мандата ООН, — невинно интересовались мы у Ельцина на церемонии встречи в президентском дворце в Риме.

— Нет! Неправда! Я такого никогда не говорил! Это — дезинформация! — возмущенно отпирался Ельцин. — Я?! В Ирак?! Не-е-ет! Я в Ирак не поеду! Я такого никогда не говорил!

— Да не вы, а Ан-нан, Ан-нан! — хором по слогам кричали журналисты «кремлевского пула», честно стараясь, как нас и просил Ястржембский, заходить слева.

Или в Бирмингеме, на саммите «G7 плюс Россия», Ельцин, видимо, исключительно из-за проблем со слухом, начинал вдруг разговаривать с самим собой, да еще и через переводчика.

— Вы опоздали! — упрекал он лидеров ведущих индустриальных стран, придя на встречу раньше всех.

Переводчик транслировал эту фразу. Однако потом, пока все рассаживались, английский толмач тоже начал работать. А наш переводчик, по чистой случайности, услышав фразу «вы опоздали» на английском, решил еще раз перевести ее на русский.

— Я?! Я опозадал?! — негодовал Ельцин, услышав свою же собственную фразу в наушнике. — Это вы все опоздали!!!

Трудно передать на словах, как же мы все радовались, когда наш родной Дедушка мог долгое время твердо держаться на ногах и не говорил на публике глупостей! Потому что, когда он делал наоборот, нам, сопровождавшим его в поездках, хотелось как минимум разреветься, а как максимум — провалиться сквозь землю.

Стокгольмский кошмар

Когда кто-нибудь произносит слово «Стокгольм», у меня до сих пор все холодеет внутри. И не у одной меня, а еще у трех десятков журналистов и политиков, которые в начале декабря 1997 года решили прокатиться вместе с российским президентом в Швецию.

Началось все с того, что Ельцин чуть не женил Немцова на шведской кронпринцессе Виктории. На официальном королевском приеме российский президент, подняв бокал шампанского, вдруг подозвал к себе первого вице-премьера, кивнул на дочку шведского монарха и потребовал:

– Смотри, какая девушка симпатичная! Надо тебя на ней женить. Пойди познакомься!

– Борис Николаевич, это же Швеция! Здесь, знаете, какой этикет строгий! Она же – неприкосновенная особа, с ней так просто нельзя! – попытался отговорить его от брачной авантюры Немцов.

Но русскому царю шведский протокол был по колено: Ельцин немедленно притянул к себе обезумевшую от ужаса Викторию и смачно поцеловал.

– Ну! А теперь – ты давай! – потребовал Ельцин от своего нижегородского любимца.

Чтобы спасти честь шведской принцессы, а заодно и собственной страны, вице-премьер пустил в ход последнее секретное оружие:

– Борис Николаевич, не могу, я женат. А здесь ведь такой закон: если кто до незамужней принцессы дотронется – все, сразу женись!

– Э-эх ты-ы!..– остался недоволен Ельцин.

Но вскоре риск обесчестить кронпринцессу показался всем просто цветочками. На пресс-конференции в Стокгольмской ратуше Дедушку понесло по полной программе.

Поток сознания, как обычно, начался с излюбленной темы: «Боеголовки».

– Я предложил Соединенным Штатам в два раза сократить ядерное оружие! А пока что – я принял решение, что Россия одна, без всех, в одностороннем порядке сократит боеголовки на треть... А постепенно нам надо довести вопрос до конца, до полного уничтожения ядерного оружия! – провозгласил Ельцин, и многочисленные репортеры уже начали судорожно строчить сенсационные сообщения в свои агентства.

Казалось бы, западным дипломатам уже пора было радоваться такому беспрецедентному пацифизму главы российского государства. Но – не тут-то было. Мирные инициативы Ельцина тут же оказались подпорчены: внезапно он причислил к ядерным державам безъядерные страны – Японию и Германию.

Тут же досталось и Швеции. Ельцин вдруг перепутал ее с Финляндией и объявил, что в двадцатом веке она с Россией находилась в состоянии войны.

– Ну теперь-то это все в прошлом... – примирительно заключил российский лидер.

Но, едва согласившись простить шведам мифическую войну, Ельцин принялся поучать местное правительство.

– Правильно ваше население, ваши рабочие выражают недовольство своим правительством! – огорошил шведов гость. – Потому что вы все время пользуетесь углем вместо газа! А нужен газ! И Россия его вам может продать!

Из каких народных сказок про шведские рудники Ельцин почерпнул эти сведения – так навсегда и останется великой тайной российской дипломатии.

Зато следом настал черед волноваться российской делегации.

– Я дал им распоряжение! – кивнул Ельцин на свою свиту. – Договор о газопроводе должен быть готов не к какому-нибудь девяносто девятому году, а к восьми часам завтрашнего утра!

Взглянув этот момент на сопровождавшую Ельцина команду, я обнаружила, что лица Немцова и Ястржембского, которые, по шведскому протоколу, обязаны были стоять рядом с президентом навытяжку, стали уже даже не бледного, а нехорошего, зеленого, обморочного цвета.

Особо слабонервные российские журналистки, сидевшие рядом со мной, уже начали рыдать в голос. Одна за другой они вскакивали с мест и, закрывая ладонями мокрое от слез лицо, выбегали из зала в проход.

Я же просто не могла пошевельнуться от ужаса и как завороженная не отрывала глаз от президента.

Тут в Ельцине постепенно стал как будто кончаться завод: он начал запинаться, отвечать не на те вопросы, мимика его все больше расплывалась, и, под конец, запнувшись случайно о шнур микрофона, он пошатнулся и прямо на трибуне начал падать.

У меня было полное ощущение, что еще пару минут – и этот бесконечный ужас разрешится ужасным концом. Короче, что мой президент умрет прямо здесь и сейчас, у меня на глазах.

Тут уже и в рядах президентской свиты началась истерика. Ястржембский кинулся спасать президента – делая вид, что передает Ельцину какие-то важные бумажки, на самом деле пресс-секратарь как заботливая нянька, по возможности незаметно, физически не давал главе государства упасть. А потом и вовсе пододвинул ему стул и усадил за стол.

Немцов же оказался впечатлительным, хуже чем его шведская «невеста»: первый вице-премьер вдруг зашатался, схватился за голову и опрометью бросился прочь с трибуны – в тот самый, левый проход, куда уже попряталась от глаз шведских дипломатов добрая половина российской делегации и прессы.

Не в силах больше наблюдать это душераздирающее зрелище, туда же вскоре эмигрировала и я.

– Я почувствовал, что еще секунду, и я сам упаду в обморок, – признался мне бледный как смерть Немцов, обмахивавшийся сценарием президентского визита как веером.

А рядом с ним Вера Кузнецова, работавшая тогда в «Известиях», дергала за рукав Татьяну Дьяченко и громко, как контуженая, орала ей в лицо:

– Но ведь это же – п...ц! Таня! Это же п...ц!!! Что же теперь с этим делать?!

Выглядевшая абсолютно хладнокровной президентская дочь Татьяна предпочла не комментировать эту свежую мысль.

Но больше всего в тот вечер меня потрясло хладнокровие ельцинского пресс-секретаря Ястржембского. Когда после ратуши, на ватных от волнения ногах, я добежала до пресс-центра, то обнаружила его одного, за минуту до входа в конференц-зал, уже переполненный возбужденными журналистами. И точно как актер перед выходом на сцену из кулис, Ястржембский несколько секунд, не замечая моего присутствия, тщательно отлаживал мимику, разминая губы, чтобы придать своему лицу обычное, гуттаперчевое, жизнерадостное выражение.

При нервно ходящем ходуном лице особенно пугающим было то, что руки его, державшие пластиковую чашку с кофе, которую он машинально схватил при входе на столике для журналистов, НЕ ДРОЖАЛИ. Он просто держал перед собой эту несчастную чашку с кофе и даже ни разу из нее не отхлебнул – похоже, что держал как раз для того, чтобы тактильно убедиться в собственном равновесии.

– Сереж, что происходит? Вы можете мне объяснить? – тихо спросила его я.

– Если б я сам только мог понять, Леночка, что происходит... Вы не поверите: я каждый раз, когда это с ним происходит, испытываю просто настоящую физическую боль...– признался от неожиданности Ястржембский, еще не успевший после шока перестроиться на свою обычную гуттаперчевость.

Но тут же, через сотую долю секунды, он моментально взял себя в руки, исправился и улыбнулся своей фирменной резиновой улыбкой:

– Что происходит? Происходит – пресс-конференция!

И, галантно распахнув передо мной дверь в зал, где уже гудели от нетерпения мои коллеги, пресс-секретарь ринулся в бой.

Ни следа от того рефлексирующего Ястржембского, которого я случайно подсмотрела в коридоре, здесь уже не было.

Он, как в жестком теннисе, беспощадно и точно отбивал все журналистские мячи, на ходу изобретая гениальные формулировки, объясняющие чудачества Ельцина:

– Журналистам обычно неведомо, что происходит за закрытыми дверями переговоров. Дипломатическая кухня обычно находится вне поля их зрения. Но у российского президента – как известно, свой стиль. И сегодня на ваших глазах он сделал то, чего обычно не делают дипломаты: президент слегка приоткрыл для журналистов форточку в то помещение, где обычно ведутся закрытые дипломатические переговоры. В частности, – здесь уже я, в свою очередь, открываю вам секрет, – он таким образом намекнул вам на будущие переговоры России и США по проблеме СНВ...

А какого-то вечно озабоченного ельцинским здоровьем японца, домогавшегося, как же быть с неадекватностью президента, причислившего Японию к ядерным державам, Ястржембский и вовсе выставил дурачком:

– Япония? Да? Он назвал Японию? Ну значит оговорился – вы сами не понимаете, что ли? Замените Японию на... я и сам уже не помню: какие у нас еще есть ядерные страны? А? Ага! Вот! Вы и сами не помните! Значит, замените на Великобританию! А Германию вообще опустите.

Ястреб так профессионально на протяжении получаса втирал нам мозги, что после окончания брифинга я и сама чуть было не засомневалась: а правда ли я за час до этого выслушивала предсмертный бред Ельцина, а не «дипломатические секреты из приоткрытой форточки».

На следующий день, зачитывая по бумажке длинную речь в шведском парламенте, Ельцин говорил с подозрительной хрипотцой, но зато уже явно понимал что. И сбивался редко. А сидевшие в ложе гостей Дьяченко с Ястржембским уже спокойно и весело хихикали над мелкими оговорками президента. И я еще раз подивилась железным нервам этой парочки.

Куда более эмоциональный Немцов признался мне потом, что считает причиной стокгольмского скандала тот самый бокал шампанского, который Ельцин лишь слегка пригубил на приеме у шведского короля.

– Понимаешь, когда у него проблемы со здоровьем, чтобы поддержать его в нормальном, дееспособном с виду состоянии, они его, кажется, накачивают какими-то очень сильнодействующими лекарствами, при которых алкоголь потреблять категорически запрещается. Потому что это сразу «дает по шарам», так и загнуться можно. И ему, действительно, в таком состоянии достаточно только слегка пригубить даже самого слабенького вина или шампанского, как начинается этот кошмар...

Через два с половиной года я получила неожиданный привет из Стокгольма – города, само название которого я хотела бы навсегда забыть. 24 мая 2000 года Немцов именно из шведской столицы позвонил поздравить меня с днем рожденья:

– Вот вспоминаю тут, как Дедушка умирал...Сейчас вылетаю в Москву. Что тебе привести из Швеции?

Я попросила «что-нибудь шведское, но не семью и не стенку». В результате, Борька, заявившись ко мне на день рожденья прямо из аэропорта, к восторгу гостей (среди которых были и журналисты, тоже пережившие вместе с Ельциным стокгольмский кошмар в декабре 1997-го) подарил мне роскошный шведский национальный костюм. И это, наконец, хоть как-то примирило меня со злосчастным городом, где рабочие, вероятно, до сих пор «негодуют на свое правительство за то, что оно топит углем, а не русским газом».

Лучше бы пил и курил

Честно говоря, иногда мне даже нравились ельцинские закидоны. До тех пор, конечно, пока они не угрожали его жизни.

Одно из таких невинных чудачеств мы с ним даже както раз провернули на пару – во время его визита в Орел в сентябре 1997 года.

Губернатор этой области Строев, как известно, сильно озабочен колхозно-совхозным строем. Как-то раз, сто лет назад, когда я попросила у него интервью для газеты «Сегодня», бывший секретарь орловского обкома Строев настолько испугался, что даже потребовал, чтобы во время интервью рядом со мной на всякий случай сидел еще и тогдашний главный редактор этой газеты Дмитрий Остальский.

А теперь я заявилась к Строеву в логово еще и с Ельциным...

Настроение у меня было самое хулиганское.

И, выждав момент, пока Ельцин вместе со Строевым подошли к журналистам, я громко (так, чтобы у орловского губернатора не было потом ни малейшего шанса прикинуться, что он не расслышал) спросила Дедушку:

– Борис Николаевич, считаете ли вы, что должен быть принят Земельный кодекс, гарантирующий право на свободную куплю-продажу земли сельскохозяйственного назначения?

Лицо Строева налилось как перезревший помидор.

Зато вот Ельцин, как я и рассчитывала, сразу оживился и чуть опять не полез на танк:

– Бе-е-езусловно! – рубанул президент. – Крестьянин должен быть хозяином своей земли с правом купли и продажи! И пока такого положения в Земельном кодексе не будет, я его не подпишу! Это – моя твердая позиция: свободная купля-продажа земли – это будущее России!

Насладившись параллельным видеорядом немых адских мук апологета колхозно-совхозного строя, стоящего рядом с президентом-реформатором, я решила, что если уж шкодить, то по большому. И продолжила беседу с Ельциным в еще более провокационном ключе.

– А как вы считаете, Борис Николаевич, должна ли быть введена свободная купля-продажа земли здесь, в Орловской области? – уточнила я елейным голоском, одновременно полукивнув Ельцину на Строева.

Тут Строев от напряжения уже совсем, казалось, вжался в землю, против свободной купли-продажи которой он боролся.

А у Ельцина оказалось ровно такое же шаловливое настроение, как и у меня.

– В Орловской области?.. – переспросил он, лукаво улыбнувшись и покосившись на губернатора.

И потом уже жестким, президентским голосом добавил:

– Здесь, на Орловской земле, линия на свободную куплю-продажу тве-о-ордо держится!

Строев молчал как орловский партизан, но факт уже был зафиксирован телекамерами ведущих телеканалов страны: Ельцин отменил на Орловщине колхозное крепостное право при молчаливом согласии «красного губернатора».

Свидетели этой сценки просто слезы вытирали от хохота.

Вот за такие моменты, я считаю, Дедушке можно было простить все. Потому что он всегда, не важно – вменяемый или невменяемый, живой или мертвый, – оставался крутым. Жаль вот только, что «мертвым» он бывал куда чаще, и никакой свободной купли-продажи в результате так и не ввел. Хотя мог бы...

А в той самой Орловщине, поверив типичной «потемкинской деревне» Строева – колхозному рынку «Орловская нива» (где, например, по откровенно копеечным ценам были выставлены 30 сортов колбасы), Ельцин тут же распорядился выдать губернатору кредит «на поддержку сельского хозяйства».

– Разумеется, мы не дадим ни копейки из этих денег преуспевающим предприятиям! А зачем?! Лучше мы будем поддерживать и вытягивать тех, кто похуже... – с идиотской прямотой признался мне тут же чиновник, назвавшийся нам помощником Строева по финансам.

Было дико жаль, что Ельцин не увидел погрома, который происходил в потемкинской «Орловской ниве» сразу же после отъезда президента! Зато мы, московские журналисты, с ужасом наблюдали, как голодные и нищие жители Орла, клявшиеся нам, что такого изобилия «никогда раньше не видели», смели всю еду с показушных прилавков за полчаса, подчистую.

И все-таки, кто еще, кроме нашего Дедушки, мог – хотя бы понарошку – не только строевские колхозы раскулачить, но и Курильские острова Японии подарить?

Я и раньше подозревала что-то подобное, когда Немцов с Ястржембским на все мои кулуарные расспросы о содержании неформальных переговоров с японцами реагировали какими-то нездоровыми смешками.

А потом, уже после отставки Ельцина, Немцов все-таки раскололся:

– В Красноярске, во время дружеской встречи с «другом Рю» наш царь вдруг совсем почувствовал себя царем и с глазу на глаз пообещал ему отдать острова. После этого к нам подбегают совершенно обалдевшие японские чиновники и, не веря своему счастью, говорят: «Ваш – нашему острова подарил! Мы теперь не знаем, что с этим делать! Он что – серьезно?!» Тут мы с Серегой кинулись к Ельцину и оба просто буквально упали перед ним на колени, говорим: «Борис Николаевич, не делайте этого, умоляем!». А он нам в ответ: «А почему я не могу этого сделать?! Я хочу сделать приятное своему другу!» Мы оба предложили ему лучше отправить нас в отставку, если ему так хочется, но острова не отдавать. В результате, президент хитро улыбнулся и говорит нам: «Ну хорошо, не волнуйтесь... Я их обману...»

Вот так два ельцинских чиновника разом испортили жизнь всем жителям Курил. Сама я на спорных территориях ни разу не была, но все, кто туда съездил, в один голос уверяют: даже колхозно-крепостная Орловщина в сравнении с этим местом – рай земной. И почему замерзающие, голодные, спивающиеся курильчане, которыми наше правительство вообще не интересуется, должны расплачиваться за абстрактные государственнические интересы, а не начать новую жизнь под протекторатом маленькой, но заботящейся о собственных гражданах страны, – не вполне понятно.

Так что я даже удивляюсь тому, насколько верно поется в одной популярной песенке: «Наш президент не пьет и не курит – лучше бы пил и курил! Возможно, от этого стало бы лучше жителям Южных Курил!» Похоже, к группе «Сплин» тоже попала конфиденциальная информация об этой истории.

А что же касается нынешнего российского президента, который действительно не пьет и не курит – то вот уж кто действительно «лучше бы пил и курил»! Ну посудите сами: разве можно сравнить нынешние путинские «афоризмы» – почему-то все как один какие-то кровожадные или садистские – с незабвенными добродушными ельцинскими загогулинами?

Протоколы сиамских близнецов

Как ни удивительно, до самой отставки Ельцина я ни разу не слышала в Кремле ни одной сплетни про то, что политический тандем Татьяны Дьяченко и Валентина Юмашева скреплен не только узами клана «Семьи» (в смысле, как «Коза Ностра»), но и здоровыми семейными отношениями.

– Понимаешь, на самом деле Таня и Валя – это просто один человек, сиамские близнецы! – объясняли мне на полном серьезе кремлевские старожилы.

При том что одна часть этих кремлевских близнецов – мужская, вообще никогда не вылезала на свет Божий из-под замшелой кремлевской коряги, вторая, женская, все-таки время от времени показывалась на людях.

С Татьяной (тогда еще Дьяченко) я познакомилась в начале 1997 года, когда она пришла к нам на встречу «Хартии» к Маше Слоним на Тверскую.

В личном общении Таня производила впечатление необычайно женственной, мягкой и беззащитной простушки. Меня, правда, несколько шокировало, что, делясь с нами впечатлениями от вышедшей незадолго до этого книги Александра Коржакова (бывшего ельцинского денщика, вылившего на своего прежнего хозяина все имевшиеся в запасе ушаты дерьма), президентская дочка заявила, что она «и сейчас по-прежнему хорошо относится к дяде Саше...» Впрочем, в образ беззащитной простушки такое странное заявление как раз вписывалось.

А дальше случилось невероятное: Татьяна сумела до глубины сердца растрогать собравшихся в тот день у Слоним матерых политических обозревателей.

Потому что она вдруг, ни с того ни с сего, в ответ на наши жесткие вопросы о политике принялась по-женски плакаться нам, что в коржаковской книжке рассказано про то, что Боря – не родной сын ее теперешнего (в смысле, тогдашнего) мужа. Причем плакалась Таня в буквальном смысле – пустила слезу, моментально смутив и покорив меня и всех моих друзей. Достигнув этого эффекта, президентская дочка быстренько собрала вещи и, скомкано, всхлипывая, попрощавшись, выбежала на лестничную клетку.

Проводить ее выскочил Леша Венедиктов, который через пять минут вернулся к нам просто с перевернутым лицом:

– Ребята, она сейчас там так расплакалась...

– Крокодиловы слезы. Плохо сыграно, – цинично парировала Танька Малкина. Она оказалась единственной среди всех нас, кого ранимость и беззащитность ее тезки Татьяны оставили холодной как лед.

Все накинулись на Малкину с упреками в излишнем цинизме и доводами типа «такие глаза не могут обмануть».

– Могут! Еще как могут! Вы просто не ездили с Елкиным (так старый состав «кремлевского пула» называл между собой Ельцина. – *Е. Т.*) в предвыборную кампанию! Вы бы только видели, как они полуживого синюшного, как труп, Ельцина выпихнули к журналистам объявлять, что он отправляет в отставку Чубайса – так вот, вы бы только видели, с каким лицом эта ваша беззащитная и женственная Таня в тот момент выглянула из-за угла и радостно потерла ручки!.. Я просто случайно оглянулась и увидела ее: никогда в жизни не забуду этого ее выражения лица!

В общем, мнения экспертов радикально разошлись. Но девяносто девять процентов против одного голосовали за искренность президентской дочки.

Вскоре мне представился случай проверить, кто же из нас был прав.

В октябре 1997 года я отправилась с Ельциным на Страсбургский саммит Совета Европы. Дико страдая от тошнотворной эльзасской кухни, после работы я тщетно бродила по городу, пытаясь найти хоть один ресторан, где бы мне согласились дать просто прожаренный кусок мяса. А не замаринованный и протушенный перед этим по гадкому местному обычаю. Убив на эти отчаянные поиски часа два и вконец потеряв надежду, я забилась в угол какой-то маленькой харчевни и принялась обреченно жевать гостеприимно предложенный мне омерзительный шукрут.

Я и так-то, когда мне не дают нормально поесть, начинаю беспричинно злиться на всех окружающих, а тут еще, с гадливостью прожевав кусочек продложенной мне шеф-поваром промаринованной свинины, я вдруг обнаружила прямо рядом с собой, за соседним столиком, президентскую дочку Татьяну.

«Мало мне было того что еда здесь поганая... – злобно подумала я. – Так теперь еще и вообще поесть спокойно не дадут. Сейчас придется вести светские разговоры и задавать вымученные вопросы».

И, забыв про все журналистские принципы, я малодушно отвернулась в другую сторону и прикинулась увлеченным эльзасским едоком.

Через десять минут, домучив кусок свинины и расплатившись, я, уже на пути к выходу, из приличия все-таки подошла к Татьяне поздороваться. Она женственно разулыбалась, сразу вспомнила про «Хартию», и сказала, что мечтает еще раз как-нибудь зайти к нам попить чайку.

На всякий случай я решила спросить ее о слухах, которые стали настойчиво курсировать в кремлевских кулуарах сразу же после аукциона по «Связьинвесту»:

– Тань, а скажите: правду говорят, что Борис Николаевич разочаровался в молодых реформаторах? И что в ближайшее время возможна их отставка из правительства? – специально как можно более проще сформулировала я вопрос, – чтобы было доходчивее для «неискушенной в политике простушки».

Таня разохалась:

– Ой, да ну что вы, Лена! Да нет, конечно! Папа их всех так любит!

А через месяц кремлевский сиамский близнец начал решающую операцию по зачистке младореформаторов из правительства.

Кстати, о Таниных слезах как о фирменном приеме я потом много слышала от кремлевских и правительственных чиновников. Особенно от тех, кого «близнецы» внезапно вышвыривали с какого-нибудь поста.

– Представляешь, прихожу я к Тане в ее кремлевский кабинет – выяснять, что за дела. А она – сразу в слезы... Пожалейте, всхлипывает, папу – и рыдать. Ну что ты с ней будешь после этого делать... – так звучало самое типичное описание секретного кремлевского оружия.

Даже удивительно, насколько долгое время этому сиамскому близнецу удавалось оставаться самым рукастым экспонатом кремлевской кунсткамеры, который умудрялся рулить (правда, с чужой подачи) не только страной, но и – что было куда более сложной задачей, – стихийным президентом Ельциным.

Глава 4

ПОД ЗНАКОМ «СВЯЗЬИНВЕСТА»

Придя в Кремль, я сразу же оказалась на войне. Это была настоящая «третья мировая». Огонь на поражение (даром, что информационный) велся между окопами двух самых влиятельных в том момент группировок: Березовского–Гусинского и Чубайса–Потанина за 25% акций компании «Связьинвест». Так же, как и абсолютное большинство других политически озабоченных жителей столицы, я не вполне представляла себе в деталях, что же такое этот «Связьинвест», и на фиг из-за него разносить вдребезги всю страну – чем, собственно, с азартом и занимались вышеописанные группировки.

В Кремле, на передовой, мне оставалось лишь пригибать голову и любопытствовать, из какого окопа вылетел очередной фаустпатрон.

Теперь, по прошествии нескольких лет, мне кажется крайне символичным, что никто уже об этом злосчастном, роковом для страны «Связьинвесте» даже и не вспоминает, а один из акционеров, кажется, уже даже добровольно сдал свои акции государству – за ненадобностью.

На самом деле никакого «Связьинвеста» в 1997-м наверняка и не было. Это был миф, мираж, соблазн, которого тогдашние околовластные элиты не выдержали. И, перегрызшись между собой, лишили как собственную страну, так и себя самих такого реального в тот момент шанса на цивилизованный выбор.

Аргентина–Ямайка

Летом 1997 года я временно ушла из «беспартийной» в тот момент газеты «Коммерсантъ» – создавать новое либеральное ежедневное издание: «Русский Телеграф». Денег на выпуск этой газеты дал олигарх Владимир Потанин. Потанина я тогда еще в глаза не видела и толком не знала, кто он такой.

На мои опасения, что нас тоже попытаются «поставить в ружье» на информационных фронтах, главный редактор «Телеграфа» поклялся:

–Потанин прямо пообещал: «Я не буду вас использовать – потому что это значило бы сразу поставить крест на репутации газеты. У меня для этого есть масса других средств – «Известия» и «Комсомолка», например...».

Так что, даже работая в олигархическом СМИ, я могла твердо сказать про «Связьинвест»: это – не моя война.

Тем временем именно «Связьинвест» стал первым испытанием на прочность для встречавшейся у Маши Слоним «Московской Хартии журналистов». Мои коллеги, до этого мирно собиравшиеся выпить и потрепаться с нашими гостями-политиками, в одночасье разделились на два фронта: по принципу принадлежности к двум враждующим олигархическим кланам. Я, Володя Корсунский, Леша Зуйченко и Володя Тодрес, работавшие в «Русском Телеграфе», вдруг «номинально» оказались в чубайсовско-потанинском лагере. А Леша Венедиктов, Сережа Пархоменко и Миша Бергер – вроде как «по другую сторону баррикад». Потому что финансировал их СМИ Владимир Гусинский – тогдашний «однополчанин» Березовского в борьбе против Чубайса, Потанина и правительственных младореформаторов. Остальные журналисты быстро разделились на группы активно сочувствующих – той или другой стороне.

Стычки на почве оценок подковерных олигархических баталий в гостях у Слоним происходили регулярно.

– Борис – гениальный мыслитель! – заходился от влюбленности в Березовского один из нас.

– Да провокатор твой Борис! – брызгал слюной другой.

В общем, это был период общего буйного помешательства, когда многие из моих коллег-журналистов начали напрямую ассоциировать себя с хозяевами своих СМИ.

А остальные превратились в худшее подобие футбольных болельщиков, которые после матча громят витрины. А заодно – и морды своим обидчикам – болельщикам конкурентов.

Только вот политика все-таки поазартнее футбола будет. Можно судить хотя бы по мне: к футболу я совершенно холодна.

С одной стороны, наблюдая за коллегами, я чувствовала острую радость из-за того, что сама себе принадлежу: я не была повязана дружбой ни с одним олигархом, и если и разговаривала с кем-то из них, то только до того момента, пока они мне были интересны. И кроме того, на мне в отличие от многих моих «старших товарищей» не лежала ответственность за СМИ. С хозяином своей газеты я вообще не была в тот момент лично знакома и могла в любой момент хлопнуть дверью, как только на ее страницах появится хоть что-то оскорбляющее мой вкус.

Но даже несмотря на это, будучи женщиной страстной, межклановые олигархические войны я переживала с куда большим темпераментом, чем какой-нибудь болельщик «Спартака» – победу ЦСКА. И на полном серьезе расстраивалась из-за «несчастных младореформаторов», которых «гнал» Березовский.

В позиции «над схваткой» оставалась всегда, пожалуй, только хозяйка дома – Слоним. И именно ей время от времени приходилось кричать нам всем «брэк!».

В какой-то момент мы вдруг почувствовали, что если не хотим довести дело до братоубийства, то о политике нам лучше между собой вообще не разговаривать. То есть, когда к нам в гости приходили участники политических схваток, мы пытали их вопросами, но каждый – со своей стороны. И, кстати, именно благодаря нашему расколу, общая картина от этих вопросов получалась максимально объективной. А потом – все пили водку (ну, за исключением непьющих уродов вроде меня, поднимавшей бокал с газировкой Ginger Ale, и Пархома, который вечно был за рулем) и закусывали антиолигархической вареной колбасой. И это, пожалуй, было единственное ноу-хау, позволившее нашей «Хартии» пережить эпоху «Связьинвеста».

«Ну все, ребята, вам п...ц!»

Если даже нас, почти сторонних наблюдателей – журналистов, от ядовитого связьинвестовского дурмана так колбасило, то уж у олигархов и младореформаторов крышу и подавно снесло начисто.

Вот как вспоминал последние «предвоенные» дни заслуженный ветеран связьинвестовских сражений Борис Немцов:

– В июле Чубайс уехал с женой Машей в Париж. Перед этим мы с ним уже твердо договорились: аукцион по «Связьинвесту» будем проводить по закону. И вдруг Толик среди ночи звонит мне из Франции и говорит: «Слушай, Борь, а может, все-таки, нужно по совести, а не по закону? А то меня тут Береза с Гусем достали уже совсем...

Призыв делить госимущество «не по закону, а по совести», действительно, был очень популярен в тот момент в тандеме Березовского–Гусинского.

Вот как объяснял мне тогдашнюю диспозицию один из приближенных Бориса Абрамовича:

– Понимаешь, у Гуся тогда объективно мало собственности было. А Потанин уже много набрал. Вот БАБ и предлагал Чубайсу разные альтернативные варианты, если Потан откажется от участия в конкурсе...

В общем, «социализм с олигархическим лицом».

Продолжение знаменитого ночного разговора с Чубайсом, звонившим из Парижа, Немцов описывал мне так:

– Я ему говорю: «Толя! Ни в коем случае! Если ты пойдешь с Гусем и с Березой на сделку, я немедленно подаю в отставку! Если хотят получить «Связьинвест» – пусть платят на аукционе реальные бабки! Нам зарплаты уже стране платить нечем, бюджет пустой!»

25 июля аукцион по «Связьинвесту» состоялся. А сразу после подведения его результатов, когда стало известно, что победил международный консорциум Mustcom (с участием потанинского «Онэксим-банка» и фонда Джорджа Сороса Quantum), состоялся другой исторический телефонный разговор – только уже Березовского с Немцовым.

– Береза позвонил мне и в ярости, сказал только одну фразу: «Ну все, ребята! Вам п...ц теперь!» – вспоминает Немцов. – Я тут же перезвонил Чубайсу: «Толь, тебе Березовский, случайно, сейчас не звонил?» – «Звонил...» – «Ну и что сказал?» – «Сказал, что нам – п...ц».

Следующим эпическим шагом в развязке кровавой информационной войны был обед Чубайса и Немцова на даче у Вали Юмашева.

– Там у него сидела еще Таня, – рассказывает Немцов. – Мы приехали, потому что ждали, что Валя нам хоть что-то скажет обо всей этой ситуации. Но он нам ничего не сказал. И это было хуже всего. Атмосфера там у них, надо сказать, была гнетущая. Валя с Таней молча сидели и злобно ели шашлыки. Которые готовил и подавал им какой-то мальчишка, которого я тогда и не знал. Я думал – это повар. Но потом мне сказали, что это – Роман Абрамович...

Так началась Великая Олигархиада. Глава кремлевской администрации Юмашев, который до того считался главным посредником между всеми олигархами, теперь, как свидетельствовали все мои кремлевские источники, превратился уже в откровенного проводника воли лишь одной из конкурирующих финансово-промышленных группировок – своего давнего покровителя Бориса Березовского. При больном президенте, с учетом тесной дружбы Юмашева с ельцинской дочкой Татьяной, манипулировать ситуацией было не слишком трудно. А уж при том что у Березовского и Гусинского в тот момент были в руках два крупнейших телеканала страны – ОРТ и НТВ, – и подавно.

– Механизм у них безотказный, – объяснял мне тогдашний теневой кремлевский пиарщик Алексей Волин. – «Дружественному» телеканалу ОРТ, допустим, заказывается какая-нибудь передача про то, какой Чубайс злобный кровопийца и взяточник, и как его ненавидит народ, и как он вредит всенародной любви к президенту. А потом Таня в нужный момент включает папе телевизор, и все...

Вопрос влияния на слабеющего, заключенного в информационный вакуум президента, все больше становился вопросом физического доступа к его телу. Младореформаторы, в свою очередь, тоже не упускали возможности этим воспользоваться. В один прекрасный момент, дорвавшись до главного Уха страны, им удалось добиться отставки своего врага Березовского с поста заместителя секретаря Совета Безопасности.

Публичный ответ Юмашева конкурентам был тоже за гранью всяких приличий: в тот день на ленте информационного агентства РИА «Новости», со ссылкой на ПРЕСС-СЛУЖБУ ПРЕЗИДЕНТА, появилось сообщение о том, что отставки Березовского добились Чубайс и Немцов.

Таким образом, Валя, по сути, не стесняясь, водрузил на Кремлевскую башню флаг Березовского и объявил администрацию президента военным фортом своего друга-олигарха.

Когда же я зашла в день отставки БАБа на Старую площадь в Управление президента по связям с общественностью, Волин мрачно сообщил:

– Все. Вот теперь Чубайсу, похоже, действительно п...ц. В ближайшее время нужно ждать ответного удара со стороны Гусика и Босика по младореформаторам. И мало им, думаю, не покажется...

Через несколько дней грянул скандал с «Делом писателей». И мало «писателям», действительно, не показалось. Чубайса обвинили в получении завышенных гонораров за книгу «История приватизации в России». (Если мне не изменяет память, речь шла о 90 тысяч долларов. Чубайсовский пресс-секретарь потом оправдывался в кулуарах, что «Рыжего подставили». А подстава заключалась-де в том, что счета его, по его личной глупости, оказались в «Мост»-банке, у Гусинского).

В ходе операции Березовского и Юмашева, получившей в журналистской тусовке крылатое название «Разгон Союза писателей», своих постов лишились чубайсовские «соавторы» Петр Мостовой, Альфред Кох, Максим Бойко и Александр Казаков. А чуть позже, в момент замены Черномырдина на Кириенко, Чубайс тоже как-то случайно потерялся где-то по дороге из одного правительства в другое.

Так что за свою «голову» Березовский тогда заставил противников отплатить чуть ли не вдесятеро.

Иногда взаимная личная месть героев «первой олигархической» доходила до смешного. А именно – до идеологии. Осенью 1997 года во время поездки президента в Нижний Новгород (той самой, где Ельцин пожаловался, что друзья «запрещают ему говорить “про это”» – в смысле, про то, будет ли он баллотироваться на следующий президентский срок), как заранее поспешили объявить журналистам Немцов и Чубайс, глава государства должен был сделать «судьбоносное» заявление. Пиарщики со Старой площади немедленно разъяснили кремлевским журналистам, что Ельцин намерен объявить «новую национальную идею», которая, наконец-то, выработана в недрах Кремлевской администрации. Строй, при котором мы живем, должен был быть впервые официально назван – «капитализм», а светлое будущее, к построению которого президент должен был предложить народу стремиться, в документе обозначалось как «народный капитализм». Основные тезисы «национальной идеи» заключались в «уходе от криминального чиновничьего капитализма и построении капитализма с равными возможностями для всех». И в довершение, планировалось, что президент прямо выскажется в поддержку продолжения «открытых аукционов с равными возможностями».

Не удивительно, что в тот момент все эти тезисы были расценены ближайшим ельцинским окружением как опасные происки вражеского клана Чубайса. Поэтому «судьбоносное» выступление президента тоже как-то случайно затерялось где-то в недрах юмашевского письменного стола, и страна, сама того не подозревая, так и осталась без капиталистической «национальной идеи».

Кстати, во время путешествия с Дедушкой в Нижний Новгород я, замаскировавшись под секретаршу-стенографистку, проникла на закрытое совещание президента с губернаторами из ассоциации «Большая Волга» и услышала, как Ельцин с явным удовольствием обкатывал на регионалах те самые тезисы «капитализма с равными возможностями».

А в начале 1998 года по редакции «Русского Телеграфа» молниеносно распространился «слив» от нашего инвестора Потанина: в Давосе, во время Всемирного экономического форума, Борис Березовский при поддержке нефтяных олигархов и нескольких оппозиционных политиков сколотил пакт в поддержку замены Ельцина на Черномырдина. «Поняв, что с Ельциным, даже с больным, к которому нет-нет, да и прорываются конкуренты по бизнесу, каши все-таки не сваришь, БАБ решил его менять» – такая трактовка звучала тогда в политической тусовке.

Трудно было сразу судить, является ли этот «слив» лишь ответным ударом Потанина в информационной войне. Но через несколько дней и сам Березовский фактически подтвердил это, выступив в интервью «Аргументам и Фактам» с провозглашением Черномырдина «единственным приемлемым кандидатом» в президенты.

А еще через несколько дней тогдашний глава правительственного департамента информации Игорь Шабдурасулов (имевший репутацию человека БАБа) радостно сообщил мне, что отныне премьер Черномырдин намерен еженедельно выступать перед гражданами России с телеобращениями. До того момента выступать с еженедельными обращениями к гражданам (да и то – по радио, а не по телевидению, чтобы лишний раз не демонстрировать плачевное состояние своего здоровья) мог позволить себе только один человек в стране – президент.

При живом себе Ельцин такой конкуренции долго терпеть не стал. И давосская мина замедленного действия, заложенная Березовским, как он думал, под «устаревшего» Дедушку, на самом деле начала оттикивать обратный счет для премьера Черномырдина. А заодно – и для всей политической системы, выстроенной Ельциным.

Здесь надо отдать должное провидческому дару Березовского. Его прогноз: «Ну все, ребята, вам п...ц теперь!», – который он в момент «Связьинвеста» дал Немцову с Чубайсом, вскоре сбылся даже в гораздо больших масштабах, чем предполагал сам олигарх. Не миновав, заодно, и его самого.

Kinder Surprise

В марте 1998 года случился самый беспрецедентный факт моей журналистской биографии. Кремлевские пиарщики оказались мне БЛАГОДАРНЫ за то, что я раскрыла их секреты.

То есть сначала они, конечно, долго матерились, что я своей статьей «сорвала им пиар». Но спустя всего трое суток вдруг признались, что их пиар-компанию я, наоборот, спасла.

Как первое, так и последнее признание были для меня тем более лестны, что речь шла о самых крутых в то время политических пиарщиках во властных структурах: Алексее Волине и Михаиле Маргелове, выходцах из лесинского рекламного агентства «Video International».

Случилось же все вот как.

Поздно вечером, 18 марта, мне позвонил референт Ельцина Андрей Вавра и попросил срочно встретиться:

– Лена, у меня для вас есть эксклюзивная информация. Вы не пожалеете.

Встречу назначили на раннее утро следующего дня на нейтральной территории – ровно посредине между редакцией «Русского Телеграфа» (которая находилась в Газетном переулке у здания Центрального Телеграфа) и Кремлем: в мексиканском ресторане «Ла Кантина» на Охотном ряду.

И именно там, едва продирая глаза и реанимируя себя своим вечным свежевыжатым апельсиновым соком, я и услышала от Вавры следующую версию:

– В самые ближайшие дни руководство президентского Управления по связям с общественностью будет отправлено в отставку. В полном составе... В смысле – и Волин, и Маргелов. Почему я вам это все рассказываю? Скажу вам честно: дело в том, что я бы сам хотел возглавить это управление после их ухода. Но Комиссар (шеф «Интерфакса», работавший тогда заместителем главы кремлевской администрации по идеологии. – *Е. Т.*) сажает туда Дениску Молчанова – знаете, такой мальчик есть? Так вот, Татьяна Борисовна его очень любит... У нас здесь с вами обоюдный интерес – у вашей газеты будет эксклюзивная информация, а я в этой публикации заинтересован, потому что надеюсь, что после этой утечки Валентин Борисович все-таки одумается насчет Дениски...

Вернувшись в редакцию, я первым же делом позвонила Волину за комментарием.

Лешка помрачнел:

– Приезжай прямо сейчас на Старую. Я все тебе расскажу.

И, с глазу на глаз, сидя у себя в кабинете на Старой площади, Волин поведал мне следующее:

– Мы с Мишей уже давно подали Вале (Юмашеву. – *Е. Т.*) заявление об уходе. Но он все тянул и просил нас немного подождать. Понимаешь, нас просто достало, что они там, – тут Лешка выразительно кивнул в сторону Кремля, – сами не знают, чего хотят! Ведь ты же сама, Ленка, все эти месяцы своими глазами видела, какой бардак здесь творится. Ну подумай, – как мы можем хоть что-то пиарить, когда сам клиент не может дать нам ответы на основополагающие вопросы: например, идет ли президент на третий срок, подобрал ли он себе преемника, какой тип реформ ему больше нравится – список можно продолжать до бесконечности! Но пусть бы ответили хотя бы на это! Так нет ведь!

Тем не менее Лешка начал умолять меня не писать о предстоящей отставке:

– Пойми, у нас с Валей договор: уйти по-хорошему. Только он лично может дать нам отмашку, когда сливать информацию. А уж после этого мы отпиаримся по полной программе, не сомневайся! Но сейчас – придержи, пожалуйста, статью, я тебя очень прошу...

– Не могу, Леш, при всем желании... Извини... Информация попала ко мне не от тебя, поэтому я не могу выполнить твою просьбу. Я уже заявила текст в газете. Максимум, что я могу теперь для тебя сделать, – это опубликовать твой комментарий.

Но Волин лишь попросил подчеркнуть в статье, что он «отказался от комментариев».

На следующий день, 20 марта, «Русский Телеграф» вышел с сенсацией: кремлевские пиарщики уходят, потому что Кремль больше сам не знает, что пиарить.

После этого ребята вынуждены были официально подтвердить факт своей отставки информационным агентствам. А Маргелов даже разразился на ленте «ИТАР-ТАСС» гневной отповедью по поводу «аморальной утечки из Кремля» (в смысле, от Вавры).

Юмашев же, оказавшись таким образом припертым к стенке, вынужден был сразу подписать и обнародовать заявление Волина и Маргелова об уходе.

Волин с Маргеловым были просто в ярости на меня.

– Вы ради своей газетной сенсации сорвали нам всю пиар-компанию, которую бы мы провели по поводу своей отставки, если бы она состоялась в срок! Учтите, Лена: больше к нам за информацией можете не обращаться! – орал Маргелов.

А ровно через три дня я внезапно оказалась реабилитирована.

В понедельник, 23 марта, мне позвонил спозаранку Волин.

– Ленка, я звоню сказать тебе огромное спасибо за пиар-компанию! – закричал он в трубку.

Я сначала решила, что это – продолжение наезда.

– Леш, ну ладно тебе уже! Мне правда жаль, что я вас подставила, но у тебя своя работа, а у меня – своя... – начала я спросонья отбиваться.

– Да нет! Ленка! Я серьезно говорю: огромное тебе спасибо! Ты что, еще не знаешь ничего?! Включай телевизор скорей! Правительство отправлено в отставку, премьером назначен Кириенко! Теперь мне стало понятно, почему Валя так настойчиво просил нас попридержать информацию о нашем уходе: ведь если бы мы благодаря твоей «аморальной утечке» не отпиарились на прошлой неделе, то сейчас, на фоне смены правительства, нашего ухода вообще бы уже просто никто не заметил!

А уже через несколько дней Волин сообщил мне, что вместо «творческой работы вне государственной службы» (тоской по которой они с Маргеловым официально, для агентств, оправдывали причину ухода из Кремля) он решил возглавить пиар-службу нового реформаторского кабинета Кириенко.

И на протяжении всех последующих месяцев существования последнего реформаторского правительства Ельцина именно Алексей Волин, поменяв свою «подполье» на Старой площади, на «ставку» в Белом доме, безуспешно пытался отбить информационный огонь на поражение, открытый вскоре по кириенковским позициям из олигархических окопов.

Лешка до сих пор клянется мне, что Киндер-Сюрприз (как вскоре по-доброму окрестили Сергея Кириенко в политической тусовке) тогда, в конце марта, стал абсолютным сюрпризом и для него тоже.

Сам же Киндер-Сюрприз очень скоро превратился в существо вполне мифологическое. Начать с того, что, невзирая на быстрые и разрушительные для реформаторского правительства пропагандистские успехи кремлевских олигархов, самого Сергея Кириенко, по моим личным наблюдениям, в Кремле скоро начали слегка побаиваться. И иначе как «чертов хаббардист» и «самурай» за глаза не называли.

Летом 1998-го леденящие сердце легенды о Кириенко дополнились бытовой сценкой из жизни Краснопресненской набережной, пересказанной мне тогдашними министрами.

Идя на заседание правительства, Кириенко в присутствии еще нескольких членов кабинета столкнулся в коридоре Белого дома со своим вице-премьером Немцовым и спросил:

– Борь, а ты слышал про Рохлина?

Немцов, как выяснилось, еще ничего не знал о трагической смерти генерала.

– А кстати, знаешь, говорят, что его застрелила жена. Из ревности, – по-деловому сообщил Кириенко.

– Не может быть! Какой кошмар! – запричитал впечатлительный Немцов.

И тут Кириенко невозмутимо поинтересовался:

– А что это вы, Борис Ефимович, так вдруг разволновались? У вас что – дома пистолет где-нибудь припрятан?

Мое знакомство с Кириенко состоялось тоже в антураже оружия. Только уже холодного. На следующем дне рожденья Леши Волина Киндер-Сюрприз подарил своему пиарщику дорогой восточный кинжал. Как самурай – самураю.

Я не упустила случая поинтересоваться:

– Сергей Владиленович, а правда про вас говорят, что вы живете «по техникам»? Например, перед тем как принять какое-нибудь решение, запираетесь у себя в кабинете, хлопаете в ладоши и слушаете, какая ладонь звенит?

– Нет. Не правда, – ответил мне с довольной хаббардистской улыбкой Кириенко. – Я делаю немножко по-другому...

Глава 5
ОТЦЫ И ДЕТИ ДЕФОЛТА

Пять месяцев существования последнего ельцинского реформаторского правительства навсегда запомнились мне под лейблом «Шахматисты против любителей домино». О начале этой противоестественной (для любого хорошего шахматиста) партии возвестил один из гостей Машкиной квартиры на Тверской — личный пропагандист Михаила Ходорковского Леонид Невзлин, который вместе со своим боссом пришел к нам в гости на «Хартию».

«Если Ельцин не захочет договориться с нами по-хорошему, мы обыграем его в два счета. Потому что Дедушка в политике учился играть еще в домино, а мы уже играем в шахматы», — заявил Невзлин при молчаливом согласии сидящего с ним рядом на Машкином диване Ходорковского (в той групповой «шахматной» партии он кратковременно играл на стороне Березовского).

Спецпропагандист нефтяного магната по-простому сообщил нам также, что в случае зловредного упрямства Дедушки и младореформаторов по вытрясанию из нефтяников налогов, олигархам вообще «дешевле будет купить коммунистов, проплатить уличные акции и, к осени Ельцина в Кремле уже не будет».

Вслед за этими визитерами, уже в разгар олигархической «рельсовой войны», в ту же самую Машкину квартиру, на тот же самый диванчик, к нам несколько раз прибегал жаловаться на олигархов Немцов: «Вы видели, какую истерику Березин ОРТ устроил, когда мы наехали на «Газпром», пытаясь заставить его заплатить долги бюджету?!»

А экономический помощник президента Александр Лившиц, который вообще ровным счетом ни на что в стране не мог по-

влиять, демонстрировал нам свое отношение к происходящему лишь следующим образом: дважды за то лето приходил к Машиске в гости, и на бис, под наши аплодисменты, несколько раз исполнял один и тот же великолепный цирковой номер: залпом опрокидывал в себя целый стакан водки. Поэтому-то мы все и считали вопиющей несправедливостью, что, в результате, только несчастный Лившиц «не вписался в валютный коридор» и был отправлен в отставку, после того как жутковатая, гибридная партия «шахматистов» против «доминошников» завершилась вполне логичным, разрушительным для страны эндшпилем.

Как я стала «антисемитом»

На войне – как на войне. Даже если она – всего лишь информационная. Стать жертвой этой войны ты рисковал даже в том случае, если сам в ней принимать участие ты принципиально отказывался. Даже если ты был только «военным корреспондентом» и беспристрастно вел репортаж с поля боя. Потому что даже когда ты просто вслух констатировал, что одна из окопавшихся сторон начала боевые действия, воякам это настолько активно не нравилось, что они немедленно начинали палить из базуки и по тебе тоже.

Именно так под обстрел попала и я.

В конце мая 1998 года заместитель главы кремлевской администрации Игорь Шабдурасулов, отвечавший за идеологию, позвал меня на свой закрытый брифинг и конфиденциально сообщил:

– Вы думаете, мы здесь в Кремле – совсем дурачки, что ли? Вы думаете, мы не видим всего того же самого, что наблюдает по телевизору вся страна? Мы прекрасно видим и знаем, кто раскручивает «шахтерскую войну» против правительства!

Все корреспонденты, собравшиеся в тот момент в кабинете Шабдурасулова, тоже были «не дурачки», и тоже «прекрасно знали, кто раскручивает «шахтерскую войну». Загвоздка состояла только в том, что, как утверждали все остальные кремлевские источники, теневой покровитель у самого Игоря Шабдурасулова был тот же самый, что и у «рельсовой войны» – Борис Березовский. Поэтому, услышав такую обличительную прелюдию, журналисты в легком недоумении переглянулись: неужели Шаб и правда сейчас назовет имя?

И, как ни странно, Игорь действительно его назвал.

– Смотрите сами: если пикетчики требуют сменить профсоюзных лидеров, поддерживающих Чубайса, на деятелей, являющихся протеже Березовского, а потом СМИ, дружественные Березовскому, начинают чуть ли не звать народ на баррикады, то становится очевидным, чья рука руководит этими беспорядками. Это – откровенный шантаж президента с целью заставить его пойти на уступки по разделу сфер влияния в пользу совершенно определенных финпромгрупп.

Дальше кремлевский идеолог прямо констатировал то, о чем уже несколько недель говорила вся московская политическая тусовка:

– У нас есть четкие данные: для того чтобы люди, которые бастуют якобы из-за отсутствия денег, не расходились с рельс, вышеозначенные господа регулярно находят немалые деньги на содержание всех этих пикетов, на регулярную поставку им горячего питания, на «пособия» профессиональным пикетчикам. А два ведущих телеканала – ОРТ Березовского и НТВ Гусинского – выступают точно по-ленински – как коллективный агитатор и коллективный организатор масс...

И тут же Игорь пояснил и причину своей откровенности:

– Знаете, у всех есть какие-то связи, отношения, интересы, но есть же еще и интересы власти в целом. И когда стабильность власти ставится под угрозу одним из ее друзей, то власть должна этого своего зарвавшегося друга поставить на место...

– Игорь, а президент вообще-то замечает, что против него ведет войну главный друг главы его собственной администрации Валентина Юмашева? – поинтересовалась я.

– А что нам делать?! – возопил Шабдурасулов. – Мы же не можем схватить Бориса Абрамыча за руку! Дураку понятно, что сам он на рельсы не ляжет!

Шабдурасулов заверил, что Юмашев откомандирован президентом утихомиривать Березовского.

Юмашевский заместитель попросил всех журналистов «отразить в статьях, без ссылки на него, что в Кремле есть четкое понимание ситуации».

Что я в этот же день, разумеется, и сделала на страницах «Русского Телеграфа», где в тот момент работала.

Статья вызвала скандал. Скандальным было именно то, что, констатируя вторую серию войны, начатую Березовским и Гусинским при поддержке их телеканалов и других СМИ против правительства и президента, я ссылалась на высокопоставленный кремлевский источник. До тех пор все рассуждали о «подстрекательской» деятельности НТВ и ОРТ исключительно исходя из собственных наблюдений за телепередачами или со слов анонимных источников в противоположном (чубайсовском и кириенковском) военном биваке.

И именно эта публикация косвенно стала детонатором раскола, который произошел в нашей «Хартии журналистов».

Через несколько дней мне позвонила растерянная Маша Слоним:

– Ленка, только не падай в обморок: ты объявлена антисемитом!

Я аж поперхнулась.

– Да вот, хотела собрать «Хартию» в эту пятницу – обсудить, что нам делать с этой новой информационной войной... – невесело пояснила Машка, – а Веник (Алексей Венедиктов, глава «Эха Москвы», радиостанции, принадлежавшей в тот момент Владимиру Гусинскому. – *Е. Т.*) сказал, что он ни с тобой, ни с Володькой Корсунским (начальником отдела политики «Русского Телеграфа». – *Е. Т.*), ни с Вовкой Тодресом (обозревателем «Русского Телеграфа», – *Е. Т.*), больше в одной «Хартии» состоять не намерен, потому что вы работаете в антисемитской газете.

– Что за бред?! Я в «Русском Телеграфе» – вообще единственное русскоязычное меньшинство! – засмеялась я. – Володька – наполовину еврей. А Тодрес – вообще на двести процентов. Да если бы мы начали судить по национальности сотрудников, то «Русский Телеграф» вообще уже давно надо было бы переименовать в «Еврейский Телеграф»!

Но Машке уже было явно не до смеха:

– Нет, Ленка, ты не понимаешь, там у них на «Эхе» – все серьезно. Ты не представляешь, какой я только сейчас бой выдержала со стороны Бунтия (Сергея Бунтмана. – *Е. Т.*) и Сережи Корзуна – они тоже абсолютно убеждены в правоте Веника, и все, как загипнотизированные, повторяют один и тот же бред про «системный антисемитизм». Там против вас жестко выстроенное идеологическое обвинение: вы работаете в газете русского олигарха Потанина, который организовал черносотенный заговор против еврейских олигархов – Гусинского и Березовского. По-моему, это – какая-то новая пропагандистская спецразработка Гусинского...

– Ну хорошо, а чем-нибудь конкретным, кроме пятого пункта, меня попрекают? – поинтересовалась я.

– Да... Какой-то даже не твоей статьей, которая вышла в «Русском Телеграфе» под заголовком «Гусинский купил еврейскую «Вечерку»».

Я тут же залезла в архив «Телеграфа» и отыскала там эту статью про покупку Гусинским израильской газеты «Маарив». Я прекрасно знала по своим друзьям в Израиле, что люди там предпочитают идентифицировать себя не как «евреи», а как «израильтяне» – но, разумеется, совсем не потому, что считают слово «еврей» непечатным, а, наоборот – во избежание обвинений в национализме. Поэтому в заголовке про «еврейскую "Вечерку"» ничего особо криминального я не нашла. Содержание же самой статьи, вопреки всем информационным войнам, было и вовсе сугубо лояльным по отношению к Гусинскому. Никаких оценок там вообще не содержалось – только информация.

А когда я стала выяснять у коллег, кто скрывался под неизвестным мне женским псевдонимом, который стоял под заметкой, то и вовсе оказался анекдот: статью написал известный журналист Антон Носик. «Безупречно обрезанный со всех сторон, не волнуйся!» – как поспешили заверить меня наши общие с ним друзья.

В общем, вот так, из-за правоверного Носика, я вдруг и стала «антисемитом».

Этой пропагандистской «второй мировой» наша журналистская «Хартия» уже не пережила. «Партком» в квартире у Маши Слоним был временно заколочен доской «Все ушли на фронт». Мы не собиралась в полном составе несколько месяцев. Вернее, – Лешка Венедиктов к нам не приходил. А Машка просто собирала у себя выпить и закусить оставшуюся, интернациональную часть, которая не принимала настолько близко к сердцу ни разборки воюющих между собой олигархов, ни их национальности.

Но, к счастью, очнуться от гипнотического сна, навеянного чересчур близким общением с олигархами, моим коллегам оказалось очень просто. Как только в стране грянул полномасштабный финансовый и политический кризис, приближение которого так активно готовили олигархи, никому уже мало не показалось. И когда мы, журналисты, оказались перед лицом новой общей угрозы – примаковского реванша, – нам стало уже не до разборок между собой, точно как же как Грегори Пэку в хичкоковском фильме «Завороженный», для того чтобы прийти в себя, достаточно было просто вспомнить, что профессора убил не он, а совсем чужой дядя или, точнее, как гласит русско-еврейский фольклор: «А я Дедушку не бил, а я Дедушку любил».

А с Алексеем Алексеевичем Венедиктовым, которого я считаю своим близким другом и очень уважаю как профессионала, мы с тех пор так ни разу об этой истории даже и не вспоминали. Потому что тут я с Кальдероном категорически не согласна: сон – он и есть сон. Прошел – и нет его больше.

Кстати, спустя два года именно Венедиктов стал единственным из всех моих российских коллег, кто не побоялся заступиться за меня в эфире своей радиостанции, когда после прихода Путина к власти кремлевская пресс-служба устроила на меня травлю.

Кострома, mon amour!

Знаменитая Ельцинская поездка в Кострому в июне 1998 года, которую многие приняли за его новую предвыборную пробу сил, моим друзьям запомнилась под кодовым названием «Ромашка».

«Ромашкой» была я, а назвал меня так никто иной, как Ельцин.

Я давно уже была наслышана от подруг, прошедших с Ельциным избирательную кампанию 1996 года, о его доброй традиции: принимать журналисток за доярок, да еще и в присутствии телекамер.

– А что нам оставалось делать? Приходилось подыгрывать. Во время осмотра какой-нибудь фермы он к нам подходил, жал руки и начинал интересоваться, сколько мы здесь получаем и хорошие ли у нас условия труда. А на следующем объекте – на фабрике, БЕН нас принимал уже за каких-нибудь сборщиц... Он, видно, замечал знакомые лица, а понять кто – не может. Вот и подходил здороваться...

Но сама я, до поездки в Кострому, жертвой этих ельцинских чудачеств никогда еще не становилась. И вот довелось...

Едва мы вошли на территорию Костромской льняной мануфактуры, я сразу поняла, что мне лучше Ельцину на глаза не попадаться. Потому что, по злосчастному совпадению, я в тот день оказалась одета в длинный белый, просторный, сразу бросающийся в глаза костюм из тонкого французского прессованного хлопка, который по стилю очень напоминал модели из местного льна и кружев, показ которых специально для Ельцина устроили прямо на улице местные девушки-модели.

Войдя в ворота мануфактуры, Ельцин сразу заприметил меня и прямой наводкой пошел ко мне здороваться.

Изображать костромскую модель мне почему-то не хотелось. И я быстро шмыгнула за спины своих коллег, подальше с «царских глаз».

На этот раз – пронесло. Ельцин вместе со всей делегацией прошел мимо. А потом наш гарант был так увлечен псевдопредвыборным трюком с плакатом «Российскому льну – государственную поддержку» (который, по требованию Ельцина, и к ужасу местных чиновников, пришлось специально отдирать от стены, чтобы президент мог вывести на нем фломастером «Будет Указ. Ельцин.19.06.98»), что уже никого не замечал вокруг.

Но как только мы пошли на следующий объект –племзавод «Караваево» – там-то меня Ельцин и прищучил.

Сначала, пока глава государства, по щиколотку в... скажем так, колхозной земле, спорил с директором хозяйства о предпочтительном количестве лактаций у коров, мне ничто не грозило. Потому что лактаций у местных буренок оказалось мало, и раздосадованному президенту было в тот момент уже не до девушек в белом.

Но потом, как только пресс-служба предложила журналистам зайти в маленький сельский домик, где для президента были выставлены явно закупленные в другом месте образцы сельскохозяйственной продукции, я оказалась в ловушке. Потому что, когда через несколько минут туда вслед за нами вошел и президент, служба безопасности попросила нас встать за столы с яствами, которые были расставлены квадратом по всему периметру домика. Таким образом, я очутилась как раз в той самой опасной предвыборной позитуре, от которой я так старательно пыталась сбежать: Ельцин шел вдоль столов и разглядывал угощения, а мы, журналисты, оказались как бы за прилавком, будто демонстрируя гостю свою продукцию.

Дойдя до меня, Ельцин был чрезвычайно доволен, что наконец-то нагнал ускользавший объект.

Он лукаво ухмыльнулся и прямо через стол ткнул мне пальцем в грудь:

– Ага!!! «Ромашка»!!! – заявил мне Ельцин.

Я-то из справочных проспектов, розданных кремлевской пресс-службой, уже знала, что «Ромашка» – это название как раз того швейного предприятия, на котором в Костроме выпускают похожие на мои костюмы. Но телезрители, которые потом с интересом наблюдали репортаж о знакомстве Ельцина с «костромской девушкой», этого, разумеется, не знали.

– Нет, Борис Николаевич. Это – не «Ромашка», –поспешила я его разочаровать.

Но Ельцину такой скучный оборот событий явно не понравился.

Он не отступал и принялся меня уговаривать:

– Ну как же это не «Ромашка»-то?! Платье-то – «Ромашка»!

– Нет, Борис Николаевич. – наотрез отказалась я поддержать патриотическую игру в поддержку российского льна.

Видя мою несгибаемость, сопровождающие президента, уже прыская от хохота, начали подсказывать Ельцину, что я – журналистка из Москвы.

– Я знаю, что журналистка, я вижу... – не моргнув глазом парировал Ельцин.

Но тут же предпринял еще одну отчаянную попытку:

– Хорошо, из Москвы... Но платье-то Вы здесь купили?! В «Ромашке»?

– Слушай, да скажи уже ему ты, что ты с «Ромашки»! Пусть Дедушке будет приятно, жалко тебе, что ли! – зашептала мне в ухо коллега Вера Кузнецова.

Но я держалась как Зоя Космодемьянская.

– Платье я тоже в Москве купила, Борис Николаевич, – возразила я с вежливой улыбкой.

Но Ельцин не отходил, желая еще раз перепроверить все детали покупки платья. И неизвестно, на какой минуте наших препирательств под телекамерами я бы сломалась, сознавшись в связях с «Ромашкой», если бы не находчивость Кузнецовой.

В какой-то момент она бросилась грудью на амбразуру и ловко ввернула:

– Вот, Борис Николаевич, видите – платье из Москвы, и новости из Москвы только что пришли. Прокомментируйте, пожалуйста, будете ли вы поддерживать пакет правительственных антикризисных мер, разработанный Сергеем Кириенко?

И тут Ельцин, к счастью, переключился.

Я же переключилась на общение с гораздо больше интересовавшим меня в тот момент мелким президентским чиновником – Володей Путиным, которого президент (точнее, Юмашев) по не известной мне причине начал всеми силами тянуть из грязи в князи. Незадолго до этого Путин получил почетный ранг первого зама главы администрации. Я не понимала, в чем дело, и всячески старалась «прощупать» нового фаворита.

Еще во время посещения костромской мануфактуры, заприметив Путина в ельцинской свите, я подошла к нему поздороваться:

– Ой, Володь, как хорошо, что вы, наконец, приехали. Представляете, нам здесь больше суток пришлось торчать, пока мы вас ждали! Мы уж с Кузнецовой и на Волгу сходили, и воблы поели – скукотень, делать здесь абсолютно нечего!

Путин, разморенный на солнышке, за словом в карман не полез:

– Ну, если бы я знал, что вы здесь, – я бы раньше приехал...

Прогуливавшийся рядом со мной ельцинский пресс-секретарь Ястржембский, ревниво следивший за кругом профессионального общения журналисток «кремлевского пула», крякнул от недовольства.

Но, несмотря на неусыпный пригляд президентского пресс-секретаря, мне все-таки удалось получить от Путина эксклюзив.

Как только выдался момент и он смог отойти от Ельцина, я стала пытать его на самую щекотливую в тот момент тему: вероятность третьего президентского срока президента.

Незадолго до этого Борис Березовский, сразу же после встречи с Ельциным, публично объявил, что президенту не следует выставлять свою кандидатуру в 2000 году. Однако тот же пресс-секретарь президента Ястржембский на все мои расспросы категорически опровергал, что Ельцин санкционировал заявление олигарха.

– В любом случае надо сначала дождаться решения Конституционного суда по этому вопросу, – заверил Ястржембский.

Однако Путин, во время поездки в Кострому, беседуя со мной, развил эту тему куда более нестандартно, чем было принято в тогдашней кремлевской политике:

– Я вам скажу, что Конституционный суд примет такое решение, какое нужно.

– То есть решение будет, – что Ельцину можно выдвигаться?

– Если ему нужно будет выдвигаться, значит – будет принято такое решение. – заверил меня новый любимец руководства кремлевской администрации.

Понятно, что очень скоро после описанного эпизода всякие разговоры о новом ельцинском сроке уже вообще потеряли актуальность. Ему бы этот-то срок уже хоть как-то дожить надо было. Более того, именно после возвращения из Костромы в Москву мои, как я бы сказала в статье, «источники в бизнес-элите», с хохотом обозвав меня Ромашкой, сообщили, что в администрации разрабатывается сценарий досрочной отставки Ельцина с назначением преемника. Только вот имени преемника Путина, как окончательного варианта, тогда еще не существовало.

Но зато теперь, в свете того что мой костромской собеседник Путин сам стал «гарантом Конституции», тогдашние его прогнозы насчет сговорчивости Конституционного суда приобрели дополнительную изюминку.

Как я уволила из Кремля Шабдурасулова

Так случилось, что в моей журналистской карьере фамилия Шабдурасулов стала нарицательной. «Смотри! А-то опять будет как с Шабдурасуловым!» – периодически подшучивают надо мной коллеги, когда я публикую чье-нибудь резкое интервью. Или: «Ай-яй-яй, как нехорошо ты с ним обошлась – прямо как с бедным Шабдурасуловым!» – ругают меня родители за какую-нибудь очередную жертву моей публикации.

А с «бедным Шабдурасуловым» было, собственно, вот как.

Жарким полднем прекрасного июльского дня 1998 года я вдруг обнаружила, что газетную полосу «Русского Телеграфа», где я в тот момент работала, забивать абсолютно нечем. Добыв список кремлевских чиновников, которые в этот день были не в отпуске, я просто наобум ткнула в перечень пальцем и отправилась к Шабу, как его называли в Кремле. Дай-ка, думаю, попробую его уговорить: может, он под диктофон мне хоть часть своих обычных кулуарных откровений согласиться повторить. Благо что незадолго до этого замглавы президентской администрации Шабдурасулов как раз «не для печати» делился со мной сенсационными подробностями о том, кто из олигархов проплатил «рельсовую войну».

В общем, как в добрых русских сказках, шла я «туда, не знаю куда, чтобы принести то, не знаю что». Вернее, «куда» идти – я как раз знала: в Кремль. А принести нужно было – буквально «хоть что-нибудь».

Заявившись к Игорю, тоже откровенно скучавшему в своем кремлевском кабинете, я с порога спросила его:

– Слушай, Игорь, тебе есть что сказать для интервью? Нам абсолютно нечем затыкать дыры в газете!

– Без проблем, – плево отвел Игорь. – Поехали, записывай.

Я, признаться, всегда сразу начинала подозревать какой-то подвох, если в работе мне что-то вдруг давалось слишком легко.

Поэтому решила, на всякий случай, все-таки уточнить:

– Игорь, дорогой, только это не будет обычное «фигомаго», которым вы кормите информагентства? Ты же знаешь: у нас дэд-лайн, и если я сейчас потрачу время на интервью, там хоть какое-то «мясо» должно быть, чтоб мне вернуться в редакцию не с пустыми руками.

Но Шабдурасулов опять, в своей обычной, вальяжной манере, повторил:

– Без проблем!

Я включила диктофон, и полетели...

«Я. Игорь Владимирович, когда вы общаетесь с руководством администрации, вам дают ответ на вопрос, хочет ли Ельцин сохранить за собой президентский пост после двухтысячного года.

Ш а б. Внутри администрации есть самые разные суждения. Кто-то считает правильным стремление президента идти на третий срок. А кто-то считает, что Борис Николаевич должен быть президентом до двухтысячного года, а дальше передать власть в чьи-то руки.

Я. Вы принадлежите к числу поклонников последнего сценария?

Ш а б. Пожалуй, да.

Я. То есть, вы считаете, что Ельцину не следует баллотироваться на следующий срок?

Ш а б. Лично я думаю – да. С моей точки зрения, следующий президентский срок – это вообще не юридическая проблема. Это скорее проблема реальной управляемости страной, способности, желания, возможности того или иного человека управлять страной.

Я. А Ельцин, вы считаете, к этому больше не способен?

Ш а б. Нет, я бы сказал по-другому. То, что он сегодня может совершенно спокойно поставить на место любого, тут никаких сомнений нет. Он слишком опытен, слишком хитер. Другое дело, нельзя говорить, что физическое состояние Ельцина идеально, что он абсолютно полон сил и активности для круглосуточной работы. Все эти годы в политике дорогого стоят. Мне кажется, что и у него самого накопился такой груз усталости – физической и психологической, которая может перевесить извечное стремление любого политика к власти. Единожды получив власть, очень трудно от нее отказаться. Для многих это превращается в личную трагедию. И если Ельцин примет для себя решение, что еще два года он достраивает страну, а потом передает власть, – это было бы оптимальным.

Я. По вашим ощущениям, Ельцин уже принял для себя такое решение?

Ш а б. Мне кажется, что нет.

Я. А Юмашев разделяет мнение, что Ельцину не следует идти еще на один срок?

Ш а б. Зная характер Валентина, я думаю, что его позиция близка к моей».

Эти слова стоили Игорю Шабдурасулову карьеры: именно последний пассаж о Юмашеве, а не предшествовавшие ему откровения о тяжелой болезни Ельцина.

Сначала Игорь и сам ничего не понял. Когда я отправила ему по факсу текст интервью для правки (куплет о президенте был там сильно разбавлен малозначительными рассуждизмами о политической ситуации и не бросался в глаза сразу), Шабдурасулов спокойно внес легкие стилистические исправления и послал мне текст обратно.

Впрочем, он тут же попросил меня:

– Лен, ты можешь подождать часок, – я на всякий случай пойду согласую текст с Валентином (Юмашевым. – *Е. Т.*)

– Хорошо, Игорь, только имей в виду: мы уже заверстываем интервью, и через час ты уже не сможешь мне сказать, что интервью не будет. Максимум, что ты тогда сможешь сделать, – это внести незначительную правку, которая не изменит размер интервью и его общий смысл. Потому что сейчас мы уже засылаем анонсы завтрашнего номера в агентства.

– Без проблем! – в очередной раз заверил меня Игорь.

Проблемы начались часа через два.

Шабдурасулов перезвонил мне в абсолютной истерике:

– Лена, я знаю, что ты меня сейчас убьешь, но интервью ставить нельзя! Валя только что прочитал его и сказал: «Не время». Срочно снимайте текст!

– Да ты что, Игорь, издеваешься?! Я же тебя предупреждала! Номер уже заверстан!

– Но я же не виноват, что Валя только что освободился и смог его просмотреть... – оправдывался Шабдурасулов.

Но я еще раз объяснила, что снять интервью уже просто не в состоянии, – это значило бы сорвать весь тираж:

– Единственное, что я могу тебе предложить, – это попробовать позвонить моему главному редактору, – сказала я уже просто с одной целью: избавиться от необходимости наблюдать агонию на том конце трубки.

К счастью, я успела добежать до кабинета главного редактора раньше, чем туда дозвонился Шабдурасулов.

Главный редактор «Русского Телеграфа» Леонид Злотин задал мне только один вопрос:

– Лена, у вас есть пленка с записью разговора?

Получив утвердительный ответ, он крикнул секретарше:

– Если позвонит Шабдурасулов: меня нет, и не будет!

И в эту секунду раздался звонок.

Дозвониться Злотину в тот вечер пытались не только из Кремля. Юмашев поставил на уши всех, в тот числе и инвестора «Русского Телеграфа» Владимира Потанина. Но главный редактор придумал гениальное ноу-хау. Его просто «не было в городе», он отключил мобилу и невозмутимо отправился гулять с любимым псом.

Именно так 9 июля 1998 года на страницах «Русского Телеграфа» появилось сенсационное интервью Игоря Шабдурасулова, максимально живо отразившее кремлевскую драму того времени: тяжелобольной Ельцин, собирающийся идти на третий срок, и его немногим более здоровая на голову администрация, тайком пытающаяся его туда не пустить.

Мировые агентства пестрели заголовками: «Помощник президента заявляет, что Ельцин слишком слаб, чтобы идти на третий срок!». Мы с Шабдурасуловым чуть не обвалили биржу – на финансовых рынках моментально появились слухи о резком ухудшении состояния здоровья Бориса Ельцина.

Я не успевала снимать трубку для комментариев. В тот день мне позвонили целых шесть японцев (которые всегда почему-то были больше всех озабочены здоровьем Ельцина, видимо, из-за обещанных по дружбе островов), три немца, француз, по одному представителю прочих малых народностей, а также добрая сотня русских.

Иностранные журналисты и дипломаты, в основном, спрашивали: «Правда ли, что ваш Ельцин так плох?» Зато совершенно обалдевшие российские политики и журналисты в один голос задавали мне совсем другой вопрос: «Слушай, а на фиг Шаб тебе все это сказал?! Как ты думаешь, а?»

Газета «Коммерсантъ» в тот день даже обвинила Шабдурасулова в том, что он, по заданию Юмашевского и своего покровителя Бориса Березовского, с помощью этого интервью специально хотел девальвировать рубль. Это версия подкреплялась тем, что примерно за месяц до шабдурасуловского интервью Березовский почти слово в слово заявил все то же самое о нулевых шансах Ельцина в 2000 году. Но одно дело – когда такое говорит олигарх, хоть и самый околокремлевский, а другое дело – один из руководителей президентской администрации. Да еще и ссылаясь на мнение главы ельцинского аппарата Валентина Юмашева.

Но я-то на сто процентов знала, что ни за какую девальвацию бедняга Шабдурасулов не боролся! А просто под влиянием разнеживающего июльского солнышка рассказал мне правду о том, что происходит в Кремле. Видимо, в тот момент для Юмашева стало уже настолько общим местом рассуждать со своими приближенными, что Ельцина пора отправлять на пенсию, что Шабдурасулов в первый момент даже и предположить не мог, что его, абсолютно созвучные юмашевским, речи будут криминалом.

При первой же возможности, сразу после дефолта, Юмашев поспешил избавиться от своего чересчур искреннего заместителя: Шабдурасулова отправили в Белый дом на идеологическое подкрепление созданного по проекту Березовского и просуществовавшего всего несколько недель второго кабинета Черномырдина.

Надо отдать должное Игорю, он оказался вменяемым парнем, и даже после этого скандала сохранил со мной прекрасные отношения. Он вообще всегда предпочитал относиться к этой истории с юмором. Как-то раз, уже в 1999 году, когда его вновь позвали на работу в Кремль, журналисты задали ему на пресс-конференции вопрос, сколько он планирует проработать в администрации.

– Да никаких проблем! – ответил Игорь. – Как только надоест в Кремле работать, – сразу дам интервью Трегубовой, и вперед! В правительство!

Так что фамилия Трегубова в профессиональной карьере Шабдурасулова (как и его – в моей) тоже навсегда осталась понятием нарицательным.

Глава 6

ДЕДУШКА СТАРЫЙ, ЕМУ ВСЕ РАВНО

Стыдно, конечно, для девушки в этом признаваться, но августовский правительственный кризис 1998 года я пережила, без преувеличения, как личную трагедию.

После дефолта, нарушив разом все нормы журналистской этики, я как сумасшедшая бегала по всем доступным мне в тот момент кремлевским кабинетам, умоляя знакомых чиновников, имеющих доступ к президенту, хоть как-то повлиять на Ельцина, чтобы он, вопреки давлению ближнего круга, не принял самоубийственного для страны решения об отставке кабинета реформаторов. И уж тем более — чтобы не повелся на заведомо суицидальный суперплан с эксгумацией политического трупа Черномырдина, который в тот момент, с подачи Березовского, подсовывал президенту Юмашев.

Когда Ельцин все-таки отправил Кириенко в отставку и назначил Черномырдина, даже мой циничный приятель Волин, сидя в своем кабинете в Белом доме, грустно сказал мне:

— Я думаю, что теперь Дедушка быстро умрет. Или скоро подаст в отставку... Потому что зачем ему теперь жить?

Все чувствовали, что это — не просто конец Ельцина, а конец всего того, что этот великий человек, несмотря на всю свою периодическую невменяемость, все-таки упорно пытался построить в стране на протяжении всех постсоветских лет.

И именно в те августовские дни президентские приближенные, провалив один за другим все свои идиотские мелочные суперпланы, предельно сузили для страны выбор дальнейшего пути. После чего отдаться мелкому, выращенному в кремлевском инкубаторе квазидиктатору показалось уже спасением.

То есть, по сути, именно в те дни Кремль, сам еще об это не подозревая, уже зачал гомункулус Путина.

Странно, но каким-то шестым чувством именно в те дни я и мои друзья-журналисты почувствовали, что вскоре в стране может не стать и единственного бесспорного ельцинского завоевания – свободы слова. В 1998 году, 25 августа, мы с Машей Слоним, Юрой Ростом и Володей Корсунским совершили какой-то странный, ребячливый, совершенно бессмысленный, инстинктивный акт: ровно в полдень вышли на Красную площадь, к Лобному месту и молча, под накрапывавшим дождем, раскрыв зонтики, простояли десять минут. В память о тех пятерых диссидентах, которые ровно за тридцать лет до этого смели выйти на площадь, на то же самое место, в знак протеста против подавления советскими танками Пражской весны. Среди тех пятерых в августе 1968-го на Красной площади был, кстати, и Машкин брат Павел Литвинов. И теперь, в августе 1998-го, я невероятно гордилась тем, что мои взрослые, серьезные друзья, достойно, не прогнувшись, пережившие советские годы, взяли меня, салагу, не нюхавшую пороха, с собой.

Но уже через десять минут, распрощавшись с ними, я быстро прошла сто метров, нырнула под Спасскую башню и опять очутилась в кремлевском застенке. И снова почувствовала себя каким-то несчастным, прóклятым посредником между миром людей и подземельем монстров.

Впрочем, вернувшись домой, я все-таки нашла выход из жесточайшей, самой натуральной депрессии: села и с горя написала в статье все, что имела сказать и президенту, и его любимой Семье. А заголовок к тексту поставила из детского садистского стишка, которым мои коллеги пытались хоть как-то меня развеселить:

Дедушка в поле гранату нашел,
Сунул в карман и к обкому пошел,
Дернул чеку и бросил в окно –
Дедушка старый, ему все равно...

Как я стала юмашевской совестью

«Я так Вас любил, Лена!», – скажет мне Валя Юмашев в декабре 99 года, в ночь после выборов, которую мы провели вместе в Кремле. И как всегда соврет. Он никогда меня не любил. Скорее – боялся.

Наше с Валей знакомство произошло при весьма драматических для всей страны обстоятельствах – сразу после дефолта, в сентябре 1998 года.

Разогнав правительство реформаторов, Юмашев попытался провести очередную суперкомбинацию с назначением в премьеры (а заодно – и в президентские преемники) Виктора Черномырдина, который пообещал полную лояльность околокремлевским олигархам – в отличие от Кириенко и младореформаторов, которые именно за строптивость и поплатились.

Даже сам Валя, составляя последнюю ельцинскую книгу «Президентский марафон», не удержался от того, чтобы прозрачно намекнуть на причину конфликта: «Закладывая фундамент, <молодые экономисты> напрочь забыли о крыше...»

Однако юмашевская операция «Черномырдин», как и большинство предыдущих его политтехнологических экспериментов, провалилась. Причем на этот раз с таким грохотом, что на грани выживания оказались не только ельцинская Семья, но и все политические реформы, которые Ельцин успел провести в стране за посткоммунистический период.

Дума отказалась утверждать «тяжеловеса» Черномырдина и пообещала объявить импичмент Ельцину. На фоне внешнего и внутреннего дефолта отсутствие легитимного правительства и полная дискредитация Ельцина неминуемо вели либо к силовой смене власти, либо к силовой же попытке эту власть удержать.

Загнавший сам себя в угол Кремль принял парадоксальное, но единственное в той ситуации спасительное для себя решение: сдаться коммунистам. Вернее, сдать им власть в аренду, в лизинг, на время. И уползти в берлогу зализывать раны. Единственным человеком, которому Ельцин согласился «дать подержать» власть под честное слово, оказался Евгений Примаков.

Спрятавшись за примаковскую спину, Ельцин, с огромными (как оказалось потом – невосполнимыми) потерями для себя и для страны, на время урегулировал политический кризис, заваренный его же собственным окружением.

Если бы только Валя знал, как его в тот момент ненавидела вся страна! По крайней мере – та часть политической элиты, которая понимала, что же произошло на самом деле. В сентябре 1998 года мне, пожалуй, не приходилось разговаривать ни с одним человеком ни в Кремле, ни в Белом доме, который, говоря о Юмашеве, обошелся бы без мата.

Я обошлась. 11 сентября я написала в передовице газеты «Русский Телеграф»: «Поверить в то, что Ельцин действительно не хочет быть политическим трупом, можно будет только в том случае, если он сейчас же, немедленно, уволит главу своей администрации Юмашева, дружба которого с великим комбинатором Березовским не имеет уже больше никаких приличных объяснений. Неизвестно, что именно – недостаток образования или разума, – но что-то явно отбило у Юмашева способность понимать, что ценой его игр без всяких преувеличений является страна. Если же отставки этого человека (которого во властных кругах иначе как профессиональным разводчиком уже и не называют) не произойдет, то цинично спровоцированный друзьями Семьи политический и экономический кризис последних недель будет репродуцироваться снова и снова...».

Не стану оглашать почетный список имен, но в день выхода статьи мне позвонили несколько высокопоставленных чиновников и произнесли примерно один и тот же текст: «Все получили огромное удовольствие! Но вы же понимаете, что теперь вас к Кремлю на пушечный выстрел не подпустят?»

Однако на следующий день, в субботу, 12 сентября, я получила странное сообщение на пейджер: «Лена, позвоните мне, пожалуйста, по телефону 206-60-88. Юмашев».

Я точно знала, что Юмашев никогда не общается с журналистами и никогда не дает интервью.

Поэтому первое, что я сделала, – это позвонила Лешке Волину (который тогда возглавлял пиар-службу в правительстве). Накануне по какой-то технической причине он не успел мне дозвониться и отметиться с какой-нибудь остротой по поводу моей передовицы, поэтому я заподозрила, что теперь он решил таким образом отыграться.

– Слушай, Волин, это твои дурацкие шуточки?! Нечего было меня будить в десять утра! – строго сказала я.

Лешка поклялся, что ничего не знает.

Он переспросил номер телефона, который был написан в сообщении, и подтвердил:

– Да, точно, это телефон Валиной приемной. Слушай, никогда не знал, что Валя – скрытый мазохист! Не могу поверить, что он захотел пообщаться с тобой после этой статьи!

Я набрала номер.

Юмашевская секретарша засуетилась:

– Ой, Леночка, у него сейчас совещание, но Валентин Борисович очень просил сразу же соединить с вами, как только мы сможем вас отыскать! Подождите секундочку...

Валя моментально взял трубку:

– Здравствуйте, Лена!

– Здравствуйте, Валентин Борисович. Зачем вы просили меня перезвонить?

– Я прочитал вашу статью. И очень хотел бы с вами поговорить. Вы могли бы приехать ко мне сегодня, в любое удобное для вас время?

Часа через два я вошла в святая святых, куда до этого во времена Юмашева не ступала нога ни одного кремлевского журналиста – кабинет главы администрации президента в 1 корпусе Кремля.

Я ожидала увидеть перед собой предельно жесткого человека, этакого главаря «Коза Ностра», держащего в своих руках все нити управления страной. Но вместо этого увидела испуганного мальчишку, которому явно очень хотелось спрятаться ото всех под стол и, суча ножками, завизжать, что он «больше не играет».

Валя с порога кинулся убеждать меня, что это не он уволил правительство Кириенко, а сам премьер Кириенко чуть ли не на коленях умолял отправить его в отставку.

Усадив меня напротив, Юмашев принялся по дням, и даже по часам, расписывать мне, как он, Валя, доблестно действовал в критические для Родины дни. Причем когда я пыталась вставлять какие-то уточняющие вопросы, он умоляюще причитал: «Подождите, подождите, пожалуйста, дайте мне дорассказать, а то я собьюсь...» Было такое впечатление, что он и впрямь вызубрил этот свой рассказ назубок и действительно боится сбиться, если хоть на секундочку отступит от текста.

– Двадцать первого августа Кириенко вернулся из командировки. Я встретил его в аэропорту. И Сергей сам сказал мне: «Я чувствую, что мы топим президента...»

Пересказывать всю версию, предложенную мне Юмашевым, не стану. Не стану по очень смешной причине, которую я объясню несколькими абзацами ниже.

– Честно говоря, Лена, я уже просто устал все время защищать младореформаторов! – подытожил вдруг Валя. – Думаете, мне просто, когда ко мне, например, Куликов прибегает и требует немедленно арестовать Чубайса! (Здесь уже Валя заведомо смешивал временные пласты – описанный эпизод мог состояться только за много месяцев до этого.)

– Что-то я не припомню, Валентин Борисович, когда это вы вообще защищали младореформаторов?

– Ну вот, например, хотя бы в том случае с Куликовым! Я же тогда не дал Чубайса арестовать!

– Ну еще бы вы его дали арестовать! Ведь это открыло бы возможность для уголовных процессов против всех, кто имел отношение к приватизации. Вам не кажется, что это вы защищали себя самого и своих друзей, а не Чубайса?

– Все равно! Вот вы пишете, что я все время отстаивал интересы Березовского! Но ведь я же не все время отстаивал интересы Березовского!

Эта Валина формулировка прозвучала прямо как анекдот.

– А! Значит, «не все время»? Хорошо, Валентин Борисович, тогда не могли бы вы привести примеры, когда вы НЕ отстаивали интересы Березовского?

– Смотрите, вот в прошлый раз, после «Дела писателей», Борис Абрамович хотел, чтобы Немцова с Чубайсом вообще выкинули из правительства. А мы только лишили их министерских портфелей и даже сохранили им вице-премьерские посты. А сейчас Березовский хотел отправить Кириенко в отставку. Но он хотел, чтобы вместо Кириенко назначили Черномырдина. А мы назначили Примакова! Вот видите: я не иду у Березовского на поводу!

– Понятно, то есть вы хотите сказать, что начинаете вы комбинацию обычно именно так, как хочет Борис Абрамович, а потом, когда она проваливается, заканчиваете уже по-своему? – съязвила я. – Со «Связьинвестом» такая же схема, по-вашей логике, получилась? Березовский добивался, чтобы «Связьинвест» достался Гусинскому, и поэтому они сорвали проведение дальнейших открытых аукционов. Но во второй части комбинации вы опять-таки «не пошли на поводу» у Березовского и разобрались с крупной собственностью по принципу «не достанься же ты никому»? Я вас правильно поняла? А вы не считаете, Валентин Борисович, что если бы в девяносто седьмом году вы не выступали бы в Кремле как прямой представитель коммерческих интересов одной из финансовых группировок, то сейчас, может быть, страна не оказалась бы в таком тупике?

Однако тему «Связьинвеста» Юмашев обсуждать наотрез отказался, попросив «встретиться как-нибудь попозже и подробно об этом поговорить».

Я вернулась к кризису:

– Валь, вот сейчас, отказавшись от идеи внесения кандидатуры Черномырдина в Думу в третий раз, вы тем самым по сути признались, что эта комбинация с попыткой его назначения, которая окончательно дискредитировала президента, была ошибочной с самого начала. А вы не хотите признаться также, что порочной была не только эта комбинация, но и предшествующая, – что вы не должны были в момент острейшего финансового кризиса усугублять его еще и политическим, отправляя в отставку правительство реформаторов?

Тут Валя растерянно взглянул на меня своими честными глазами и жалобным голоском пропел:

– Хорошо, Лена, я сейчас вам все объясню. Сейчас вы все поймете, только умоляю вас: эта информация – уже совсем конфиденциальная, уже совсем не для печати!

Я приготовилась слушать страшную правду.

В изложении Юмашева она звучала так:

– Дело в том, что мы получили секретную информацию по линии спецслужб, что страна находится накануне массовых бунтов, по сути – на грани революции. И дело не в «рельсовой войне», которую, как вы правильно писали, иногда подогревали заинтересованные лица. Поверьте – речь шла об информации совершенно иного рода, о секретных докладах, которые делались президенту! Мы просто не имели права рассказывать об этом прессе! И нам, по сути, пришлось принести в жертву правительство, чтобы спасти президента...

Юмашеву, разумеется, не могло прийти в голову, что спустя всего три месяца наличие такой «секретной информации» категорически опровергнет в конфиденциальной беседе со мной не кто иной, как будущий российский президент Путин, возглавлявший в кризисный период главную спецслужбу страны.

Но в тот момент Валя не мог не заметить, что этот аргумент произвел на меня должное впечатление. Вернее сказать, это был единственный из всех Валиных аргументов, который звучал хоть сколько-нибудь логично.

– Вот, Лена... Теперь я рассказал вам всю правду, – поспешил усилить он выгодное впечатление. – А теперь... теперь... – голос Вали совсем уже начал срываться, – теперь пишите, если хотите, и дальше, что меня нужно уволить... – на этом пассаже Валя уже чуть ли не всхлипнул.

Теперь он вообще уже походил на слегка недоразвитую девушку, которая только что лишилась невинности, – часто хлопал ресничками, говорил с романтическими придыханиями и чуть ли не смахивал слезинки.

Поскольку все люди, хорошо знавшие Валю, характеризовали его мне как чрезвычайно хитрого собеседника, мне оставалось лишь сделать вывод, что он почему-то был уверен: этот образ должен меня растрогать.

Но, вместо того чтобы утирать Валины девичьи слезы, я цинично уточнила, готов ли он все то же самое повторить под диктофон.

– Нет, пожалуйста, Лена, вы не цитируйте меня в газете! – запротестовал Валя. – Может быть, когда-нибудь потом вы напишете о нашей с вами встрече... в ваших мемуарах.

И тут произошла катастрофа. Уже, правда, не в государственных масштабах, а в несколько более мелких масштабах юмашевской личности.

Видимо, от мимолетного упоминания приятной ему писательской темы, главный придворный мемуарист страны Валя слегка расслабился, как-то подозрительно быстро пришел в себя, перестал прикидываться дурочкой, голос его приобрел уверенные мужские нотки, и он – совершенно неожиданно для себя самого – сделал признание, разом перечеркнувшее для меня все его предыдущие двухчасовые откровения:

– Честно говоря, Лена, я вообще считаю, что журналисты никогда не должны знать правду о том, что происходит во власти. Не говоря уж обо всех простых людях. У каждой газеты должна быть какая-то своя версия, отдаленно похожая на правду, и этих разных версий должно быть очень много... Но всей правды не должен знать никто!

А вот теперь как раз и настало время объяснить, почему чуть выше я отказалась пересказывать всю закулисную хронологию августовско-сентябрьского кризиса 1998 года, которую мне поведал в тот день Валя. Дело в том, что когда после выхода последней, постпрезидентской книги Бориса Ельцина «Президентский марафон», я заглянула в главу «Рублевая катастрофа», а потом «Осеннее обострение», то с изумлением опознала практически слово в слово все то, что я застенографировала в своем дневнике после тогдашних посиделок с Валей.

Так что нетрудно было догадаться, что блюдо, которым попотчевал любопытствующую общественность любимый ельцинский зять и мемуарист Юмашев, – было тоже всего лишь навсего очередной из его многочисленных «версий». (Кстати, и то, что во время нашей встречи Юмашев отказался говорить со мной про «Связьинвест», тоже, по всей видимости, было связано с тем, что к тому моменту никакую удобоваримую версию для меня он еще изготовить не успел.)

Но еще один индикатор юмашевской честности оставался мне на десерт. Когда мы уже начали с ним, было, прощаться и Валя клятвенно пообещал мне впредь хорошенько заботиться о стране, а к весне 1999-го года создать новое правительство реформаторов, в комнату беззвучно впорхнула секретарша и, не проронив ни слова, по доброй кремлевской традиции, вручила Юмашеву какой-то огрызок бумажки с карандашной пометкой.

Прочитав ее, он напрягся и обратился ко мне:

– Знаете, ко мне вот сейчас пришли Чубайс с Немцовым... Но я очень хотел бы еще с вами поговорить! Мне так неудобно просить вас, – но не могли бы вы пару минут посидеть у меня в приемной, а потом мы продолжим?

Когда я вернулась, Юмашев был необычайно возбужден:

– Вот вы меня все время ругаете, Лена, а ребята вот сейчас пришли, обняли меня, расцеловали и сказали: «Спасибо тебе, Валя, за то, что ты все так хорошо разрулил! Ты просто спас страну!»

К несчастью для Юмашева получилось так, что «ребята», выйдя от него, не уехали сразу, а решили, видимо, зайти еще и к Тане Дьяченко. Поэтому, когда я окончательно распрощалась с Валей, то как раз столкнулась с парочкой уволенных младореформаторов у лифта.

И, разумеется, не удержалась от соблазна спросить:

– А правда, что вы сейчас Юмашева целовали и благодарили за спасение страны?

Молодецкий хохот Немцова сотряс стены первого корпуса:

– Трегубова, ну скажи, мы что – с Чубайсом похожи на извращенцев?!

Я ехала домой и недоумевала: ну зачем Юмашеву понадобилось вылить на меня весь этот ушат вранья? Неужели он рассчитывал, что благодаря этому я вдруг превращусь в «кремлевского соловья»? Или, чего доброго, – в его личного соловья, прославляющего из статьи в статью ум, честь и совесть кремлевской администрации?

Вскоре загадка стала еще более интригующей. Едва я переступила порог своей квартиры, мой домашний телефон начал разрываться: секретарша Юмашева просила меня «еще раз переговорить с Валентином Борисовичем», Валя брал трубку, говорил два слова, потом извинялся («Ой, Лена, ко мне тут пришли, мы можем связаться с вами чуть-чуть позже?»), и через несколько минут повторялось все то же самое.

В конце концов он все-таки улучил какие-то две минуты и выпалил мне в трубку:

– Лена, я просто хочу вам сказать, что только что, после вашего ухода, я уволил Сергея Ястржембского с поста пресс-секретаря президента. Понимаете, я хочу вам признаться, что когда вы были у меня, я уже знал, что я это сделаю, но я вам не сказал. Потому что я еще в тот момент не сообщил это самому Сергею. Я хочу вам объяснить, почему я это сделал. Я просто хочу, чтобы вы меня поняли! Дело в том, что Сергей превратился в слишком самостоятельную фигуру. И к нему многие стали прислушиваться внутри администрации. Понимаете? Он стал, по сути, вторым центром власти в администрации. И я не мог дальше терпеть такое положение! Вы меня понимаете?..

Я подумала: сейчас – суббота. Валя прекрасно понимает, что до вторника я все равно никак не смогу использовать эту информацию в газете. Зачем же он тогда названивает мне и как будто оправдывается?

И тут до меня дошло! Видимо, Валя в тот момент все-таки прекрасно понимал цену всем своим поступкам. И своим словам – тоже. А поскольку никто из его приближенных не смел ему высказать всего этого в лицо, то, прочитав «обвинения» в моей статье, он, как это ни смешно, решил, видимо, выбрать меня на должность своей «совести». Что, в принципе-то, похвально: в конце концов каждый человек имеет право захотеть иметь совесть. Или, в крайнем случае, заменить ее хоть чем-нибудь.

Ястржембский пишет сакральное имя

В понедельник, 14 сентября 1998 года, я пришла в Кремль к уволенному Сергею Ястржембскому, который в буквальном смысле паковал вещи.

– Ну что, вам он тоже про заговор рассказывал? – с порога поинтересовался у меня Сережа, который уже откуда-то знал о моей субботней встрече с Юмашевым.

Я удивленно переспросила, о чем речь.

– Ну как же! Валя же выставил меня перед президентом как главаря заговорщиков, агента Лужкова, который чуть ли не готовил захват власти! Только вот заговорщиков у него что-то многовато получилось – пол-Кремля! Все, кроме него самого! Интересно, ему их всех теперь, что ли, увольнять придется?

Версия Ястржембского звучала куда более интригующе, чем Валина. Уговорив Ельцина распустить правительство Кириенко, Юмашев, с подачи Березовского, уже имел в голове план приведения к власти Виктора Черномырдина. Татьяна Дьяченко по Валиной просьбе, ссылаясь на критичность и безвыходность ситуации, уговорила папу записать скандальное телеобращение к нации, которое было показано в эфире 24 августа, где Ельцин официально объявлял «тяжеловеса» Черномырдина действующим президентским преемником.

Однако когда стало очевидно, что комбинаторы просчитались, и что Дума Черномырдина не утвердит, глава кремлевской администрации поручил своим подчиненным составить список возможных альтернативных кандидатов на премьерский пост. В результате в этом знаменитом списке оказались Лужков, Примаков, Шаймиев, Вяхирев и другие. Когда Юмашев опросил всех своих заместителей, какая фигура им кажется наиболее оптимальной с точки зрения сохранения Ельциным власти, то абсолютное большинство (Ястржембский, Комиссар, Савостьянов, Орехов, и даже секретарь Совбеза Кокошин) высказались в пользу Лужкова.

– Сереж, да вы что, с ума сошли?! Ваш Лужков бы всем точно головы сразу поотрывал! – перебила я рассказ Ястржембского.

– Да никому бы он ничего не поотрывал! Мы провели с ним переговоры – кстати, заметьте: по личному распоряжению Вали! А этот факт он потом тоже преподнес Борису Николаевичу как заговор! Так вот, Лужок нам поклялся, что если его сделают премьером, то он предоставит полные гарантии защиты президенту и его семье. Кроме того, он поклялся, что никаких коммунистов в правительстве не будет, никакого нашествия московской группировки в Белый дом тоже не будет, он пообещал сформировать новый кабинет и продолжить рыночные реформы...

Тут Ястржембский на секундочку замолчал, усмехнулся и уточнил:

– Знаете, на ваш вопрос про отрывание голов – пожалуй, я не прав... Ну, может быть, парочке деятелей он бы головы и поотрывал... Но не более того!

– Кому именно?

– Ну, БАБу, например... – пробубнил Сережа себе под нос. Пробубнил еле слышно, но я все равно удивилась, как это Ястржембский не боится произносить в кремлевских стенах общеизвестную аббревиатуру инициалов Березовского. На суперосторожного президентского пресс-секретаря это было совсем не похоже. Видимо, подействовала эйфория от отставки, да и терять ему было уже особо нечего.

Но сразу за этим он заставил меня изумиться еще больше. Достав чистый листок бумаги, Ястржембский аккуратно вывел на нем остро отточенным кремлевским карандашиком: «АБРАМОВИЧ». И пододвинул листок ко мне.

– Ну вот, может быть, еще и этому деятелю Лужок бы голову захотел оторвать, – пояснил уволенный пресс-секретарь.

Поскольку я в тот момент, как и вся страна, пребывала еще в счастливом неведении о мелких деталях «семейного» бизнеса, то подумала, что Ястржембский зачем-то еще раз пишет мне отчество Березовского: Абрамович.

Я одними губами переспросила:

– Березовский?

– Де нет! Вы что, не знаете, кто это?! Поинтересуйтесь...

– Это что – отчество? – переспросила я, ткнув в бумажку.

– Да нет, – засмеялся Ястржембский. – Фамилия!

На мою просьбу хоть как-то пояснить регалии незнакомца, Сергей Владимирович туманно процедил:

– Дело в том, что у этого молодого человека, – тут Ястржембский с раздражением мотнул головой в сторону первого корпуса, явно намекая на Юмашева, – есть один большой недостаток: у него напрочь отсутствует собственное мнение! Он – типичный разводчик. Он регулярно собирает людей, сажает их за стол, предлагает им поделиться своими мнениями, предложениями, своими вариантами действий. А сам он никогда своего мнения не высказывает. Потому что у него его нет вообще! За ним есть другие люди, которые за него все решают...

Тут Ястржембский еще раз взял свое наглядное пособие – то есть, тот же самый листочек – и напротив слова «АБРАМОВИЧ» жирно вывел обломавшимся карандашом «№ 1». Потом перевернул листочек, написал слово «БАБ» и нацарапал рядом «№ 2».

Теперь уж я просто-таки оскорбилась за Березовского: почему это первый номер в хит-параде Ястржембского достался не всенародно известному серому кардиналу, а какому-то неизвестному типу, у которого и фамилии-то своей нет, а только отчество Березовского?! Странность такой иерархии усугублялась еще и тем, что аббревиатура БАБ оказалась для Ястржембского все-таки произносимой в кремлевских стенах, а вот «Абрамович» он осмелился только написать на бумажке. Листочек с непроизносимым тайным именем был мной у Ястржембского изъят и аккуратно спрятан в кармане для проведения дальнейшего расследования.

Расследование было проведено всего через пару дней: в гости к моей подруге приехал человек, близко знакомый с Березовским. И я решила попросту спросить у него: «Кто такой Абрамович?» Человек этот так же запросто ответил: «Да не обращай внимания! Этот мальчишка – просто кошелек Березовского. Он в политике вообще ничего не петрит, а просто сидит в «Сибнефти» и считает деньги БАБа»». Вряд ли мой собеседник предполагал, что в тот момент, когда я стану описывать в книге этот эпизод, Березовский будет уже давно в политэмиграции, а вот «мальчишка» Абрамович, которого Ястржембский тогда прозорливо наградил номером первым», продолжит рулить и при путинском дворе.

Тем временем в сентябре 1998-го заправская кремлевская Шахразада Ястржембский все продолжал рассказывать мне кремлевскую сказку:

– ...Поэтому все прекрасно понимали, что из-за БАБа Валя трупом ляжет, но не даст сделать Лужка премьером. Когда ЧВС (Черномырдин Виктор Степанович. – *Е. Т.*) провалился в Думе во второй раз, Валя начал лоббировать третье внесение той же кандидатуры! А знаете, что они планировали сделать? У Вали уже был готов запасной план: Дума в третий раз отказывается утвердить ЧВС, президент, по Конституции, распускает Думу, и в этот момент Валя убеждает Бориса Николаевича назначить указом на пост премьера уже не ЧВС, а генерала Лебедя – потому что тогда, возможно, пришлось бы уже вводить чрезвычайное положение и понадобился бы военный... (Кстати, версию о Лебеде позже подтверждал в беседе со мной и красноярский предприниматель Анатолий Быков, уверявший меня, что Березовский приезжал к нему в Красноярск «просить миллион на президентскую предвыборную компанию Лебедя». – *Е. Т.*)

– А вы все это Ельцину не пробовали рассказывать? – поинтересовалась я у Ястржембского.

– Ну почему же – пробовал... Меня все, не согласные с Валей, даже откомандировали к Борису Николаевичу на дачу. Мы поехали вместе с Кокошиным, но говорил я. Я убеждал его, что вносить в Думу еще раз кандидатуру ЧВС, как настаивает Валя, – это самоубийство. Я убеждал его в личной преданности Лужка, напомнил ему, что Лужок никогда еще ни при каких обстоятельствах его не предавал...

– И что Ельцин вам на это ответил?

– Борис Николаевич со мной согласился,– внезапно ответил Ястржембский.

У меня просто глаза на лоб полезли от изумления:

– Ельцин что, вам так и сказал, что он согласен?!

– Нет, словами он этого не сказал, потому что там все время Валя где-то рядом маячил... – принялся объяснять отставной пресс-секретарь. – Но по некоторым признакам я все-таки ясно понял, что Борис Николаевич не против кандидатуры Лужкова.

– По каким же таким признакам вы, в таком случае, поняли, что он согласен?!

– Ну... Президент кивал... – смутился Ястреб.

Со мной просто истерика случилась от хохота:

– Сережа, вы знаете старый советский анекдот про пьяницу, которого жена утром находит спящим на коврике за дверью и спрашивает: «Что ж ты, когда стучал ночью в дверь, мне не ответил, что это ты – я же спрашивала: «Кто там? Вася, это ты?» А пьяница ей говорит: «А я кивал!»

Видимо, из-за излишних параллелей после этого анекдота обоим стало как-то неуютно.

И в эту секунду я четко поняла: действительно бред. Поэтому-то Валя мне про заговор даже и не заикнулся, когда объяснял причину увольнения пресс-секретаря.

Было еще одно доказательство: уволив Ястржембского, Юмашев тут же предложил ему в качестве отступного должность посла «на выбор в любом месте мира – например в Париже». Крайне нелогично было бы предлагать какую-либо компенсацию изменнику и заговорщику.

Запредельная бездарность Юмашева как политика просто-таки поражала воображение. Он был в политике прямо каким-то волшебником-двоечником с испорченной волшебной палочкой: все самые выгодные исторические шансы Валя раз за разом превращал в тупиковые ситуации, а самых верных сторонников умудрялся переплавлять в смертельных врагов.

Я уж не говорю о мелком просчете с несчастным Ястржембским: в конце концов, даже и в стане врага он не представлял для Кремля такой уж сильной угрозы, поскольку самостоятельным политиком стать так и не решился, а позолота отсвета от харизмы Ельцина довольно быстро пообтерлась.

Куда более роковой ошибкой Юмашева стало то, что именно тогда, в сентябре 1998 года, Валя собственными руками изготовил из московского мэра политического противника президента и предопределил неизбежность войны не на жизнь, а на смерть, которую всего полгода спустя Лужков в тандеме с Примаковым развязали против режима Ельцина, войны, в которой Ельцинской Семье лишь чудом удалось выжить, при этом заплатив за собственное выживание чудовищно большую цену: сдав страну на попечение самодельному, наспех изготовленному, квазидиктатору Путину, отменившему огромную часть политических завоеваний президента Ельцина.

Кремлевский полтергейст

Моя «дружба» с Юмашевым сильно подпортила мне отношения со всем «кремлевским пулом». О том, что мы с ним встречались, на следующий же день загадочным образом проведали многие мои коллеги-журналисты. Это вызвало у них приступ нездоровой ревности.

Через два дня, когда я сидела на Тверской в гостях у Слоним, зашла Танька Малкина из «Времени Новостей» и в сердцах выпалила:

– Трегубова, ну ведь это уже просто несправедливо! Знаешь, например, как Тимакова переживает! (Наталья Тимакова в тот момент являлась кремлевским корреспондентом газеты «Коммерсантъ», а теперь руководит пресс-службой Путина. – *Е. Т.*) Наташка ведь уже много месяцев и так, и эдак пыталась привлечь внимание Юмашева, а ты просто какую-то заметку написала – и он уже тебя в гости зовет! Она же теперь вообще с горя хоть отдаться ему готова – лишь бы он с ней тоже встретился!

Все посмеялись шутке. Но я почувствовала, что в ней есть и доля правды. Мое неожиданное «сближение» с властью стало в тот момент слишком сильным искушением для многих кремлевских журналистов. Им было бесполезно объяснять, что моя встреча с Валей произошла именно благодаря моей жесткой статье о нем, что я оказалась интересна ему именно как независимый журналист. С этого момента сверхзадачей многих моих коллег стало получение такого же прямого доступа к руководству кремлевской администрации – пусть даже ценой потери собственной автономности.

Меня саму Валя тоже чуть было не повязал по рукам и ногам своей «дружбой». Начать с того, что статью об истинных причинах увольнения из Кремля Ястржембского и Кокошина (где Юмашев, разумеется, тоже представал не в самом лучшем виде) начальник отдела политики попросил меня подписать не своей фамилией, а псевдонимом.

– С какой это стати?! – возмутилась было я. – Получается, что Валя добился своего? Что теперь, наслушавшись его доверительных речей, я постесняюсь публиковать какую-либо информацию, которая ему не нравится?

Но коллеги бросились меня уговаривать:

– Пойми, ты сейчас – единственный человек из «нормальных», а не из его ближайшего окружения, кто имеет к нему доступ, и кого Валя готов слушать. Может быть, это – последний шанс повлиять на него. Ты же видишь, что там у них происходит, – они и сами растерянны, и не знают, что делать. В такой ситуации позиция вменяемого человека, которую он способен будет услышать, вполне может стать решающей каплей... Не спугни его – просто потерпи немного...

Словом, мне предлагалась миссия посредника между внешним миром и рехнувшейся кремлевской администрацией. И после долгих уговоров я согласилась какое-то время подписывать статьи о Вале псевдонимом.

Изобретение нового имени для «плохого журналиста» стало развлечением для всей редакции.

Сначала я хотела подписаться именем своей восьмидесятилетней бабушки: Антонина Лебедева – пусть, думаю, старушка порадуется...

– Нет... Нужен какой-нибудь мужской... Тогда они там в Кремле точно не догадаются,– безапелляционно заявила моя коллега и подруга Юля Березовская.

По части конспирации Березовская была настоящим профи: особо едкие статьи, грозившие навсегда перекрыть ее доступ в сверхконсервативный российский МИД (где ей в то время приходилось добывать информацию как международному обозревателю «Русского Телеграфа»), она подписывала таинственным псевдонимом Эльза Добер. Это была гремучая смесь из породы и клички ее собаки: добермана Эльзы.

Но бабушку мою порадовать все же хотелось. Поэтому мы придумали компромиссный вариант: я подписалась не Антониной Лебедевой, а Антоном Лебедевым, и за последующие годы этот наш с Березовской «крестник» написал еще немало скандальных политических статей. Чуть позже я даже взяла Антошу с собой вместе на работу в газету «Коммерсантъ».

Не знаю уж, насколько помогла вся эта конспирация, но факт оставался фактом: Валя продолжал мне звонить очень часто. Иногда – по несколько раз в день. Вернее, по его просьбе меня разыскивали его секретарши – либо по редакционным телефонам, либо опять же сбрасывали мне на пейджер просьбу перезвонить. Порой я даже подолгу не могла понять цель его звонка.

– Лен, привет, как дела? – спрашивал Валя, и дальше ему спросить было уже явно нечего. Самое ужасное, – что и мне у него тоже. Потому что власть все больше и больше ускользала из рук Кремля, перетекая в карман к Примакову. И в тот момент прежде всемогущий кремлевский разводящий уже все меньше и меньше влиял на реальную политику.

Иногда Валя впрямую спрашивал:

– Ну что там у вас о нас говорят? Ругают нас?

Я точно так же прямо, не стесняясь, рассказывала ему все самые критические оценки действий Кремля. Разумеется, без ссылок на конкретных лиц, а с фольклорной формулировкой: «А еще, Валентин Борисович, говорят про вас, что...»

Похоже, жизнь в тот момент сыграла с Юмашевым ту же злую шутку, что и он – с Борисом Ельциным. Тщательно изолировав больного президента от альтернативных каналов информации, Валя ненароком замуровал в этот удушливый саркофаг и себя самого. Я добросовестно старалась этот саркофаг проломить, действуя по библейскому принципу: если хочешь помочь человеку, скажи ему о его недостатках. Так я и делала: говорила Вале гадости.

А когда вдруг на Валину просьбу сказать, что я думаю о том или ином его последнем решении, я признавала, что это, как ни странно, сделано «вполне нормально», Юмашев радовался как ребенок: «Ну вот видите!!! А вы нас все время поливаете!»

Однако никакие отдельные «нормальные» решения уже не могли изменить общего вектора, в котором двигалась страна.

Вместе со страной в пропасть катился и сам Валя. В декабре 1998-го ему пришлось уйти в отставку. Вся его кремлевская челядь активно пиарила, что «хитрый Валя просто решил уйти в тень» и что на самом деле «он по-прежнему продолжает рулить всем в Кремле». Однако уже через пару месяцев, когда новый глава администрации, генерал Николай Бордюжа, начал проводить, по сути, примаковскую линию, стало ясно, что объект, которым «по-прежнему рулит» Юмашев, в реальности сузился до размеров физического тела Бориса Николаевича Ельцина. А с учетом слабой дееспособности этого подшефного объекта в тот период на Валиной политической карьере можно было спокойно ставить крест.

Политическая тусовка чутко уловила этот момент и как стая койотов прискакала поживиться Валиным политическим трупом еще до его официальной отставки. Те, кто до этого трепетал перед одним Валиным именем, теперь спешили если не растерзать его, то уж оттоптаться на нем как следует.

Мне пришлось стать свидетелем одного из таких налетов. После того как в сентябре 1998 года «Русский Телеграф» закрылся (в момент финансового кризиса Владимир Потанин решил, что безвозмездно финансировать интеллектуальную и рафинированную «газету влияния», не успевшую начать приносить прибыль, для него теперь – непозволительная роскошь), я получила приглашение перейти в газету «Известия». Сначала новый главный редактор «Известий» Михаил Кожокин, назначенный туда Потаниным, проведав про мои близкие отношения с Юмашевым, долго упрашивал меня позвать его в гости. Я прекрасно понимала, что таким образом Кожокин хочет поднять собственный престиж в глазах своего руководства: только что пришел в газету, а к нему в гости уже Юмашев захаживает...

Но главный редактор, разумеется, объяснял свою тягу к «прекрасному» корпоративными интересами:

– Представляете, как это будет престижно для редакции – глава кремлевской администрации пришел побеседовать с коллективом «Известий»...

Я довольно легко уговорила Валю на визит. Но он несколько недель подряд все откладывал и откладывал свой приход, ссылаясь на крайнюю занятость. Может, – и правда был занят, а может, – опять поддался своему патологическому страху перед внешним миром.

Однако потом, когда Валя, наконец, решился приехать в редакцию, всем уже было ясно, что дни его во главе администрации сочтены. Поэтому Кожокин, моментально позабыв свою прежнюю настойчивость, решил выказать Юмашеву крайнее пренебрежение: он заявил, что предложенное Валей время для встречи ему не подходит, и вообще технологический процесс в газете такой напряженный, что он вряд ли сможет в ближайшее время устроить ему встречу с журналистским коллективом.

Валя перезвонил мне в истерике и завизжал в трубку:

– Он что – совсем мудак, этот ваш главный редактор?!? Глава администрации президента согласился к нему прийти в гости, а он – занят?!!

Это был, пожалуй, единственный момент в жизни, когда мне стало на секундочку жалко Валю.

Впрочем, Юмашев тут же умудрился развеять мою жалость как дым, начав заочно грозить Кожокину страшной местью:

– Да он что, не понимает, что с ним теперь будет?! Ну я ему покажу!..

Через несколько дней Юмашев показал журналистам президентский указ о своей отставке.

Единственный полезный урок, который Юмашев, похоже, вынес из своей неудачной политической карьеры, – это гибельность информационной изоляции. Опробовав на мне, каково это – общаться с журналистами, он понял, что это – не смертельно, и отважился «выйти в люди».

Дважды – сначала накануне своей отставки, а потом сразу после нее, – он собирал у себя в зале для совещаний весь «кремлевский пул».

То ли из страха перед таким количеством незнакомых людей, то ли из желания соблазнить меня статусом своей доверенной журналистки, Валя сразу заявил:

– Ну, с некоторыми из вас мы уже встречались и беседовали...

И выразительно подмигнул в мою сторону, заставив меня просто съежиться под ревнивыми взглядами коллег.

Дальше глава администрации начал соблазнять уже всех гуртом: он с весьма правдоподобными плачущими интонациями покаялся в том, что раньше был закрыт для прессы, и объявил, что теперь, во искупление этой ошибки, он хотел бы создать при администрации «клуб или консультативный совет» из ведущих журналистов страны.

Спустя несколько дней, через Валину заместительницу Джахан Поллыеву, я получила приглашение войти в этот клуб:

– Мы пригласили еще Диму Пинскера из «Итогов», Наташу Тимакову из «Коммерсанта», Лену Дикун из «Общей газеты» – ты не против, чтобы они тоже были? Предлагаем встречаться раз в неделю, мы будем рассказывать вам обо всех наших планах, а вы будете нам давать советы, как все эти мероприятия лучше подавать общественности. Разумеется, мы очень надеемся в этом и на вашу непосредственную помощь. Ну и конечно же, все это должно остаться строго между нами...

– Подожди-ка, Джахан! – изумилась я. – Это вы что, решили нанять нас на работу в качестве пиарщиков?!

– Нет-нет, ты неправильно поняла, не обижайся, я просто имела в виду, что мы ждем от вас советов... – начала оправдываться Джахан.

Но я уже успела прекрасно понять, что Джахан, сама того не желая, выболтала истинный смысл лукавой Валиной идеи: не администрацию сделать более открытой, а, наоборот, наиболее строптивых журналистов инкорпорировать в администрацию. Журналистам, по сути, предлагалось создать отряд добровольных помощников Кремля.

Я уже прекрасно знала, в какие кабальные условия ставят журналиста доверительные отношения с чиновниками: сначала тебе «по дружбе» рассказывают о каком-то предстоящем событии, а потом, именно из-за этого ты «по дружбе» немедленно лишаешься морального права об этом писать – даже если информацию о событии ты параллельно получишь из другого источника. Согласиться на членство в такой кремлевской «пионерской звездочке» – значит поставить крест на профессии журналиста.

Соблазн давать советы власти был, конечно, очень велик. Но по своему прежнему опыту я уже четко знала: если советы им действительно понадобятся – сами прибегут и сами попросят.

Я не стала спрашивать других приглашенных ребят, согласились ли они. Когда мы несколько лет спустя вспоминали эту историю с Леной Дикун, она сказала, что, по ее ощущениям, вся эта затея как-то тихо рассосалась в воздухе. «По крайней мере, мне так больше никто и не позвонил», – призналась она. Дима Пинскер вообще вскоре перешел для Кремля в разряд классовых врагов – потому что работал в издании Гусинского. В результате, в сети, широко закинутые Юмашевым, попалась Наташка Тимакова: подружившись с Джахан Поллыевой, она стремительно перешла на работу сначала в официозное агентство «Интерфакс», затем – в пиар-службу Белого дома, а после этого – в пресс-службу Путина в Кремль. В результате всех этих передвижений по чиновничьей служебной лестнице одной хорошей журналисткой в стране стало меньше.

Работа с массами явно была не самым сильным Валиным местом. Чего не скажешь о его таланте локальных интриг. В результате, после того как идея журналистского клуба провалилась, он начал «соблазнять» журналистов поодиночке. После 5 декабря 1998 года у него уже не было в Кремле ни поста, ни прежнего начальственного кабинета, но зато дух его веял повсюду. Юмашев превратился просто-таки в какой-то кремлевский полтергейст. То и дело с разных сторон было слышно об очередных проделках этого блуждающего духа: то пару журналисток вывозили на дачу к президентскому референту Андрею Вавре, то Валя устраивал так, что страждущую близости с властью журналистку допускали в приемную кабинета Татьяны Дьяченко как раз в тот момент, когда президентская дочь оттуда выходила и милостиво общалась с поклонницей минут пять. То с кем-то обедали, то ужинали, а то – после этого – и завтракали.

Вскоре моя подруга Таня Малкина уже прилюдно поучала Наталью Тимакову:

– Запомни, в следующий раз, если министры пригласят тебя с собой за стол, нельзя им говорить неприятные вещи...

«Не может быть! Неужели это та самая Танюша Малкина, которая в августе девяносто первого задала гэкачепистам на пресс-конференции вопрос про государственный переворот?!» – не верили мне мои мама с папой (заочно обожавшие героиню Таньку как родную), когда я, сидя у них на кухне и поедая мамино вишневое варенье, рассказывала кремлевские новости.

«Слушай, получается, что и Язову с Янаевым она теперь "неприятных вещей" говорить бы не стала, если б они до этого ее чаем напоили? Интересная логика...» – дико расстраивался мой папа, который в августе 91-го со всей искренностью 50-летнего человека, впервые в жизни внезапно хлебнувшего свободы, собрал с собой в пакет бутерброды, бинты, медикаменты и на полном серьезе пошел «умирать за демократию» на баррикады к Белому дому.

Вся эта история с Юмашевым стала для меня отличной прививкой на всю жизнь: я четко поняла, что властных чиновников надо держать от себя на дистанции. Это такой же непреложный закон журналистской гигиены, как для всех остальных людей – пользоваться презервативом, если не хочешь непредсказуемых последствий.

Глава 7

СУМЕРКИ КРЕМЛЯ

Чтобы хоть как-то дожить до весны 1999 года (как в физическом, так и в политическом смысле), у Бориса Ельцина, как это ни парадоксально, оставался только один-единственный способ: прикинуться мертвым. Или, на худой конец, хотя бы умирающим.

Сил у Кремля — измученного собственными разводками и истратившего уже всю свою энергию на организацию в стране экономического и политического дефолта, — не было не только на нападение, но даже и на активную защиту. Поэтому оставалось одно: сесть в засаде, использовать «мертвого президента» как наживку и дождаться, пока какой-нибудь, самый вероятный, претендент на его пост подойдет и пнет «труп» ногой. И тут же оттяпать наглецу эту самую ногу. По самую голову. Или, на худой конец — «по самый тазобедренный сустав», как Примакову. Или «по самый мениск», как Лужкову.

Надо отдать должное актерским дарованиям Ельцина: роль умирающего получалась у него, как всегда, высокохудожественно. И, похоже, притворяться российскому президенту для этого вообще нисколько не приходилось. Тем более, что и его родная администрация ему в этом активно помогала.

Как Ельцин ликвидировал мой дефолт

Степень моей хозяйственной хватки нетрудно оценить по списку предметов, на которые я растранжирила всю свои последние деньги перед дефолтом 1998 года.

Во-первых, мне (никогда ни до, ни после этого не занимавшейся домашним хозяйством) вдруг приспичило купить электрическую соковыжималку для апельсинов (выжимать которой в момент кризиса стало просто нечего).

Во-вторых, мне же (практически никогда не евшей дома) вдруг зачем-то позарез понадобилась многоуровневая электронная пароварка для овощей (варить в которой овощи после кризиса категорически расхотелось, так как на то, к чему этот изысканный гарнир можно было положить, денег все равно не было).

И в третьих, я реализовала свою давнюю мечту и подарила сама себе дорогущий внедорожный велосипед. Велик, конечно же, не утратил своей актуальности и после кризиса и служил мне отличным антидепрессантом. Но – только пока сил на нем кататься хватало...

Моя гораздо более хозяйственная коллега Юлия Березовская в один прекрасный день с самым серьезным лицом заявила мне:

– У меня осталась тысяча рублей. Мы сегодня же идем с тобой в аптеку и закупаем на эти деньги тампоны. А потом мы должны позаботиться о наших ближних: пойдем и закупим консервов на зиму. Потому что народ уже сметает с прилавков соль, спички и сахар. А скоро и консервов не останется...

Достаточно было заглянуть в то время в любой продуктовый магазин, чтобы понять: население, едва почуяв в воздухе знакомый коммунистический запах примаковского правительства, действительно, сразу стало готовиться к голодной зиме.

Поддавшись на мгновение осадному синдрому Березовской, я согласилась отправиться с ней вместе после работы в ближайшую аптеку, для начала – за тампонами. Потому что обе мы честно признались друг другу, что готовы пережить даже голод – но не их отсутствие.

Но в аптеке обнаружилось, что не одни мы такие умные, вернее, – идиотки. Женская очередь за «Тампаксом» стояла часа на два. Мы потоптались-потоптались, переглянулись, развернулись и ушли. И как вскоре выяснилось, правильно сделали.

Карточки с нашей августовской зарплатой были заблокированы. И денег у меня в кармане не осталось в буквальном смысле слова ни копейки. Платить квартирной хозяйке за аренду квартиры было тоже нечем. И занять было не у кого, потому что все коллеги и друзья были ровно в том же положении.

Но зато через несколько дней бухгалтерия выдала нам секретный список магазинов в Москве, где почему-то всетаки продолжали принимать к оплате русские кредитки.

Получилось смешно: наскрести наличные деньги даже на обед в копеечной редакционной столовой было абсолютно невозможно. Но зато я спокойно могла себе позволить широким жестом водить своих подруг в не самый дешевый (по обычным временам) «АмБар» («Американский бар» на Маяковской) и угощать их там, расплачиваясь карточкой.

Как сейчас помню тогдашнее специальное меню «АмБара», которое так и называлось: «Антикризисное». Все цены там были гуманно снижены как минимум раз в пять. С одной моей вечноголодной школьной подругой мы долго хохотали над собственным идиотизмом, когда, заказав себе каждая по несколько блюд, в общей сложности поужинали всего баксов на семь, но зато, не заметив, что свежевыжатый апельсиновый сок не входит в «антикризисный набор», напились его, в результате, как выяснилось потом, на тридцать долларов. Сэкономили, в общем...

А за любой ерундой, вроде крема для рук, мыла или колготок, приходилось с той же самой условно-размороженной карточкой бегать в самый дорогой в Москве универмаг «Калинка-Стокманн». Что, впрочем, конечно же, все равно сильно скрашивало существование: я прекрасно отдавала себе отчет, что нахожусь в гораздо более тепличном положении, чем сотни тысяч людей в России, которым в тот момент вообще оказалось не на что купить кусок хлеба.

И вдруг прокатился слух, что в так называемом ближнем зарубежье спокойно можно обналичить замороженные карточки.

Как раз в этот момент мне предоставилась возможность слетать с Ельциным в Узбекистан и Казахстан. Визит обещал быть абсолютно неинтересным: Ельцин попросту хотел продемонстрировать, что на фоне полной разрухи в стране и фактического перехвата власти Примаковым он-то сам все еще жив.

Но, несмотря на полное отсутствие профессионального интереса, я немедленно аккредитовалась в поездку с одной-единственной целью: использовать Ельцина как контейнер для перевозки валюты.

Я собрала у всех нуждающихся коллег неработающие кредитки и подробно записала себе в записную книжку все пин-коды под разными вымышленными паролями.

Вопрос о том, сколько именно денег им снять, был излишним. «Снимай все, что сможешь!» – умоляли коллеги.

Передовой президентский самолет идеально подходил для этой авантюры: мы фактически не проходили таможню. И никто на обратном пути не поинтересовался бы у меня, сколько валюты я ввожу в страну.

Но Ельцин чуть не испортил мне все дело. Уже в аэропорту Ташкента он еле спустился с трапа самолета, а когда пошел по ковровой дорожке к зданию аэропорта, вдруг зашатался, потерял равновесие и вынужден был откровенно повиснуть на локте вовремя подоспевшего узбекского президента Ислама Каримова. Мы ждали, что Ельцин, как обычно, сразу после приземления, подойдет к журналистам. Но он впервые сам отказал себе в этом удовольствии и грузно прошагал мимо.

А уж когда я увидела, как в каримовской резиденции «Дурмень» Ельцин, здороваясь с почетным караулом, вдруг ни с того ни с сего начал крениться вперед и падать, то и подавно поняла, что он – ненадежный сообщник для моих «валютных махинаций». В делегации этот случай объясняли строптивостью ковровой дорожки, угол которой не вовремя загнулся, подставив подножку российскому президенту. Но я, к сожалению, собственными глазами видела, что на ковер клеветали зря.

Я волновалась все больше. Дело в том, что Ташкент для меня был абсолютно бессмысленным городом. Доллары там в банкоматах получить было невозможно, а менять местные «тугрики» на нормальную валюту, по реальному курсу, как сразу предупредили меня в гостинице, считалось у них уголовным преступлением. Оставалось только уповать, что Ельцин доживет до следующего пункта нашего назначения – Алма-Аты.

Но на следующее утро замглавы президентской администрации Сергей Приходько поведал мне, что дело совсем плохо:

– Борис Николаевич сегодня проснулся и сказал: «Собирайтесь, я еду в Кремль!..» Он даже не понял, где он находится...

– Объясните, что с ним происходит? Он был пьян? Или это опять сердце?

– Нет, точно, ни то, ни другое... Я вам скажу по секрету, что произошло: у него накануне случился сильнейший гипертонический криз, давление подскочило, а отменять визит было уже слишком поздно...

– Так зачем же его запихнули в самолет, с повышенным давлением?! Это же просто убийство! – возмущалась я.

Кремлевский чиновник только развел руками.

Даже обычно предельно политкорректные члены делегации откровенно хоронили Ельцина.

Татарский лидер Ментимер Шаймиев на мой вопрос о ельцинском здоровье ответил:

– Хотелось бы получше...

А глава Свердловской области Эдуард Россель заявил мне:

– Если Борис Николаевич плохо себя чувствует, – ничего страшного, пусть посидит в Москве, полечится... Не надо его таскать по поездкам! Никому ведь не хочется досрочных выборов – это была бы катастрофа!

Чуть позже кремлевская команда разыграла перед журналистами целый спектакль: для болезни Ельцина надо было придумать какой-то невинный характер, и поэтому глава российского государства во время итоговой церемонии в «Дурмени» вдруг начал демонстративно кашлять и постоянно отхлебывать чай, который то и дело подносил ему служка.

Довольно нелогично, впрочем, на фоне этой «простуды» выглядело поведение начальника ельцинского протокола Владимира Шевченко, который, едва завидев, что официанты подносят главам государств подносы с «Шампанским», чуть ли не пендалями выгнал их из зала.

А кремлевские журналисты, насмотревшись на своего президента, вновь почувствовали себя настоящей похоронной командой. Когда по дороге в аэропорт, откуда мы должны были улетать в Казахстан, водитель нашего автобуса завел песню:

Кондуктор не спешит,
Кондуктор понимает,
Что с девушкою я
Прощаюсь навсегда...–

кто-то вдруг тоненько пропел куплет в «кремлевской редакции»: не «с девушкою», а с «Дедушкою я прощаюсь навсегда».

Прилетев в Алма-Аты, я случайно подглядела в резиденции Назарбаева момент, когда Ельцин, не видя, что рядом стоит журналист, выйдя из зала заседаний, брюзгливо ругал свою дочь Татьяну за то, что его не пускают на банкет.

Татьяна по-деловому удалялась вместе с Назарбаевым, настойчиво предлагая папе «пойти прилечь отдохнуть».

– Да?! А вы – на банкет все без меня пойдете?! – отвратительно капризным, но одновременно и каким-то жалкобезвольным голосом, срывавшимся в конце фразы на фальцет, переспросил Ельцин.

– Да, папа... Тебе врач запретил...– пролепетала Татьяна, явно готовясь к скандалу.

Но Ельцин только недовольно засопел и, состроив брюзгливую гримасу, постоял с полминуты, в упор глядя на дочь, покачиваясь, широко расставив ноги.

И потом с раздражением бросил ей и Назарбаеву:

– Ну и идите!

Эта семейная сцена произвела на меня самое гнетущее впечатление. Я, пожалуй, впервые по-настоящему поняла, как все запущено.

Но к тому моменту Ельцин уже так достал меня своими постоянными фортелями, и я так устала все время переживать за его самочувствие, что в данную минуту президентское здоровье представляло для меня чисто утилитарный интерес, измерявшийся в у. е.

Больше всего я боялась, что Деда отправят в Москву сейчас же, не дав мне доехать до ближайшего банкомата. «Дедушка, милый, ну будь человеком хоть раз в жизни, – не помри до завтра, а? – мысленно умоляла я президента. – Ты же ведь сам весь этот финансовый кризис заварил, – вот теперь и расхлебывай...Терпи – помрешь как-нибудь в другой раз...»

Но Ельцин, наплевав на все мои спиритические уговоры, устроил мне бессовестную нервотрепку. Я и так-то, даже в мирных условиях, с деньгами не очень-то умею обращаться, а когда у меня за спиной еще и президент то умирал, то воскресал, – я вообще уже металась как сумасшедшая.

Визит должен был продолжаться сутки, и, по идее, мне с лихвой должно было хватить времени на все обменные операции. Но пока нас везли в гостиницу, прошел слух, что Ельцину совсем плохо и что визит, скорее всего, резко сократят. Поэтому сотрудники пресс-службы посоветовали нам «не селиться в гостинице, а посидеть и подождать в фойе». Чего подождать? И как долго? Не объяснялось.

Я бросилась к администратору:

– Где у вас тут ближайший банкомат?

Банкомат оказался прямо в фойе, но выдавал тоже одни только «тугрики», в смысле, казахские тенге.

– А где ближайший обменный пункт?! – закричала я.

– Минутах в двадцати езды отсюда... – невозмутимо ответила администраторша.

Тогда я тихо подошла к тогдашнему начальнику аккредитации Казакову и шепотом попросила его:

– Сергей Павлович, скажите мне честно, нам что, уже сейчас придется вылетать в Москву? Поймите, мне это нужно знать не для статьи, а по совершенно личным, корыстным причинам. Короче, я успею съездить обменять деньги?

– Если честно, Лена, то я бы на вашем месте никуда не ездил. По моим сведениям, там все настолько серьезно, что сигнал срочно выезжать в аэропорт может поступить с минуты на минуту, – признался Казаков.

Но я все-таки рискнула. Кинувшись к банкомату, я принялась вытрясать из него все деньги, которые мне только удавалось, по всем карточкам, уже совершенно не различая, сколько с какой я сняла, потому что при первой же операции моментально запуталась в несметном количестве нулей в казахской валюте. Аборигены мне помочь наотрез отказались, уверяя, что сами они банкоматом никогда не пользовались. И тогда я отчаянно призвала на помощь единственного практичного в финансовых вопросах человека из всех оказавшихся поблизости – Ленку Дикун из «Общей газеты», сидевшую под какими-то неестественными гостиничными пальмами и поглощавшую уже пятую чашку своего любимого капуччино.

– Дикун, я тебя умоляю, помоги мне! – истошно взмолилась я. – Эта казахская машинка мне не дает денег! Поговори с ней!

Дикун подошла к банкомату, заглянула ему в лицо и рассудительно сказала:

– Если он не дает тебе столько, сколько ты у него просишь, – нажми сумму на один нолик меньше. Может, тогда он тебе даст...

Я сделала так, как она посоветовала, – и у меня получилось! Машинка выдала мне пачку денег, которые, правда, своим внешним видом внушали мне сильные сомнения в их платежеспособности хоть в одном месте земного шара, кроме Алма-Аты.

– Дикун, а ты понимаешь хотя бы примерно, сколько мы денег в долларах из него вытрясли? – с ужасом поинтересовалась я.

– Не-а... – с не меньшим ужасом призналась мне Ленка. – Ну ты попробуй еще столько же взять...

Но столько же хитрая машинка уже не давала и начала врать мне в лицо, что превышен лимит. Какой там лимит?! Я вообще ни одного еще доллара не сняла – одни «тугрики»...

Но я не сдавалась и еще раз попробовала нажать циферку в тенге, где еще на один нолик было меньше. И машинка опять заработала! Так я снимала и снимала, то сокращая, то повышая свои запросы, цинично засовывая скомканный казахский чистоган прямо в сумку и утрамбовывая его, чтобы все влезло.

Но в какой-то момент волшебный звук выплевывания денег прекратился навсегда, и у банкомата началась отрыжка: он истошно верещал и просил меня срочно связаться с его сервисным центром.

– Дикун, а как ты думаешь, я сколько вообще сняла, «много» или «мало»?

Дикун почесала репу, что-то прикинула в уме и скзала:

– Ну, думаю, баксов триста...

– Но это же очень мало! – расстроилась я. – Это же, когда я на всех поделю, кто мне карточки давал, нам же только на обед в столовой и хватит...

– Ну извини! – обиделась Дикун, которая не без основания считала всю работу алма-атинского банкомата собственным рукотворным чудом. – А могла бы и вообще ничего не привезти!

Я запихнула последние тенге в сумку, еле застегнула ее и побежала к Казакову:

– Сергей Палыч, я вас предупреждаю: если я вернусь к своим голодным друзьям в Москву с этими неразменными «деревянными тугриками», то они меня просто растерзают. Так что даже если президенту совсем приспичит скорей домой, в ЦКБ, – я вас как человека прошу, задержите ненадолго автобус. Я обещаю вернуться ровно через сорок пять минут: двадцать минут до обменника, двадцать – обратно, и еще пять, чтобы сдать фантики...

Казаков клятвенно пообещал дождаться меня.

Таксист домчал меня до обменника даже минут за пятнадцать. И там я нашла вознаграждение за все мои муки. Я вывалила в окошко смятую охапку тенге. Кассир слегка удивился и переспросил:

– Вы знаете, сколько здесь?

– Не совсем точно... – уклончиво ответила я, – пересчитайте, пожалуйста...

Если бы он только мог себе представить, НАСКОЛЬКО неточно я представляю себе размер суммы...

Спустя пару минут вместо предсказанных Ленкой трехсот долларов честный казах выдал мне стопку в несколько тысяч баксов.

И я сразу поняла, почему гостиничный банкомат так жалобно на меня верещал, – все лимиты действительно были уже давно превышены...

Абсолютно счастливая, я на том же такси вернулась к гостинице. И – о ужас! – не увидела в фойе никого.

– Лена, срочно бегите в автобус, – мы уже только вас и ждем! Через полчаса вылет в Москву! Официально объявлено, что Борис Николаевич болен! – закричал, подбегая ко мне, Казаков.

Но эта новость меня уже почти не взволновала. Ельцин сделал свое дело – Ельцин мог уезжать. Хотя бы мой личный дефолт и дефолт нескольких моих коллег президент таким образом ликвидировал.

Ошибка природы

Общаться с кремлевской пиар-командой в тот период было просто страшно. Не за себя, конечно, а за них. Потому что мне, журналисту, моментально начинали «сливать» то, чего президентские чиновники не должны говорить про президента прессе вообще никогда и ни при каких обстоятельствах. Администрация, по сути, занималась единственным делом: ныла. И всеми правдами и неправдами пыталась списать все свои чудовищные провалы не на собственный непрофессионализм, а на то, какой Ельцин «невменяемый» и «больной».

Однако Ельцин явно не стал к тому времени более «невменяемым» или более «больным», чем бывал прежде, например годом раньше в Стокгольме. И до этого его «невменяемость» и «болезнь» как-то ничуть не мешали руководству администрации – а даже наоборот, помогали «рулить»: когда, например, Вале с Таней достаточно было, как утверждали в администрации, вовремя включить Ельцину телевизор на заказной программе, для того чтобы уволить конкурентов своих друзей по бизнесу из правительства.

И раньше, когда президентскому окружению удавалось эффективно Ельциным манипулировать, администрация хотя бы добросовестно врала общественности, что он здоров как бык, а той зимой – уже не просто перестала прикрывать его, а, наоборот, принялась еще и приукрашивать ужасы ельцинского физического и психического состояния.

Как-то раз, в начале 1999 года, мы встретились в ресторане «Джонка» с ельцинским референтом Андреем Шторхом, который обещал «слить» мне текст очередного президентского послания. Я переспросила его, читал ли уже сам Ельцин эту заготовку.

– А ты уверена, что Ельцин вообще еще в состоянии хоть что-то прочесть? – парировал Шторх. – Ты знаешь, я недавно встретил его рядом с Таниным кабинетом и увидел, с каким трудом он двадцать метров своими ногами прошел. Так вот лично я после этого уже ни в чем не уверен...

Точно так же, как летчикам в момент бедствия приходится включать автопилот, мне приходилось в тот период то и дело включать режим «самоцензор». И не писать ни строчки из тех кошмаров про здоровье Ельцина, которыми меня то и дело потчевало его окружение. Потому что я прекрасно отдавала себе отчет: на фоне фактически совершившегося ползучего переворота во главе с Примаковым любая подобная публикация добавит друзьям академика политических очков.

Но если кулуарные откровения отфильтровать еще както было можно, то куда было деваться от непрекращающихся публичных провокаций, которые в ежедневном режиме сама же президентская администрация устраивала против своего президента? Самой яркой ходячей провокацией, изобретенной Валентином Юмашевым, стал его дружок Дмитрий Якушкин, которого он сделал президентским пресс-секретарем.

На мой вопрос о здоровье Ельцина Якушкин с прямотою Павлика Морозова отвечал:

– По крайней мере простуды у него сейчас нет...

А на следующем брифинге, когда я поинтересовалась, обсуждается ли в администрации президента возможность досрочной отставки Ельцина по состоянию здоровья, юмашевский протеже признавался:

– Пока – не обсуждается...

И тут же спешил публично заверить прогрессивную общественность, что руководители кремлевской администрации «в курсе невысокого, я бы так сказал, рейтинга президента, поэтому они смотрят на мир совершенно реальными глазами...».

На этом фоне даже прежнее откровенное вранье Ястржембского про «крепкое рукопожатие» президента выглядело просто-таки полетом профессионализма. И уж точно – вершиной лояльности Ельцину.

Все эти заявления Якушкина явно делались с подачи Вали Юмашева, который уже откровенно взял устновку на сдачу Ельцина.

При этом сам Якушкин явно искренне не понимал, почему из-за всех этих своих афоризмов он быстро превратился для кремлевских журналистов в живой анекдот.

В какой-то момент, по совету кого-то из старших кремлевских товарищей, Дмитрий Якушкин, чтобы наладить отношения с прессой, решил взять на вооружение ноу-хау прежнего пресс-секретаря президента Сергея Ястржембского: пригласил четверых лучших журналисток «кремлевского пула» на ужин.

Однако когда мне позвонил сотрудник пресс-службы и передал «искреннее дружеское приглашение от Дмитрия Дмитриевича», я честно призналась:

– Спасибо, но как ньюсмейкер Якушкин для меня ценности не представляет. А тратить целый вечер на общение с ним как с человеком мне не интересно...

Тогда Якушкин принялся доказывать кремлевской прессе, что он – парень со связями и вполне может быть интересен как ньюсмейкер. В частности, он похвастался нескольким девушкам-журналисткам, что катается на лыжах вместе с Таней Дьяченко, Валей Юмашевым и Ромой Абрамовичем.

«Вот уж точно – скажите мне, кто ваш друг, и я скажу вам, кто вы», – мрачно вынесли приговор мои коллеги по «кремлевскому пулу».

Когда я описала в газете эту сценку спортивной дружбы внутри Семьи, бедный Якушкин еще долго бегал за мной и при каждой встрече канючил:

– Ну Лена, ну вы, все-таки, не совсем правы... Я этим не хвастался... И вообще, зачем вы про эти лыжи...

– Какие лыжи, Дмитрий Дмитриевич?! О чем вы?! Весна уже на дворе! – в ужасе напомнила увидевшая всю эту жалобную сценку Таня Нетреба из «Аргументов и Фактов».

В общем, когда я в одной из заметок констатировала, что «даже сами кремлевские сотрудники уже признали, что назначение Якушкина было ошибкой природы», то, вопреки моей воле, прозвище «Ошибка природы» с тех пор так накрепко и привязалось в журналистской среде к несчастному потомку декабриста.

– Пусть скажет спасибо, что Трегубова его жертвой аборта не назвала, – цинично прокомментировал эту историю главный редактор «Известий» Михаил Кожокин, на которого Кремль попытался «наехать» за эту мою публикацию.

«Уе...ть отсюда! И поскорее!»

Той зимой Примакову, с молчаливого согласия Кремля, удалось невероятно здорово, я бы даже сказала, стильно, устроить всей стране краткосрочный аттракцион под названием Back in the USSR. Антураж этого недешевого шоу был подобран со вкусом: разговоры на серьезном глазу в правительстве о возврате к государственному регулированию экономики, секретные директивы в Белом доме, запрещающие чиновникам общаться с журналистами, и прочие любовно очищенные от нафталина реквизиты.

Лично для меня, в полном соответствии с принципом единства формы и содержания, вся эта внешняя стилизация оказалась дополнена внутренней – мне пришлось несколько месяцев проработать в газете «Известия», дух которой как нельзя более точно соответствовал этому общему перфомансу.

Сразу же после дефолта, в середине сентября 1998 года, мне в одночасье объявили о закрытии газеты «Русский Телеграф», в создании которой я вместе с друзьями приняла участие за год до этого. Эта потеря стала для нас куда более ощутимой, чем любые личные финансовые проблемы во время кризиса.

«Телеграф» издавался на деньги Потанина. И несмотря на то что газета уже стала по-настоящему влиятельной в российской властной элите и успела приобрести популярность в западных аналитических кругах, однако выйти на самоокупаемость и финансовую независимость от олигарха всего за год – разумеется, было нереальным.

А Потанин в момент кризиса решил, что газет у него – многовато и что надо бы на них сэкономить. В результате, олигарх сделал неправильный, по моему глубокому убеждению, выбор: объявил о закрытии элитной, интеллектуальной газеты влияния, чтобы сохранить издание массового пользования советского образца – «Известия».

Кстати, спустя два года, когда я говорила об этом с Потаниным, он и сам признался мне, что до сих пор жалеет, что закрыл тогда «Русский Телеграф».

А когда мы с ним обменялись впечатлениями по поводу нынешних «Известий», олигарх остроумно заметил:

– Ну, вы не совсем правы, это – не газета «Правда» советских времен, а, скорее, «Литературная газета» советских времен...

Осенью 1998 года ведущим сотрудникам «Русского Телеграфа» предложили перейти на работу в «Известия». От одного вида советского здания этой газеты на Пушкинской площади у меня начинало тоскливо сосать под ложечкой.

«Телеграф» мы делали в огромном современном ньюсруме – открытом зале, разделенном боксами, с компьютерами. Это предельно функционально для газеты – там было максимально удобно быстро, не тратя времени, общаться друг с другом, просто перекрикиваясь – из одного ньюс-бокса в другой. И по вечерам мы все сразу, как один, узнавали о том, что заверстана первая полоса газеты, – потому что наш арт-директор Александр Терентьев, сидя на верстке, в честь окончания работы врубал на полную мощность одну и ту же песню «Doors»:

Well, show me the way to the next whiskey bar!
Oh, don't ask why, oh don't ask why!
If we will don't have the next whiskey bar –
I tell you, I tell you, I tell you we must die!!!

И весь дружный трудовой коллектив сразу же знал, куда ему следует направляться.

В «Известиях» же меня встретили бесконечные угрюмые коридоры, построенные как будто специально для того, чтобы захватчики заблудились и умерли от голода, и огромный отдельный «обозревательский» кабинет – неуютный, холодный и серый, хотя и престижный – выходящий окнами на Тверскую. Было такое впечатление, что известинские сотрудники не видели друг друга годами: кабинеты оказались оборудованы таким доисторическим средством связи, как пневмопочта. Тому абсолютному большинству нормальных граждан, кто никогда в жизни не видел это чудовище, объясняю: выглядит все это как небольшой мусоропровод в кабинете, который периодически начинает выть и грохотать так, как будто соседи сверху выбросили туда кошку. У меня так садист-управдом Курочкин в детстве делал.

Мой коллега из «Русского Телеграфа» Владимир Абаринов сразу же опытным путем установил, что капсула пневмопочты по размеру и по форме больше всего подходит к единственному предмету – бутылке водки. Так пневмопочту с тех пор и использовали.

Весь этот замшелый антураж прекрасно дополнялся цитатой Ленина, высеченной громадными буквами на стене огромного, холодного, каменного зала перед приемной главного редактора: «ГАЗЕТА – НЕ ТОЛЬКО КОЛЛЕКТИВНЫЙ ПРОПАГАНДИСТ И КОЛЛЕКТИВНЫЙ АГИТАТОР, НО ТАКЖЕ И КОЛЛЕКТИВНЫЙ ОРГАНИЗАТОР». Зал этот, кстати, мы между собой иначе как расстрельным двориком и не называли.

И несмотря на то что новым главным редактором, которого Потанин посадил руководить газетой, стал довольно молодой человек – Михаил Кожокин (который до этого был даже не журналистом, а банковским клерком – руководил работой «Интерроса» по связям с общественностью и СМИ), однако, едва вселившись в аджубеевский кабинет, он немедленно пообещал известинцам «сохранить все их прежние традиции».

С идентификацией начальства в «Известиях» у меня как-то сразу не задалось.

На первой же летучке я случайно оговорилась и обратилась к главному редактору по имени его гораздо более известного в то время брата – аналитика Евгения Кожокина:

– Можно один вопрос, Женя?

– М-можно, – слегка заикаясь от смущения, ответил Кожокин. – Только я не Ж-женя, а М-миша.

А однажды я столкнулась при входе в служебный подъезд «Известий» с их бывшим главным редактором, Василием Захарько, которого Потанин разжаловал в заместители Кожокина. Думала я в этот момент, как всегда, – о своем, о девичьем. В смысле, о Кремле. И так крепко, видно, думала, что когда со мной вдруг поздоровался Захарько, я приняла его (из-за легкого внешнего сходства) за президентского референта Андрея Вавру.

– Ой, здравствуйте! А что это вы тут у нас делаете? – живо поинтересовалась я у Захарько, думая, что это Вавра.

Бедный Захарько, которого тогда мучили совсем другие мысли – о личных карьерных неприятностях, просто опешил:

– Что это вы имеете в виду, Лена? Я вот на работу иду...

– Как?! А что это вы у нас в редакции собираетесь делать? – изумилась я до крайности, продолжая думать, что беседую с кремлевским чиновником.

Тут уж несчастный Захарько просто совсем сник, явно решив, что я знаю о его дальнейшей карьерной судьбе что-то такое, чего ему самому еще не сообщили.

К счастью, я быстро начала задавать ему (как Вавре) какие-то вопросы о Кремле, и он, с огромным вздохом облегчения, представился:

– Лена, да вы меня просто не узнали! Я – Захарько. Вы меня, наверное, за кого-то другого приняли?

– Ой, простите... – смутилась я. – Лучше вам даже и не знать, за кого я вас приняла...

Впрочем, новый главный редактор этой «газеты со славными традициями», в свою очередь, наоборот, отнесся ко мне очень тепло и сразу же по достоинству оценил мой журналистский дар.

– Я хочу вам предложить соавторство, – заявил мне Кожокин. – Дело в том, что мне всегда очень хотелось писать, но Бог таланта не дал. А у вас, Леночка, это как-то так лихо получается! Вот я и хочу вам предложить писать статьи вместе: мысли – мои, а талант – ваш...

Я, разумеется, сообщила, что у меня и своих мыслей хватает. Оказалось, это был неправильный ответ в известинской викторине. С тех пор мои собственные статьи все реже и реже стали публиковать на полосах этой уважаемой газеты.

Я жила в «Известиях» (именно жила, а не работала) на правах пенсионера: получала зарплату, имела отдельный кабинет, пользовалась компьютером и интернетом. И чем меньше я рвалась писать статьи, тем с большей симпатией там все ко мне относились. Потому что время тогда было смутное, руководство газеты никак не могло понять, кто же в конечном итоге победит в битве титанов – Примаков или Кремль, а заметки мои могли, чего доброго, подпортить отношения и с тем, и с другим. А так: нет статей – нет проблем. Чтобы хоть как-то побороть депрессию, возникавшую каждый раз, когда не давали публиковаться, я запиралась у себя в кабинете и часами бродила по интернету: бывало, то в музей Metropolitan зайдешь на любимого Одилона Редона полюбоваться, то в Rijksmuseum – с Вермеером поздороваться. Так, глядишь, рабочий день и заканчивался.

В один прекрасный вечер ностальгическое путешествие во времена, по которым я вовсе и не ностальгировала, было изящно дополнено еще одним происшествием.

Мы с моей подругой, московским театральным режиссером Ольгой Субботиной, зашли выпить чайку в кондитерскую «Делифранс». Сидели и болтали за столиком. Не поверите – не о Кремле, а о мужчинах. Хотя и о кремлевских.

Вдруг у Ольги вытянулось лицо, она пригнулась ко мне и зашептала:

– Леночка, какой ужас: у тебя там за спиной, за соседним столиком, сидит какой-то мужик – он сейчас достал какой-то микрофончик, включил и начал нас записывать...

Я, разумеется, не поверила и оглянулась. Метрах в десяти от нас действительно сидел какой-то молодой человек, который, как только поймал мой взгляд, принялся считать ворон на потолке. Рядом с ним на полу стояла увесистая полураскрытая спортивная сумка, из которой действительно торчал какой-то приборчик, напоминающий микрофон.

– Ольк, я, конечно, не знаю, как должны выглядеть гэбэшные прослушиваюшие устройства. Но как мне ни жаль тебя разочаровывать, я уверена, что в любом случае – они не могут выглядеть такими огромными бандурами, которые надо ставить в сумке на пол! – рассмеялась я.

Но еще минут двадцать, которые мы продолжали разговаривать, мужчина за соседним столиком подозрительным образом ничего себе не заказывал. Оставаясь спиной к нему, я тем не менее узнавала обо всех его телодвижениях от Ольги, которая мельком за ним подглядывала, а потом, чтобы он не услышал, писала мне депеши на обрывках бумаги. Субботину было чрезвычайно трудно заподозрить в паранойе: даже в театральной тусовке она знаменита своей сугубо витальной психикой, и к тому же – абсолютно не интересуется политикой.

Мы собирались уже уходить, но мне вдруг все-таки захотелось повеселиться.

– А давай мы, Субботина, сейчас с тобой проверим – паранойя у тебя или нет... – предложила я и, встав таким образом, чтобы нашему странному соседу были видны мои руки, начала планомерно, на мелкие кусочки рвать наши с Ольгой записки. А потом засунула все обрывки в пепельницу.

И как только мы отошли от столика метров на пятьдесят, мужик вскочил, бросился к нашему столику и принялся выуживать из грязной пепельницы все эти бумажки.

Бедная Ольга, вместе со всей ее витальной психикой, была в шоке. Я откачивала ее еще полвечера.

Едва выйдя на улицу, я немедленно позвонила одному своему кремлевскому приятелю, описала «симптомы болезни» и в недоумении спросила совета:

Я с некоторым ужасом произнесла:

– Сергей Владимирович, вы что, хотите сказать, что наш президент абсолютно невменяем? Он действительно не способен самостоятельно принимать никакие решения?

В этот момент те, кто прослушивал кабинет Ястржембского, наверняка остались им довольны.

Потому что, даже будучи разжалованным, президентский пресс-секретарь, со своей традиционной брифинговой бравой выправкой, громко отрапортовал:

– Как это наш президент недееспособен? Ведь в конце-то концов он сумел принять верное решение!

Однако параллельно происходил мимический театр одного актера. Лицо Ястржембского исказилось страдальческой миной, он принялся утвердительно кивать, подмигивать, хвататься за голову и возводить глаза к небу.

Я, с еще большим ужасом, переспросила:

– Он что, вообще ничего не понимает, что происходит? Он настолько болен?

На это Ястржембский, с еще более жизнеутверждающими интонациями в голосе, поведал мне о небывало светлом рассудке президента. Но одновременно он очень выразительно несколько раз похлопал рукой по сердцу.

Я, перейдя на такой же язык пантомимы, еще раз настойчиво осведомилась о рассудке президента, поднеся указательный палец к виску.

Но Ястржембский помотал головой, жестами дав понять, что с мозгами у президента все более или менее, но еще раз приложил руку к сердцу.

На такие откровения по-военному верный Ельцину Ястржембский не решался даже после чудовищного скандального выступления больного президента в Стокгольме в декабре 1997 года, которое мы пережили с ним вместе.

После сеанса этой информационной пантомимы я осведомилась, куда теперь Ястржембский намерен податься:

– К своему Лужку, небось, пойдете работать?

– Ну почему к «своему»?! – чуть не плача взмолился Ястржембский. – Леночка, ну поверьте же: он такой же мой как и ваш! Бред это все про заговор!

– Что это за бред?! Если кому-то действительно захотелось вдруг меня подслушивать, я не понимаю, зачем это делать настолько явно, чуть ли не демонстративно?!

– Дурочка! Не «чуть ли не демонстративно», а именно демонстративно. Это типичный прием, когда тебя хотят напугать,– «успокоил» меня кремлевский чиновник.

Но, в результате, напугали-то не меня, а бедную Ольгу.

В самом гадком настроении мы отправились в гости к нашему однокласснику, актеру Артему Смоле – потому что Смола по остроумию и легкости даст фору даже своему духовному отцу – комику мистеру Бину, и уж точно должен был как ветром сдуть с нас тяжкие раздумья о судьбах нашей Родины.

Но когда мы вошли в квартиру, наш «легкий и остроумный» Смола бегал по кухне в тяжких клубах коноплевого дыма и в состоянии крайнего возбуждения кричал о необходимости немедленного введения в стране «Currency board». Сидевший напротив него другой мой школьный друг – поэт и книжный критик из «Независимой газеты – «Ex Libris» Александр Вознесенский – наоборот, мрачно догонялся пятой рюмкой чая и почему-то – очевидно, именно из-за разноскоростной направленности употребляемых духоподъемных средств – был категорически против этой самой «board». Причем ни тот ни другой, разумеется, вообще ни сном ни духом не понимали, что этот board такое и как на нем кататься.

До этой самой секунды в моей школьной компании только я считалась фриком, интересующимся политикой. Но в тот момент вся эта сугубо аполитичная братва, вместо того, чтобы пожалеть, накинулась на меня с неприятными анпиловскими лицами, требуя детального отчета за деятельность кабинета Примакова.

– Куда смотрит твой Ельцин?! – на каком-то трагикомическом серьезе возмущался новый народный трибун Артем. – Почему ты не скажешь своим кремлевским друзьям?!

На меня же вся эта гнуснейшая атмосфера в стране, в редакции, – а теперь еще и эта идиотская демонстрация в «Делифрансе» – навеяли такое ощущение безнадеги, что объяснять что-либо просто не было сил.

– Ну хорошо, вот ты – хотя бы фиганько на голову, и что бы в стране ни происходило, все равно здесь останешься и будешь писать о политике... Ну а нам-то, нормальным людям, что теперь делать?! – решили добить меня друзья.

И тут я не выдержала и в сердцах выпалила одноклассничкам совет, вынесенный в заголовок этой истории.

Эту эсхатологическую фразу Артем, Ольга и Саша еще долго потом с хохотом припоминали мне, после того как Примаков уже рассосался.

Фраза, не спорю, пораженческая – зато отлично характеризует состояние, в котором мы все тогда находились.

Разворот над океаном в куртке «US AIR FORCE»

Последним крупнобюджетным шоу в стиле «ретро», которое удалось поставить Евгению Примакову на российской политической сцене, стал разворот над Атлантическим океаном. Российский премьер, который из-за болезни Ельцина и недееспособности его окружения, по сути, уже выполнял президентские функции, как известно, истерично отказался лететь на важнейшие переговоры в США, как только узнал о начале бомбардировок объединенными международными силами позиций армии Милошевича в Югославии.

Услышав об этой выходке премьера, я мстительно полезла на антресоли, достала аккуратно сложенную там в дальнем ящике ярко-розовую куртку с огромной надписью «US AIR FORCE» на борту, надела ее, и, начиная с этого дня, не снимая, демонстративно разгуливала в ней по редакции «Известий», а также – по Кремлю, Старой площади и в других присутственных местах.

Потому что молча терпеть эту советскую имперскую истерию, раскрученную, с примаковской команды в подавляющем большинстве отечественных СМИ, было просто оскорбительно. Особенно усердствовали, разумеется, государственные телеканалы и информагентства, выступавшие абсолютно в унисон с рупором пропаганды Милошевича – знаменитым агентством «Танюг».

С экранов телевидения официальные лица (прежде всего, сам Примаков, его министры-коммунисты, а также непотопляемый министр иностранных дел Игорь Иванов, доживший на своем посту аж до сегодняшнего дня), не стесняясь, клялись в вечной дружбе фашисту Милошевичу, проводившему в своей стране планомерные этнические чистки. А высокопоставленный российский генералитет подвякивал даже, что не исключает поставок российского оружия сербам. И всей этой агрессивной пропагандой загаживались мозги населению круглые сутки, в каждом выпуске новостей. Кстати, некоторые телеведущие, скажем, с телеканала ОРТ, которые в тот момент особенно рьяно выполняли идеологический заказ, до сих пор там работают, отлично вписавшись в теперешние внутриполитические реалии.

Но что самое удивительное – даже и в негосударственных СМИ, финансируемых самыми разными олигархами, по загадочной причине в тот момент вдруг все тоже, как по команде, «взяли под козырек». Когда статьи с откровенно просербской пропагандой писали мастодонты советской журналистики – это выглядело вполне органично. Но когда тем же самым вдруг начали промышлять молодые ребята, чуть старше меня, – я никак не могла найти этому объяснение. Страх? Заказ? Или – просто гипноз «общего мнения»?

Российская пресса откровенно замалчивала данные о массовых этнических чистках, проводившихся сербской армией под руководством Милошевича. А ведь происходило это все не в доисторические времена «железного занавеса», и для того, чтобы написать объективный журналистский материал, достаточно было залезть в интернет и перечитать мировые агентства или отчеты международных гуманитарных организаций, пестревшие сообщениями об очередных найденных массовых захоронениях расстрелянных мирных албанцев. O'k, если уж нашим международникам так полюбилось именно агентство «Танюг», то вторую половину статьи можно было посвятить и ему – но не освещать же конфликт только с одной стороны!

В большинстве редакций ввели негласную, но жесткую просербскую внутреннюю цензуру. Мою подругу Юлию

Березовскую, работавшую тогда в международном отделе «Известий», надолго лишили права публикаций из-за так называемой антисербской и проамериканской позиции, выражавшейся в том, что она пыталась в своих статьях напомнить о массовых карательных операциях против мирного албанского населения, проведенных сербской армией в селах Рачаг, Косовске Митровице и десятках других населенных пунктов, свидетельства которых – могильники – находили потом чуть ли не ежедневно.

Зато на первой полосе «Известий» выходили передовицы с пропагандистскими завываниями: «Вновь в небе над Белградом появились немецкие боевые самолеты...», – где с откровенным передергиванием фактов проводились параллели между натовскими бомбардировками и фашистской оккупацией Югославии в 1941-м. У читателя после этого, видимо, должно было сложиться мнение, что фашисты – вовсе не сербские генералы, отдававшие приказы об убийствах албанских женщин и детей по национальному признаку. А НАТО и ОБСЕ.

Нетрудно себе представить, какими ненавидящими взглядами встречали меня коллеги из международного отдела, когда я каждый день, как бы случайно, забегала к ним туда в своей эпатирующей куртке, чтобы хоть как-то поддержать бедную «осажденную» Березовскую и погромче обсудить с ней косовскую проблему.

Но несмотря на косые взгляды, я чувствовала, что отступать буквально некуда – позади Москва. «Вашу бабушку! – думала я. – Это – моя страна, а не какого-нибудь Примакова! И я не желаю, чтобы моя страна поддерживала фашистские режимы и опять, как в советское время, рвала нормальные дипломатические отношения со всем цивилизованным миром!»

Тем временем страна в тот момент, действительно, под предгробовое молчание Ельцина, зато с боевыми кличами Примакова, семимильными шагами двигалась назад, к холодной войне с Западом. Сжигать все худые и дряблые мостики, наведенные между Россией и Западом за постперестроечное десятилетие, оказалось занятием куда более быстрым и нехитрым, чем их наведение.

На ближайшем же закрытом брифинге Александра Волошина в Кремле я потребовала от него ответа за все:

– Почему нет официальной реакции Ельцина на заявления военных о поставках оружия сербам?!

– А что – ты считаешь, нужна реакция? – замямлил Волошин.

– Да вы что, не понимаете, что в данной ситуации на Западе ельцинское молчание воспринимается как знак согласия с Примаковым?! И это на фоне того, что Примаков уже всем заявил, что развернул самолет «по согласованию с Ельциным»! Если у вас президент не может выговорить ничего внятного, значит – вы сами за него должны выступить и объявить, что не разделяете ни позицию Примакова, ни позицию отморозков-провокаторов из Генштаба!

– Хорошо, а можно я тебе сейчас заявлю, что мы – действительно не вполне разделяем позицию Примакова по югославской проблеме... Только ты на меня не ссылайся, пожалуйста! – застенчиво согласился Волошин.

Собственно говоря, именно с этого детского лепета Волошина, как ни смешно, и начался переломный момент во взаимоотношениях Кремля и Примакова, да и во всей политической ситуации того времени. Кремль четко понял, что для него примаковский разворот над океаном – последний рубеж, за которым – бездна. И именно за этот рубеж ельцинская команда стала отчаянно цепляться.

По сути, единственным в России СМИ, жестко отреагировавшим на примаковский демарш с отменой визита в США, стала газета «Коммерсантъ». На следующий же день она вышла с передовицей под названием «15 000 000 000 долларов потеряла Россия благодаря Примакову», где детально подсчитывались все убытки от несостоявшихся по капризу премьера переговоров в Штатах. «Вывод один, – констатировалось в статье, – поддержка близкого Примакову по духу режима Милошевича оказалась для него нужнее и понятнее, чем нужды собственной страны».

На фоне пропримаковской истерики в подавляющем большинстве СМИ эта статья Владислава Бородулина казалась просто-таки актом гражданского мужества. И в тот же день Бородулин был уволен из газеты «Коммерсантъ» ее тогдашним главным редактором Рафом Шакировым (который в тот момент симпатизировал пропримаковски настроенному Совету по внешней и оборонной политике).

Однако на этом судьбоносные перестановки в «Коммерсанте» не закончились, а только начались. И привели, в конечном счете, к смене владельца газеты. В знак протеста против увольнения Бородулина немедленно подали заявления об отставке еще двое ведущих сотрудников – начальник международного отдела Азер Мурсалиев и начальник отдела политики Вероника Куцылло. А еще чуть позже, по инициативе владельца издательского дома Владимира Яковлева, произошел обратный переворот – автор той, скандальной антипримаковской статьи Владислав Бородулин был восстановлен в должности, а вместе с ним в редакцию вернулись и Ника Куцылло с Азером Мурсалиевым. А еще спустя недолгое время был уволен главный редактор Раф Шакиров. Так что для «Коммерсанта», точно так же, как и для Кремля, тот примаковский разворот над океаном тоже стал катализатором глобальных политических перемен.

Как, впрочем, и для меня. Потому что, когда через неделю после лебединой песни Примакова мне позвонила Ника Куцылло и предложила вновь вернуться к ней на должность кремлевского обозревателя, я, не задумываясь ни секунды, махнула «Известиям» крылом и совершила собственный разворот над океаном – обратно, в «Коммерсантъ». И прилетев туда, первым делом демонстративно пожала руку Владу Бородулину.

Ровно на этом эпизоде лично для меня и закончилась костюмированная эпоха Примакова, со всеми ее пыльными аксессуарами и душными спецэффектами.

Глава 8

МОЙ «ДРУГ» ВОЛОДЯ ПУТИН

Как я уже честно признавалась (и как сложно было не заметить по предыдущим главам) моя персональная «историческая» память довольно привередлива. Но в данном случае ее внутренний ритм по случайности как раз совпал с ритмом внешней истории. Поэтому-то глава о Путине и стоит здесь: примерно в это время Владимира Владимировича Путина параллельно заметили и я, и Березовский, и Юмашев.

Мальчишка с понтами

Я считаю, что именно мне среди всех российских журналистов принадлежит право первооткрывателя Путина. В конце мая 97 года я приехала на Старую площадь познакомиться с только что назначенным руководителем Главного контрольного управления президента. Я как всегда опоздала, а когда вошла, в скучном сереньком кабинете, насквозь пропахшем тленом старых цековских документов, за длинным-предлинным столом уже сидели, явно скучая, несколько безликих журналистов. За ними во главе стола был едва заметен маленький скучный серенький человечек. Он почему-то нервно двигал скулами. Моим коллегам было на него явно наплевать, они уныло марали свои блокноты. Первую часть брифинга я даже не пыталась вслушиваться в смысл скучненьких дежурных вопросов и скучнейших на них ответцев, а лишь наблюдала за лицом этого маленького человечка, пытаясь разгадать причину подозрительного диссонанса: циклического нервного передергивания скул и желваков – на фоне бесцветного разговора. В нем явно происходила какая-то внутренняя работа – он то ли боялся какого-то неприятного вопроса, то ли, наоборот, напряженно ждал, чтобы кто-нибудь этот вопрос задал. При этом, впрочем, глаза его оставались не просто бесцветными и безучастными – они вообще отсутствовали. Было невозможно даже понять, куда именно он смотрит, взгляд его как бы растворялся в воздухе, размазывался по лицам окружающих. Этот человек внушал собеседникам ощущение, что его вообще нет, мастерски сливаясь с цветом собственного кабинета.

Мне казалось, что еще минуту, и загипнотизированные им гости из СМИ попадают со своих мест, как заснувшие мухи с потолка. Дело было в субботу, и это еще более усугубляло всеобщую томность. Так что вязкий поток идиотических вопросов о том, намерен ли новый чиновник работать хорошо, и каковы вообще творческие планы Главного контрольного управления, скоро иссяк сам собой.

Тут-то я и решила развлечься. Намеренно спокойным, повествовательным голосом, подражая всем предыдущим вопросам (чтобы не спугнуть человечка раньше времени), я начала спрашивать его о самой болезненной в то время для Кремля проблеме – Приморье.

Причем под прикрытием заунывного тона формулировала я вопросы предельно жестко:

– Губернатор Наздратенко организовывает у себя в крае митинги с требованием отставки Ельцина. Тем временем кремлевская администрация даже после многочисленных проверок, выявивших грубейшие хозяйственные нарушения со стороны Наздратенко, предпочитает сохранять губернатору его пост. Означает ли это, что президентская администрация разделяет антипрезидентские установки приморского губернатора?

Тут я увидела, что попала в точку. Глаза Путина моментально оживились, и он, сначала медленно, будто выходя из анабиоза, а потом все более и более напористо стал раскручивать спираль заготовленных оправданий Кремля и угроз в адрес Наздратенко.

Правда, начал он с мер безопасности в собственном кабинете: после рапорта о решимости Москвы в ближайшее время урегулировать приморский кризис чиновник предусмотрительно объявил следующую часть брифинга закрытой и запретил цитировать его слова в печати.

До этого он мямлил что-то про проверки, проведенные его сотрудниками в регионах, про ударную работу его управления, контролирующего все и вся.

Поэтому я решила «дожать» его с помощью его же собственного инструментария, предложив на выбор два объяснения кризисной ситуации:

– Если ваши проверки выявляют уголовно наказуемые действия губернатора, но его, тем не менее, не сажают в тюрьму, это значит, что у него действительно есть «крыша» либо в Кремле, либо в силовых структурах? Или же это означает, что Кремль больше не контролирует ситуацию в стране?

Предложенные мною версии были одна хуже другой. Но Путин не стал выбирать из двух зол, а предложил вниманию изумленной публики еще более жуткий вариант – их симбиоз.

Он заявил, что Кремль действительно потерял контроль над происходящим в Приморье, и что все предыдущие попытки навести там порядок с помощью правоохранительных структур наталкивались на коррупцию в этих самых «правоохранительных» структурах. Приморские силовики, по его словам, уже давно были куплены Наздратенко, а все вновь назначаемые из Москвы эмиссары таинственным образом в кратчайшие сроки тоже ассимилировались местным мафиозным кланом. Не избежал этой участи, по словам Путина, и бывший представитель президента в Приморье.

– Теперь, – неожиданно подытожил чиновник, – вся надежда на органы безопасности.

Услышав это, проснулись даже самые флегматичные из моих коллег – ведь только что Путин говорил о коррумпированности всех силовых и правоохранительных органов!

Но тут выходец из спецслужб (как он сам немедленно отрекомендовался) выдвинул самый любимый перестроечный чекистский миф: загнившую страну способно реформировать только КГБ.

– Наши органы, ФСБ, а вернее, – его прародитель, Комитет государственной безопасности, не были напрямую связаны с преступным миром и занималась, в основном, разведкой-контрразведкой. Благодаря этому структуры ФСБ соблюли некоторую чистоту... (Слова «напрямую» и «некоторую» звучали особенно искренне.)

Он поклялся, что теперь-то в Приморье все пойдет по-другому, потому что представителем президента туда только что назначен «наш человек» – генерал-лейтенант Виктор Кондратов, до этого возглавлявший управление ФСБ по Приморью.

Изложив свою красивую теорию, Путин, впрочем, не смог объяснить, что же раньше мешало этим «чистым» органам не доводить страну до подобного состояния. Или хотя бы, почему указанный товарищ Кондратов не боролся с коррупцией в Приморье на посту главы местного ФСБ.

Путину уже тогда явно нравились спецэффекты: все грозные фразы он как бы небрежно сцеживал через нижнюю губу, при этом по лицу его пробегала какая-то блаженная, пацанская полуулыбка. Ему явно хотелось казаться тем самым человеком, который вот сейчас, не вставая из-за стола, спокойно, даже не меняя интонации и выражения лица, может своими руками легко стереть в порошок не только какого-то там Наздратенко и российскую коррупцию, но и любого, кто станет на пути у него и его любимых органов. Он совершенно очевидно наслаждался тем эффектом, который производила на аудиторию его неожиданная «крутизна», и все больше повышал градус.

Когда я попросила его конкретизировать, насколько жесткие меры администрация готова применить к приморскому губернатору, Путин, все с той же очаровательной мальчишеской полуулыбкой, пообещал:

– Если надо будет посадить – посадим...

И картинно надул губки.

Все это говорилось настолько легко и невозмутимо и звучало настолько неправдоподобно для той политической ситуации, что непонятно было: то ли это – революция, то ли понты молодого чекиста, который слишком любит производить впечатление на девушек.

Придя в редакцию «Коммерсанта», я честно сказала редактору своего отдела, что про открытую часть брифинга писать нечего, а закрытая – это сенсация. Выход был один: звонить Путину и просить об интервью. На мое удивление, Путин тут же взял трубку и согласился дать мне комментарий прямо по телефону.

«Бедный неопытный чиновник, – пронеслось у меня в голове, – неужели его мама в детстве не учила: «Вовочка, никогда не разговаривай с журналистами...» Представляю, какой разнос ему завтра устроит Юмашев после публикации!»

Путин охотно рассказал мне под запись, что его управление получило мандат от президента Ельцина на широкомасштабную борьбу с коррупцией. И прежде всего – в министерстве обороны.

– Коррумпированный генералитет сам бороться с коррупцией не в состоянии. Поэтому ясно, что само по себе Минобороны реформировано быть не может...

Новый глава Контрольного управления не без удовольствия в голосе намекнул мне, что именно после результатов проверки оборонного заказа, проведенной его людьми, Борис Ельцин принял решение об отставке старого министра обороны. А еще против нескольких лиц из высшего офицерского состава его стараниями якобы были возбуждены уголовные дела.

Все, что он говорил, очень напоминало объявление войны. Войны, которую номинальная кремлевская власть решилась вести против тех, кто эту власть в стране реально держит.

– Сейчас мы формируем специальные бригады ГКУ, в которые будут включены представители ФСБ, МВД и контрольно-ревизионного управления Минфина. Мы детально проверим, как платежи поступают от Минфина в центральные органы Министерства обороны, через какие банковские структуры деньги переводятся на места. Если понадобиться, мы дойдем не только до воинских округов, но и до отдельных воинских частей!

Следующими, после Минобороны, клиентами, которым следовало ждать у себя незваных гостей из путинских бригад, он назвал отечественных монополистов – РАО «ЕЭС России», МПС и «Росалкоголь».

Интервью вызвало в политической тусовке эффект маленькой разорвавшейся бомбочки. Маленькой потому, что с этими заявлениями выступил не президент, не премьер, не глава ФСБ, и даже не глава кремлевской администрации, а какой-то неизвестный широкой публике чиновник, не обладающий никакими властными рычагами.

Впрочем, мои кремлевские источники засвидетельствовали, что никакого разноса Путину за разговорчивость устроено не было. Из чего было логично заключить, что внезапный феерический выход персонального президентского чекиста на политическую арену с воинственными заявлениями был напрямую санкционирован руководством президентской администрации, которая, чтобы хоть как-то компенсировать свою политическую слабость, видимо, решилась на такую пиар-акцию.

Что же касается тогдашних резких заявлений Путина о Приморье, прозвучавших в кулуарах, то все помнят, что приморская кинопроба генерала Кондратова на роль комиссара Катани всего через несколько месяцев с треском провалилась. А Евгений Иванович Наздратенко пережил на своем губернаторском посту даже президента Ельцина.

Вся эта история чрезвычайно символична. Потому что в ней, буквально как в капле воды, отразился сценарий будущего президентства Путина. Уже тогда было понятно, что, по странному капризу, природа наделила этого амбициозного человека в равной степени как любовью ко всякого рода воинственным спецэффектам, так и неспособностью конструктивно реализовать их на практике.

А что самое интересное – после повышения бывшего главы Контрольного управления Путина до должности президента Евгений Наздратенко был вовсе не посажен в тюрьму (как грозился безвестный президентский чиновник в мае 97 года), а, напротив, оказался демонстративно пригрет на президентской груди – сначала в доходной должности Госкомитета по рыболовству, а потом, несмотря на почти единогласное возмущение политической элиты, еще и повышен до государственной должности замсекретаря Совбеза.

Загадку взаимоотношений Путина с Наздратенко мне удалось разгадать только четыре года спустя. И отгадка еще более ярко характеризует личность нынешнего российского президента.

В 2001 году, когда администрация президента Путина решила отметить его годовалый юбилей началом войны против губернаторов, я прогнозировала в одной из публикаций, что первой жертвой станет именно Наздратенко, и что с ним новый глава государства пожелает расправиться наиболее жестоко. Мой прогноз базировался на той же человеческой слабости Путина: для него было бы логично отыграться на человеке, которого он не смог победить на заре своего кремлевского чиновничества. Кроме того, рассуждала я, Путину должно быть просто по-мужски вдвойне обидно, что тогда, в 1997-м, из-за непотопляемости Наздратенко, он выставил себя пустобрехом перед журналистами.

Однако мой прогноз сбылся лишь наполовину: Путин просто бережно эвакуировал Евгения Наздратенко из шатающегося губернаторского кресла в более надежное министерское, а потом совбезовское.

– Наш президент таким образом демонстративно объясняет элите новые правила игры, – покорно пояснил мне тогда Анатолий Чубайс, – Путин показал, что с тем, кто играет по правилам (а Наздратенко сыграл по правилам, потому что в конце концов согласился добровольно уйти в отставку из Приморья), будут обращаться как со своим и не тронут. А с теми, кто не согласен играть по правилам, будут обращаться со всей строгостью закона...

Но даже не эта вполне бандитская этика, наглядно продемонстрированная новым российским президентом, поражала больше всего. А то, что как поведал мне Анатолий Чубайс (который во времена Ельцина долго и безуспешно мерился с Наздратенко всем, чем только можно), на самом деле, именно Владимир Путин в свое время по негласному приказанию Валентина Юмашева отдал распоряжение ФСБ заблокировать все уголовные дела против Наздратенко и убрать в дальний ящик весь компромат, найденный на приморского губернатора. Почему? Да просто потому, что в тот момент юмашевская администрация воевала против команды Чубайса за какой-то очередной кусок собственности. И Юмашеву было невыгодно политическое усиление Чубайса, неминуемое в том случае, если бы ему удалось разрулить приморский кризис в свою пользу. И тот самый Путин, которому было так приятно играть на публике непримиримого борца с коррупцией, приказ Юмашева беспрекословно выполнил.

Папа ставит на фаворита

У каждой девушки есть родители. И ей с ними непросто. Даже если она совсем уже взрослая, и даже если она кремлевский обозреватель. Потому что в таком случае родители тем более видят ее редко и ничего не знают о ее личной жизни. И у них начинается типичный родительский невроз: в каждом мужчине видеть потенциального жениха дочери.

Причем здесь Путин? Да в том-то и дело, что абсолютно не при чем! Только вот папе моему объяснить это было совершенно невозможно!

Объясню все по порядку...

Во время работы в «кремлевском пуле» родные мама с папой по телевизору видели меня гораздо чаще, чем живьем. Откроют утром газету, прочитают мою статью – значит, жива. А когда звонили на мобилу – то никогда не знали наверняка, из какого города или вообще из какой страны я буду с ними разговаривать.

Понятное дело, что такое положение вещей их совершенно не устраивало, и они считали, что чем попусту тратить свою молодость на всяких кремлевских уродов, их дочке пора срочно выходить замуж. При этом готовы они, похоже, были уже совершенно на любого зятя...

Как-то раз, 4 июня 1998 года, папа позвонил мне в редакцию и деловито сообщил:

– А он – ничего... И прическа мне твоя сегодня новая понравилась... Ты так редко с распущенными волосами ходишь – я сразу понял, что ты ему хотела понравиться!

Я судорожно начала соображать, кого же он имеет в виду. В этот день я успела побывать аж на трех пресс-конференциях, и наверное, все их показывали в теленовостях. Оставалось выяснить, на кого же из трех ньюсмейкеров положил глаз мой папа...

– Ты кого имеешь в виду? – настороженно спросила я.

– Ну ладно-ладно, чего ты скрытничаешь! – остался недоволен папа. –Тот, который про шахтеров и про олигархов говорил.

Про шахтеров и олигархов в тот день говорили все.

– Ну которого президент только что куда-то там назначил... – продолжил свою шараду папа. – Симпатичный такой парень, мне понравился...

Тут я, к своему ужасу, поняла, что папа имеет в виду Путина, только что назначенного первым заместителем главы президентской администрации.

– Папа!!! Да ты что, с ума сошел?!! Во-первых, он мне в отцы годится...

– Не надо врать, он явно моложе меня! – уличил меня папа.

– Пап, да я просто была у него на брифинге. Мы знакомы, и не более того. Что ты вечно придумываешь! И к тому же он кагэбэшник...

– Ну, знаешь! Ты слишком строга к людям! Главное, чтобы человек хороший был...

– Папа! Да как тебе это вообще в голову могло придти?! Ты же видел: он ниже меня в два раза! – специально утрировала я, чтобы любыми способами развеять у папы очередную idée fixe насчет жениха.

Но папа был уверен, что я просто «не хочу поделиться с родителями». А уж после того как отец предложил мне «пригласить как-нибудь моего друга к нам домой», я поняла, что даже если я сейчас скажу, что Путин – это женщина, то ответ, ровно как в фильме «В джазе только девушки», все равно будет: «У каждого – свои недостатки...»

– Да ладно, видел я прекрасно в новостях, как вы там с ним стояли разговаривали... – лукаво прибавил папа на прощание и повесил трубку.

А разговаривали мы с Путиным вот как.

Как только ему присвоили ранг первого заместителя главы администрации президента (а не простого, как было раньше), кремлевские старожилы стали предсказывать начало новой кадровой грызни, – потому что все остальные замы не простят ему, что он стал «равнее» других.

Поэтому после его первого брифинга в новой должности я подошла к нему и всего лишь навсего спросила:

– Володя, а вы не боитесь, что теперь остальные заместители будут к вам ревновать?

На что Путин, с интересом оглядев меня, ответил:

– Вот вы – красивая женщина... У вас есть любимый мужчина? Он ревнует вас, когда видит с вами рядом других мужчин?

– Очень! – честно призналась я.

– И правильно делает! Так что ревность – это естественный и неизбежный процесс!

В этот день я действительно выглядела особенно красиво – потому что вечером мы с моей подругой Березовской собирались отмечать в редакции с друзьями наши недавно прошедшие дни рождения, и ради этого я сделала себе пышную прическу и нарядно оделась.

В результате, процитировать метафоричный ответ Путина я в своей статье, разумеется, не смогла. Зато телеоператор, заснявший нашу с ним беседу, вселил в моего папу сильные подозрения.

После победы Путина на президентских выборах эта хохма приобрела среди моих друзей популярность под названием «Папа ставил на фаворита!».

Впрочем, тогда, в 1998 году, в своих статьях в «Русском Телеграфе» я тоже ставила на этого же фаворита (в политическом, разумеется, а не в личном смысле). Политический климат стал таким жарким, что в то лето Путин двигался вверх по карьерной лестнице со скоростью тропического сорняка, наугад воткнутого Ельциным в землю даже безо всяких корней. В конце мая он был назначен первым заместителем Юмашева, а уже в июле – директором ФСБ. Как объясняли мне тогда бывалые кремлевские аппаратчики, промежуточное повышение было произведено уже «с сознательным прицелом на Лубянку», чтобы поднять в глазах ее обитателей статус этого чиновника средней руки «аж до секретаря ЦК по старым меркам». «А ведь в таком высоком ранге, – говорили они, – на руководство КГБ люди не ставились аж со времен Андропова»

Из статьи в статью мне приходилось констатировать, что путинское ведомство (сначала ГКУ с функцией координатора спецслужб, а затем и главная спецслужба – ФСБ) превращалось для Кремля в главный, если не единственный, инструмент воздействия на ситуацию в стране. Ельцин, теряющий контроль не только над собственной страной, но и над собственной семьей, которая увязла в сомнительной дружбе с олигархами, изо всех сил раскачивавшими политическую лодку, видимо, разуверился в эффективности демократических рычагов управления и все больше был склонен уповать только на старые, проверенные рычаги спецслужб. Президент официально поручил Путину разобраться не только с региональными лидерами, провоцирующими задержку зарплат, но и с олигархами, которые начали выводить шахтеров на рельсы под политическими лозунгами. Причем разговор с бузотерами, как подчеркивал Путин (на той самой пресс-конференции, которая так запомнилась моему папе), должен был быть «с документами в руках», то есть с привлечением всех ресурсов спецслужб. Это президентское задание Путин явно выполнял нерадиво – ситуация усугублялась не по дням, а по часам. И тогда ФСБ во главе с новым ельцинским фаворитом стала все больше напоминать уже не антикризисный центр управления, а запасной центр власти, которой Ельцин приготовил на случай, если критическая ситуация в стране перерастет в необратимую. Как, собственно, впоследствии и произошло. С кризисом в стране Путин тогда справиться не сумел, а вот роль властного центра ему со временем как-то понравилась.

«Верните Феликса, только потом не пищите!»

Просто злой рок какой-то! У меня еще не было ни одного интервью, которое бы обошлось без приключений! Даже если это интервью было придумано мной просто со скуки.

Так случилось и в декабре 1998 года. Кремлевская администрация находилась в анабиозе, президент Ельцин –

в лучшие дни в спячке, в худшие – в больнице. Чиновники тоже попрятались в норки до весны.

Единственной, хронической, новостью в стране был Примаков. Но нельзя же, право слово, писать о престарелом разведчике каждый день! Ну закрутил он гайки в работе правительства со СМИ. Ну закрутил гайки на телевидении, чтоб ему приятней было на себя смотреть. Ну пообещал через свою прокуратуру открутить голову Березовскому. Но больше-то откручивать и закручивать оказалось нечего, а делать, кроме этого, он, как выяснилось, ничего и не умел.

В общем, в столице ударили краткосрочные информационные заморозки.

Нужно было чем-то срочно разогреваться. Идеальным горячим блюдом для такой ситуации казалось интервью. И вот я, сидя в своем огромном, холодном и тоскливом кабинете в «Известиях», и начала тиражировать факсы по всем официальным адресам с одним и тем же текстом: «Просьба дать интервью на такую-то и такую-то (в смысле, хоть на какую-нибудь!) тему, заранее благодарны...».

Я чувствовала себя точно как мошенник, рассылающий миллион «Писем счастья» с просьбой к адресатам вложить в конверт десять рублей, в надежде, что хоть какой-нибудь лопух да клюнет!

На мое удивление, клюнули сразу двое. Причем, по закону подлости – то пусто, а то вдруг густо: оба они умудрились назначить мне интервью на один и тот же день. К двум часам я должна была ехать к Немцову на Старую площадь (в тот период разжалованный со всех правительственных постов Немцов, по его собственному определению, работал «заместителем Ельцина», в смысле, зампредом комиссии по местному самоуправлению, председателем которой был Ельцин).

А к четырем часам дня меня ждал директор ФСБ Путин.

«Отлично, – подумала я, – успею, от Старой площади до Лубянки – как раз два шага».

Тут надо напомнить, что столица нашей родины в тот момент еще не оклемалась от последствий финансового кризиса (в данном случае – скорее моральных). Продавцы центральных киосков, как сговорившись, перестали завозить микрокассеты для профессиональных диктофонов, явно считая это неуместным после дефолта излишеством. У меня дома оставалась всего одна чистая кассета на шестьдесят минут. Но, отправляясь на интервью, я была абсолютно спокойна: диктофон я включу на скорость «1,2», а не «2,4», так что время на кассете сразу увеличится вдвое. И того – два часа. Немцову, не сомневалась я, хватит получаса. Ну ма-аксимум – сорок минут. А директор ФСБ, как заранее предупредил меня его пресс-секретарь, тоже сможет уделить мне не более сорока минут. Так что кассеты мне должно было хватить с лихвой. Даже если очень повезет и удастся раскрутить главного чекиста на час разговора – все равно останется запас.

Обычно Немцов в интервью говорит немного, и по преимуществу – короткими, примитивными фразами (он всегда обижается на меня, когда я констатирую это в статьях и объясняет, что так «доходчивей для аудитории»). Но в этот раз его просто понесло. Он, видно, так соскучился по публичным выступлениям, что решил изложить мне все свои мысли абсолютно по всем проблемам во Вселенной. Это уместилось примерно на пятидесяти девяти минутах моей кассеты.

Разговорчивость Немцова сильно спутала мне карты. Но я все равно пребывала в уверенности, что места для записи у меня осталось – гораздо больше, чем начальник Лубянки готов поведать urbi et orbi.

Вскоре я поняла, что и тут я жестоко ошиблась.

Мне пришлось прождать Путина у него в приемной почти два часа – его помощник то и дело подходил ко мне с вежливой грустью на лице: «Очень важное совещание, извините нас, Елена Викторовна...»

Когда совещание, наконец, закончилось, мне сказали, что остался всего-навсего один посетитель, и что это «буквально на пять минут», после чего Владимир Владимирович – «целиком в вашем распоряжении!».

Последним посетителем оказался не кто иной, как Николай Ковалев – путинский предшественник на посту директора ФСБ, которого Ельцин выгнал за несколько месяцев до этого.

Встреча Путина с отставником, как мне и обещали, действительно носила характер блицкрига, и когда Ковалев через считанные минуты с растерянным лицом выпал из своего собственного бывшего кабинета, я от неожиданности простодушно произнесла вслух слегка неполиткорректный вопрос, который у меня вертелся на языке:

– А что вы вообще здесь делаете?

– Да вот, зашел к Владимиру Владимировичу посоветоваться, что мне делать дальше... Хочется быть как-то полезным Родине... – с видом наказанного школьника стал как будто оправдываться Ковалев.

Видно, ничего полезного для Родины Путин в Ковалеве не нашел: через несколько месяцев я случайно встретила бывшего директора ФСБ в мэрии, чуть ли не бегающим на посылках у Лужкова в «Отечестве».

Выпроводив от себя тень прошлого, Путин, к моему несчастью, решил компенсировать мне долгое ожидание.

Он говорил много. Нудно. И бессодержательно.

Впрочем, когда я перечитала это интервью сейчас, даже в самой нудной его части оказался забавный нюанс. Для любителей поспорить о том, насколько длительной и продуманной была операция «Путин–президент», там содержится прямое доказательство того, что в декабре 1998 года он еще был ни сном ни духом о своей будущей карьере «престолонаследника». И более того – он вообще опасался, что даже его нынешняя, скромная карьерка вполне может скоропостижно покатиться в тартарары. Путин в тот момент явно сомневался не только в своей личной судьбе, но и в том, что ельцинский режим просуществует хотя бы отпущенный ему по конституции срок.

– Что касается слухов о моей отставке, – говорил, например, Путин, – то сам факт ясен: президент четко заявил, что он не собирается баллотироваться на третий срок. Значит, мы с вами понимаем, что будущий президент, конечно, на этом месте захочет иметь квалифицированного, но преданного ему человека. Ясно, что мне придется уйти. Борис Николаевич знает, что я к этому отношусь совершенно спокойно. Для меня это – интересная и почетная страница в жизни, которая когда-то будет перевернута... Что для России необычайно важно: ФСБ должна сохраниться как единая, мощная, исключительно федеральная и вертикально образуемая система. Таких структур сейчас немного...

После того как его ответ на мой первый вопрос занял почти полчаса (при том что я точно знала, что все эти полчаса пошлейших рассуждений о роли доблестных органов мне придется выбросить как абсолютно несъедобные для публикации), я всерьез заволновалась. Я четко знала, что в оставшиеся на моей кассете полчаса мне надо раскрутить Путина на разговор том, кто в реальности руководит страной – Ельцин или премьер Примаков, на которого из-за болезни президента возлагалось все больше полномочий главы государства.

Пришлось перейти к делу безо всяких прелюдий.

Я резко прервала поток чекистского сознания:

– Как часто вы сейчас лично общаетесь с президентом?

– Примерно раз в месяц... – честно сознался в чудовищном для страны факте шеф главной спецслужбы государства.

– А с премьером Примаковым – чаще, чем с президентом?

– Да, чаще, – с искренностью Павлика Морозова ответил Путин. – В неделю раза четыре бывает. Иногда чуть пореже – раз в неделю. А бывает – и через день...

– То есть все текущие оперативные вопросы вы решаете с Примаковым? – безмятежным тоном уточнила я.

Путин с готовностью подтвердил:

– Да, текущих оперативных вопросов так много бывает – и по линии МИДа, и по линии Министерства экономики, и по линии Министерства обороны, и по линии внешнеэкономических связей, и по линии военной контрразведки. Поэтому Евгений Максимович звонит мне и на работу, и домой, а если у меня есть необходимость, то я тоже всегда ему звоню...

И тут я, наконец, задала главный вопрос, очевидно вытекавший из его предыдущих ответов:

– Таким образом, вы сейчас напрямую подчиняетесь Примакову? Получается, все президентские функции оперативного управления силовиками переданы главе правительства?

Поняв, что сам загнал себя в угол, Путин попытался запутать следы:

– У нас никаких сложностей здесь нет! Мы замыкаемся напрямую на президента. Это никак не мешает главе правительства работать с нами в оперативном режиме...

Но после его предыдущей откровенности насчет месячного лимита контактов с президентом Ельциным все эти слова звучали вполне бессмысленно.

Путин признался в главном: Примаков, пользуясь слабостью Кремля и болезнью президента, уже совершил в стране ползучий переворот и де-факто получил президентскую власть. И главное – власть над спецслужбами. И то, что Путин так спокойно в этом признавался, свидетельствовало либо о его глубоко пораженческих настроениях, либо о надежде найти общий язык с новой властью – например, на почве возрождения спецслужб. Благо ведомства, выходцами из которых они с Примаковым являлись, были родственными.

Ответ Путина на мой вопрос о скандальной пресс-конференции Литвиненко и других офицеров ФСБ, заявивших, что прежнее руководство ФСБ заставляло их готовить покушение на Березовского, был тоже предельно любопытен:

– Лично я для себя не исключаю, что эти люди действительно запугали Бориса Абрамовича Березовского. На него ведь уже было покушение. И поверить в то, что готовится еще одно покушение, ему было легко и просто. Но лично я считаю, что с помощью этого скандала эти офицеры просто обеспечивали себе рынок труда на будущее. Ведь кое-кто из них даже в охране у него подвизался.

Чуть подумав, он добавил:

– А эта история с пресс-конференцией, о которой вы вспомнили, свидетельствует о внутреннем нездоровье нашей системы. Поэтому я и ликвидировал целиком это подразделение, в котором возник скандал...

На этом интервью, по идее, можно было бы и заканчивать.

Но оставалась еще одна важная тема (которая сегодня, кстати, не потеряла актуальность, а даже приобрела еще большую): откровенное покровительство со стороны российских спецслужб и правоохранительных структур русским фашистам. То есть в открытую их, разумеется, никто из госчиновников не поддерживал. Однако Генпрокуратура, МВД и ФСБ откровенно саботировали все попытки возбудить уголовные дела против политиков-антисемитов, по сути, открыто призывавших к погромам.

Во время недолгого царствования Примакова и его левого правительства, они, как нетрудно вспомнить, оживились чрезвычайно. Первым отличился Макашов, выступивший с тошнотворным призывом «мочиться в окошко жидам». При этом Генпрокуратура во главе со Скуратовым, игравшая на стороне Примакова, делала все, чтобы не дать ход уголовному делу против шовинистов. Она умудрилась возбудить против Макашова дело не за откровенно антисемитские заявления и призывы, а по совершенно другой, заведомо недоказуемой статье – «призывы к насильственному свержению строя».

Я спросила Путина, не считает ли он это прямым саботажем.

Ответ его был крайне осторожным, но там содержался, хоть и трусливый, но намек на правду:

– Я не думаю, что в позиции Генпрокуратуры как государственного института есть хотя бы намек на то, чтобы противодействовать расследованию по конкретным уголовным делам. Но во всех правоохранительных органах – и МВД, и прокуратуре, и ФСБ – там же люди работают. И у всех этих людей тоже есть какая-то позиция...

– «Какая-то позиция» – это антисемитская?, – поинтересовалась я.

– Нет-нет, я сказал «какая-то», – перепугался сам себя Путин. И принялся долго и многословно защищать Генеральную прокуратуру от всех обвинений, оправдывая ее процессуальными и законодательными сложностями.

Самое обидное, что делал он это, ничуть не жалея места на моей пленке, которая стремительно и неумолимо летела к концу! Быстренько взвесив в уме приоритеты, я цинично перевернула кассету и стала писать Путина на Немцова. В смысле – затирая последнего.

Матеря себя мысленно за непрофессионализм (ну могла же я, в конце концов, попросить у кого-нибудь из коллег запасную кассету!), вслух я отчаянно пыталась спровоцировать Путина хоть на какие-то яркие заявления, которые могли бы стать ньюсом интервью. Причем – поскорее, чтобы уцелел хотя бы кусочек Немцова!

– Если вы не в силах наказать человека, который перед телекамерой говорит: «Бей жидов», – может быть, тогда вам лучше прямо признаться, что у вас нет власти, и уйти?! – переспросила я.

Этим вопросом я его, наконец, достала. Провокация сработала блестяще. Путин от обиды прямо-таки надулся, его глаза засверкали, челюсть нервно задвигалась и он едва не стукнул кулаком по столу:

– Что вы хотите, – чтобы мы действовали вне рамок закона?! Тогда верните Железного Феликса на площадь! Только не пищите тогда потом! И давайте тогда вернемся к тридцать седьмому году!

Таким образом, в этом странном, случайном интервью, взятом буквально от нечего делать в декабре 1998 года, мне удалось совершить короткое путешествие в будущее и подсмотреть Путина образца 2000–2003 годов, «мочащего в сортире» чеченцев и «дающего по башке» олигархам и их СМИ. Причем делающего это от собственного же бессилия. Бессилия сделать что-то эволюционным путем.

Уже тогда, на посту директора ФСБ он, хоть и для красного словца, но с явным удовольствием примерял железную шинель Феликса. Которая, правда, пока, к счастью, оказалась ему слегка не по росту.

Что же до фашистов и экстремистов, то президент Путин не только не справился с ними, но и стал достойным правопреемником той, старой, примаковско-скуратовской Генпрокуратуры, которую он так робко критиковал в моем интервью. Сегодня, как и прежде, представители спецслужб патронируют рассадники молодых фашистов, а не борются с ними, как это предписывает закон. Организованные отряды скинхедов открыто терроризируют столицу – не говоря уже о провинции. А мои армянские, азербайджанские и еврейские друзья жалуются мне, что уже боятся отпускать своих детей в московское метро и переходы, где фашисты только за 2002 год убили нескольких и искалечили несколько десятков «черных» подростков. Так что власть, похоже, как и прежде, старается использовать фашистов в своих целях – только теперь, видимо, чтобы напугать общество: если не Путин – то бритоголовые.

Возвращаюсь к моему драматическому интервью с директором ФСБ. Так вот, главная драма заключалась не в его откровениях, а в том, что очень скоро все два часа пленки закончились. А раззадоренный Путин, которому вдруг стало обидно, что его уличили в безвластии и безволии, остановиться уже не мог и все говорил и говорил.... Мне пришлось поставить диктофон на паузу, чтобы мигающий огонек микрофона создавал для него уважительную иллюзию записи...

В общем, Немцова мне тогда спасти так и не удалось. Путин съел все без остатка. В смысле, конечно, не самого Немцова, а его интервью.

Изящный выход из неловкой ситуации с бедным Борисом Ефимовичем подсказала мне Маша Слоним. Когда она работала в Лондоне на телевидении Би-Би-Си, ей как-то раз пришлось брать интервью у министра искусств Великобритании. А камера сломалась. Настолько неожиданно, что после двух часов беседы она обнаружила, что не записалось вообще ни слова. Тогда Слоним без обиняков заявила министру: «Простите, но это была генеральная репетиция!»

Формула «генеральная репетиция» Немцову понравилась, и он охотно наговорил мне все свои мысли еще раз.

Я до сих пор еще никогда не признавалась будущему лидеру Союза правых сил, какому чудовищному политическому надругательству я его в тот момент подвергла. Видимо, оправдаться я могла бы только тем, что моя кассета инстинктивно предопределила тот самый исторический выбор между либерализмом и авторитаризмом, который потом сделала и вся страна.

Но самым забавным приключением, сопровождавшим мое тогдашнее интервью с главным чекистом страны, стало, все-таки не заочное насилие над ростками демократии в лице Бориса Ефимовича, а обед, который после этого мне предстояло провести наедине с Владимиром Владимировичем.

Как Путин кормил меня суши

Итак, в конце декабря 1998 года я отправилась на «свидание» с Путиным. Выйдя из здания «Известий», я обнаружила, что, конечно же, по своему обыкновению, опаздываю минут на десять (как впоследствии выяснилось, патологическая страсть к опозданиям – это практически единственное, что у нас есть с Путиным общего).

Но в этот момент меня гораздо больше тревожила мысль не о времени, а... о деньгах. По дурацкой привычке я никогда не позволяю ньюсмейкерам платить за меня в ресторанах. А тут еще речь шла о главном чекисте страны. И я всерьез подумывала о том, чтобы понта ради расплатиться и за него тоже. Я быстренько прикинула, во сколько может обойтись обед на двоих в ресторане «Изуми»: наверное, долларов в двести... Ни копейки русских денег при себе не оказалось, так что надо было срочно искать обменник.

Прибитые кризисом банки работали кое-как. По закону подлости, у меня не нашлось даже мелких денег на такси, так что от одного закрытого обменника к другому я ковыляла через нечищеные сугробы и гололед.

Если кто не знает, – сообщаю: девушкам ходить зимой пешком по Москве строго противопоказано. Это доказал мой правый каблук, с омерзительным хрустом отломившийся ровно у третьего обменника. Сердобольный кассир, обменяв мне деньги, выбежал из-за своей стойки и с помощью каких-то подручных средств (кажется, дырокола) попытался кое-как присобачить каблук на место. Причем из-за спешки делал он это прямо на мне, так что я в тот момент прекрасно поняла, что чувствует лошадь, когда ее пытаются подковать. Но все муки оказались напрасны.

Никакой обувной мастерской поблизости не было. Обувного магазина тоже. Я опаздывала уже на двадцать пять минут и решила, что приличней уж все же прискакать на одном каблуке, чем не явиться вовсе.

Так, опоздав почти на полчаса, я, видимо, подсознательно заранее отомстила президенту Путину за будущие мучения ожидающих его министров, журналистов и глав государств.

Таксист довез меня до Спиридоновки, и я опознала нужное место по выразительным людям в штатском, пасущимся вокруг «Мерседеса» (всего лишь пятисотого).

Меня встретил Игорь Сечин, которого я все время, раз за разом упорно принимала за охранника – из-за его характерного лица и прически.

– Елена Викторовна, Владимир Владимирович – уже внутри, он давно уже вас ждет...

С этими словами будущий кремлевский серый кардинал почтительно пропустил меня внутрь, а сам остался снаружи стоять на карауле.

Как только я вошла в ресторан, то сразу поняла: это место создано специально для меня! То есть специально для девушки, у которой правый каблук аккуратно лежит в правом кармане пальто. Дело в том, что в «Изуми» тогда было принято снимать обувь. Так что в отдельный кабинет, где меня поджидал директор ФСБ, я вошла уже в полном порядке. То есть босиком.

Он (разумеется, тоже босиком) сидел за низеньким, настоящим японским столиком с небольшой нишей в полу для ног, на специальной низенькой же скамеечке. Путин каким-то непостижимым для меня образом умудрился очень компактненько там уместиться. Я же себя чувствовала как Гулливер на мебели для лилипутов: пристроить коленки было катастрофически некуда, а уж о том, чтобы удобно поесть в такой позе, не могло быть вообще и речи.

Кое-как угнездившись боком, я принялась пытать Путина:

– Слушайте, я заметила, что в ресторане, кроме нас с вами нет ни одного посетителя. А снаружи что-то слишком мало охраны. Признавайтесь, вы что, здесь весь район, что ли, зачистили ради этого обеда?

– Да ну что вы! – стал оправдываться Путин.– Я просто заказал нам столик, и все... Имею же я право хоть иногда, как нормальный человек, просто пойти пообедать с интересной девушкой, с талантливым журналистом... Или вы думаете, что раз я директор ФСБ, то со мной такое никогда не случается?

– И часто с вами «такое» случается? – полюбопытствовала я.

Тут я почувствовала, что мой вполне шутливый вопрос Путин понял как-то слишком лично – по его губам пробежала какая-то стеснительная полуулыбка, он лукаво опустил глаза и с выражением кающейся Марии Магдалины проронил:

– Да нет... Не очень...

Я с нарочитой поспешностью постаралась направить разговор в деловое русло.

– Я вот все пыталась у вас спросить во время интервью, но вы все время уходили от ответа... Я понимаю, что вы считаете некорректным в официальном интервью ругать Генпрокуратуру, но, сейчас, не для печати, вы можете мне объяснить, что происходит? Они, по нашей информации, готовят какое-то уголовное дело против института Гайдара и против остальных людей, проводивших приватизацию...

– Егор Тимурович – наш друг. Мы его очень уважаем. И ценим его заслуги. Так что я считаю вообще недопустимым такие вещи... – начал вдруг Путин выспренно говорить от лица какого-то сообщества «мы».

Я решила ставить вопросы максимально примитивно, чтобы заставить его все-таки дать четкий ответ:

– Хорошо: если Гайдар – ваш друг, а Генпрокуратура собирается возбуждать против него и его соратников уголовные дела, получается, что в Генпрокуратуре засели ваши враги?

– Получается, что так, – спокойно ответил Путин.

– И что вы будете с этим делать?

– Работать, – с особым нажимом проговорил он.

Принесли саке.

Путин оживился:

– Леночка, ну что вы все о политике да о политике! Давайте лучше выпьем!

Когда я честно объяснила, что вообще никогда ничего не пью из-за аллергии на алкоголь и что мой папа в шутку называет меня за это абстинентом, Путин явно не поверил и слегка обиделся.

Натужно улыбнувшись, он обратился к прислуживавшей нам официантке и подмигнул:

– Боится, что сейчас ка-а-к напьется пьяной!

Меня просто передернуло от этой идиотской шуточки подзаборного пошиба.

Путин это явно сразу заметил и виртуозно сменил тему, постаравшись заговорить о чем-то, близком мне:

– Вот вы сказали про своего папу. А кто ваш папа по профессии, где он работает?

– Какой прокол! Неужели вам не дали объективку на журналистку, с которой вы встречаетесь?! – засмеялась я.

Директор ФСБ довольно улыбнулся и ничего не ответил.

– Мой папа работает в институте со сложным названием Союзморниипроект, – начала было объяснять я. – Они разрабатывают...

– Знаю-знаю, – перебил меня Путин, – у них есть сильный конкурент в Ленинграде – Ленморпроект. Вот вы спросите вашего папу, он знает! У них там сейчас непростая ситуация...

Я просто-таки опешила от такой внезапной осведомленности о довольно узкой профессиональной сфере моего отца.

– А мой отец живет в Питере... – с какой-то неожиданной теплотой сказал Путин. – Я вот переживаю, что редко к нему езжу...

(Разговор происходил еще когда отец Путина был жив.)

– У вас с ним близкие отношения?

– Да, очень...

С беседы про отцов сразу сворачивать обратно на политическую тему мне было как-то неловко. Я решила поговорить с директором ФСБ о литературе. Разговор вышел коротким.

– Володь, интересно, а что вы читаете в свободное время?

– Да сейчас практически ничего, – честно признался он. – Когда есть свободное время, я стараюсь заниматься спортом. Восточными единоборствами. Не хочу терять форму, я же ведь этим раньше серьезно занимался...

«Трундит», – подумала я, с недоверием оглядывая его щупленькую фигурку.

– Не верите? У меня даже пояс есть...

Мне это все показалось каким-то мальчишеским хвастовством, и я опять свернула на политику:

– Не обижайтесь, но я опять о своем, о девичьем. Меня мучит одна загадка, которую только вы как директор ФСБ можете разгадать. Но только – если захотите ответить откровенно. Обещаю – это не для газеты. После августовского кризиса, сразу после того как Примакова назначили премьером, у меня был разговор с Валей Юмашевым, который поклялся мне, что он вынужден был уволить правительство реформаторов только потому, что у него якобы были какие-то данные от спецслужб, что иначе в стране начнутся массовые беспорядки, бунты и чуть ли не революция. ФСБ действительно давала президенту такие сведения?

– Да ничего подобного! Никаких таких сведений у нас не было! Наоборот, были данные, что ситуация абсолютно контролируемая и довольно спокойная. А те несколько инцидентов, когда людей выводили на рельсы с политическими лозунгами, – мы ведь точно знали, кто это организовывал и кто проплачивал. Вы же сами видели: им наоборот приходилось людей сначала долго разогревать, в том числе и с помощью телевизора, чтобы подбить хоть на какие-то акции...

– А могло быть так, что у Юмашева, и соответственно – у президента, были на этот счет какие-то другие секретные сведения, поступавшие не от вас? Или, скажем, в тайне от вас?

– Абсолютно исключено! Ручаюсь вам. Вся подобная информация замкнута на меня, и я лично докладывал ее президенту!

Путин пристально посмотрел на меня, прочитал на моем лице следующий вопрос и, не дожидаясь, пока я его произнесу, ответил:

– Я в политику не лезу, поэтому уж не знаю, кто там и для чего вам такое сказал. Но – делайте выводы сами... Я сейчас вам дал абсолютно честную информацию.

Этой информации действительно было более чем достаточно, чтобы понять, что Валя попросту мне наврал. Чтобы оправдать свою очередную провалившуюся комбинацию.

Получив подтверждение своих догадок, я почувствовала какое-то горькое удовлетворение. И углубилась в смакование великолепных суши и сашими. Пожалуй, насчет вечных опозданий я ошиблась. В этот момент у нас с Путиным обнаружилась и еще одна общая черта: искренняя страсть к пожиранию сырой рыбы и умение быстро орудовать деревянными палочками.

Между сяке (нежнейшим сырым лососем, который я готова поедать просто тоннами) и угрем мы продолжали какой-то легкий, не мешающий чревоугодию, table talk, тщетно пытаясь нащупать еще хоть какие-нибудь общие темы, кроме политики.

Перекинулись двумя словами по-немецки (выяснилось наше третье общее качество: в тот момент ни я, ни он практически не говорили по-английски, зато хорошо знали немецкий). Во время беседы про его шпионскую службу я спросила, работал ли он на Западный Берлин – имея в виду, вел ли он разведку с территории Восточной Германии на территорию ФРГ. И он неопределенно кивнул.

Вдруг, доев очередной ролл, Путин как-то ни с того ни с сего спросил:

– Лена, а где вы собираетесь справлять Новый год?

– Еще точно не знаю...

– Я вот хочу поехать в Питер... – он как-то подвесил конец фразы.

Это звучало как приглашение съездить в Питер. И я поспешила сказать, что на самом деле я скорее всего должна буду поехать к своей ближайшей подруге Маше Слоним, потерявшей совсем недавно мужа, и поддержать ее.

Путин погрустнел, выразил соболезнование, заботливо расспросил меня о погибшем Сергее Шкаликове, и даже заверил, что слышал, что он был прекрасным актером.

Разговор был исчерпан. Суши съедены.

– Ладно, меня ждет редакция, а вас – государственные дела, – подытожила я.

Путин проворно выбрался из-за стола, подскочил ко мне и, галантно подхватив под локоть, помог выбраться из плена японского лилипутского комфорта.

Когда я попыталась реализовать свой план и широким жестом расплатиться за директора ФСБ, он пресек феминизацию на корню:

– Леночка, я просто даже не знаю, сколько все это стоило! Честное слово! Я же не расплачивался за все это сам, –

видите, у меня даже с собой и денег-то нет! Не волнуйтесь, там мои помощники уже за все заплатили...

Надевая ботинки в тесной прихожей перед нашим обеденным кабинетом, Путин кокетливо добавил:

– Будем считать, что вы остались мне должны обед. Не забудьте! Вы куда сейчас, в редакцию? Я вас подвезу.

Тут я со смехом продемонстрировала ему мой изящный замшевый сапог без каблука.

– Тогда я сначала отвезу вас в мастерскую. Пойдемте!

Мы доехали до ближайшего ремонта обуви, и Путин предложил подождать меня в машине, пока мне сделают каблук. Но тут я на секундочку представила себе со стороны весь комизм этой сценки: директор ФСБ поджидает журналистку у обувной мастерской – расхохоталась, поблагодарила его и призналась, что это уже – выше моих сил.

На прощанье Путин, как я ни отбивалась, всучил мне подарочный набор из «Изуми» – бутылочки саке и специальные чашечки.

– Я уже понял, что вы не пьете – ну угостите кого-нибудь из близких!

Когда я позвонила папе, и, «не раскрывая источника», пересказала все, что поведал мне Путин про конкуренцию между Союзморниипроектом и Ленморпроектом, папа изумился:

– Откуда ты все это знаешь?!

Разумеется, все факты, как бы между прочим упомянутые Путиным, оказались чистой правдой. Я так и не поняла, было ли это его «домашней заготовкой» или импровизацией.

Меня искренне впечатлило, насколько Путин блестящий коммуникатор. Хотя все его профессиональные приемы общения с собеседником были довольно хрестоматийны и без труда читаемы, тем не менее исполнение было виртуозным. Не знаю как – мимикой ли, интонацией, взглядами, – но в процессе разговора он заставил меня подсознательно чувствовать, как будто он – человек одного со мной круга и интересов. Хотя ровно никаких логических причин полагать так не было. Наоборот – все факты свидетельствовали, что он – абсолютно противоположный мне человек.

Я поняла, что он – просто гениальный «отражатель», что он как зеркало копирует собеседника, чтобы заставить тебя поверить, что он – такой же, свой. Впоследствии мне приходилось неоднократно наблюдать этот его феноменальный дар во время встреч с лидерами других государств, которых он хотел расположить к себе. Это поражает даже на некоторых нынешних официальных фотографиях, где удачно схвачен момент – вместо, скажем, российского и американского президента там вдруг сидят и улыбаются друг другу два Буша. Или два Шредера. На какой-то короткий миг Путин умудряется с пугающей точностью копировать мимику, прищур глаз, изгиб шеи, двойной подбородок, и даже черты лица своего визави, и буквально мимикрирует под него. Причем делает это так ловко, что его собеседник этого явно не замечает, а просто ловит кайф.

Когда друзья, почти как Труди Рубин, допытывались у меня потом, «какой он, этот Путин, в личном общении?», я отвечала: «Как ни странно, он – не одноклеточный. Кажется, вполне среднего, советского, образования и заурядного интеллекта. Но гибкий. А временами – с каким-то пацанским, дворовым (если не сказать «подзаборным») обаянием...»

Тем не менее, после того как мы расстались с Путиным, меня почему-то целый день мучило какое-то странное, подспудное, неприятное ощущение. Оно не имело ровно никаких объяснений – ведь каблук-то мне прекраснейше починили! А уж как были довольны мои коллеги из «Известий», распивавшие саке за здоровье Путина и жалевшие только об одном, – что эту японскую водку в «Известиях» негде разогреть, как положено...

И только под вечер я, наконец, смогла сформулировать для себя, что же меня тревожило: четкое предчувствие, что этот человек сыграет какую-то дурную роль в моей жизни. И что лучше бы этого обеда не было вовсе.

Глава 9

РЕАНИМАЦИЯ

Для того чтобы реанимироваться, Кремлю для начала потребовалось самому осознать свою собственную клиническую смерть.

В самом начале весны 1999 года я четко поняла, что такой момент настал: в гости к Маше Слоним на Тверскую, 4, где собиралась наша «Хартия журналистов», пришел тогдашний замглавы кремлевской администрации (то есть номинально – второе лицо в Кремле) Олег Сысуев и сделал следующее признание:

– По сути, Кремлю сейчас осталось только выбрать, кому именно сдаться – Лужку или Примусу. Я лично считаю, что уж лучше – Лужку, потому что он посовременнее. Когда с ним наедине беседуешь, то местами он – ну просто Чубайс! И самое главное – он может гарантировать Борису Николаевичу и Семье неприкосновенность...

Это уже действительно была клиника. Чтобы выводить себя из этого состояния, президентской администрации пришлось собственноручно применять к себе жесткую интенсивную терапию. Но употреблявшиеся медицинские средства иногда, как водится, вызывали у властного организма вполне объяснимый эффект: галлюцинации и бредовые видения сменялись в тот год, как в калейдоскопе, с бешеной скоростью.

Первым, и самым кошмарным, видением был «Президент Примаков». Но страна сморгнула, сменила анаболики и... тут же увидела другой кошмар: «Президент – Лужков». Потом, когда отходила заморозка, мимолетным, светлым, прозрачным бредом промелькнул «Степашин – Президент».

Понять, насколько «инженеры кремлевского счастья» в тот момент в буквальном смысле слова были как под кайфом, можно по эпизоду, рассказанному мне тогдашним гендиректором «Коммерсанта» Леней Милославским:

— Прихожу в больницу навещать Бориса Абрамыча, который болел гепатитом. А Березовский мне, весь желтый, с больничной койки кричит: «Мне срочно нужна Родина-Мать! Найди мне хорошую Родину-Мать!» Ну-у-у, думаю, с приездом... Чего-то здесь нашему Абрамычу вкололи лишка... А оказалось, что Березовский прямо там, на больничной койке создавал партию «Единство» и подыскивал в первую тройку помимо Шойгу и Карелина какое-нибудь эпическое женское лицо...

В результате, когда властный организм, наконец, вышел из клинической смерти и слегка отошел от наркоза, то быстро обнаружил, что весь этот его коллективный наркотический сон разума все-таки успел породить чудовище.

Волошин починяет примус

Самый эффективный антикризисный управленец Кремля всех времен и народов Александр Волошин возник как джинн из бутылки. Во время юмашевского правления о существовании Волошина не знал ровным счетом ни один кремлевский журналист.

Лично для меня фамилия Волошин началась с ребуса. В августе 1998 года за дефолт пришлось расплатиться собственным постом единственному (и самому невинному) чиновнику администрации — Александру Лившицу.

И Лешка Волин, главный пиарщик Белого дома, которого я пытала по телефону, кто займет теперь место помощника президента по экономическим вопросам, загадал мне непростую загадку:

— На «В» начинается, на «Н» кончается — но не Волин!

Ни одного чиновника в администрации, подходившего к кроссворду по буквам, я не знала. Пришлось детально изучить телефонный список всех сотрудников Кремля. И тут на незаметной должности «помощник главы администрации» я и откопала однофамильца коктебельского поэта.

Я тут же разузнала, что Волошин был связан по бизнесу с Березовским, и что с 1995-го по 1997-й возглавлял некое АО «Федеральная фондовая корпорация».

– Ну это примерно то же самое, что «ЗАО «Российская Федерация»»! – весело пояснили мне коллеги из отдела бизнеса.

Немедленно набрав номер загадочного чиновника, я поделовому осведомилась у него: во-первых, действительно ли его папу зовут редким именем Сталий, а во-вторых, действительно ли в стране будут вводить лексически модный в те кризисные дни финансовый аттракцион под названием «Currency board» (так называемую «валютную палату» – стабилизацию курса рубля за счет его жесткой привязки к золотовалютному резерву).

Но по ходу разговора быстро выяснились два побочных обстоятельства: первое, – что безвестный кремлевский экономист умеет очаровательно, стеснительно заикаться, а второе, – что он не умеет разговаривать с журналистами. По крайней мере, – что он не в курсе, что политическим журналистам категорически нельзя произносить фразы вроде той, которую Волошин немедленно выдал мне:

– Я вам сейчас все а-а-бъясню... Д-е-ело в том, что теперь э-э-экономике уже б-более или менее вообще все равно, что с ней будут делать...

На протяжении всей унылой примаковской зимы я регулярно бегала к Волошину на Старую площадь на закрытые брифинги. Он по пунктам, с процентами и полупроцентами, наголову разбивал все утопические экономические прожекты маслюковского крыла кабинета. А потом с точностью до месяца и полумесяца называл сроки, в которые эти прожекты примаковских друзей добьют тот или иной сектор экономики.

Но потом Стальевич сразу же сконфуженно просил нас: «Только, п-п-ожалуйста, на меня не надо ссылаться, ладно?»

Я все время пыталась заставить Волошина перевести разговор из кабинетного теоретизирования в практическую плоскость:

– Простите, а Ельцин отдает себе отчет во всех тех последствиях, к которым ведет экономический курс Примакова? И почему президент ничего не предпринимает против этого? Вы же не в Академии наук работаете, а помощником президента!

Волошин сразу тушевался и смотрел сквозь меня перламутровым взглядом.

Тем не менее хоть какая-то жизнь в то время теплилась действительно только там, в Волошинском «антипримаковском подполье» на Старой площади (пару раз мне даже приходилось присутствовать при том, как «невменяемый» – по заверению остального руководства администрации – Ельцин звонил Волошину, чтобы осведомиться о деталях экономических законов).

Да и внешне Волошин смотрелся точь-в-точь как какой-то герой белогвардейского Сопротивления. По странной привычке, любой пиджак Стальевич сразу же превращал в какой-то гусарский китель, нося его, не вдевая рук в рукава, а лишь романтично набрасывая на плечи.

Впечатляла и особая, медитативная манера Волошина курить, какой я больше не встречала ни у кого: он зажигает сигарету и, разговаривая, подолгу держит ее вертикально, тремя пальцами снизу за фильтр, пеплом кверху.

– Лагерная какая-то манера... – рассказывала я одному советскому диссиденту со стажем.

– С ума сошла?! Да на зоне бы за такое убили – зря папиросы переводить! – парировал он.

Волошинский пепел благодаря этому хитрому приемчику, постепенно догорая, не падает сразу вниз, а откладывается на сигарете ровным вертикальным столбиком. Но зато потом – уж если упадет, так упадет... Сразу весь, большой кучей, и прямиком кому-нибудь на юбку или колготки! Или, в лучшем случае, – на кремлевский ковер. Сколько раз мне приходилось потом во время наших с ним бесед в Кремле опасливо следить краем глаза за этой волошинской «пизанской башней» и вежливо сообщать главе кремлевской администрации, что сейчас он все прожжет...

Когда Николая Бордюжу, начавшего заигрывать с Примаковым, сменили на Волошина, – казалось, что он – последняя кадровая ошибка Кремля. В смысле – как у сапера.

Зажатый, стеснительный, камерный и слишком умный для политика человек с вызывающе нечиновничьей бородкой категорически не подходил по буквам к вопросу в кремлевском кроссворде «Кто спасет Россию».

Боевое крещение на посту главы администрации – речь в Совете Федерации с требованием отправить Скуратова в отставку – Волошин прошел так, что, пожалуй, ни в Кремле, ни во всей политической тусовке не осталось ни единого человека, кто бы не поставил на нем жирный крест. Он так бездарно мямлил что-то с трибуны и так идеально внешне подходил под самый ненавидимый скуратовскими товарищами стереотип «умного еврея с бородкой», что если бы в здание Сената на Большой Дмитровке разрешали проносить тухлые яйца, то больше бы мы Стальевича живьем не увидели.

Но именно после этого публичного унижения Волошин, раньше, казалось бы, неспособный ни к какой форме конкуренции, кроме интеллектуальной, похоже, сам себя «взял на слабо». Осознав, что он – последний неотбракованный продукт кремлевской кадровой эволюции, бывший машинист Волошин раскочегарил в себе такую нечеловеческую волю к победе, что до сих пор, кажется, остановиться не может.

Переломным моментом стал закрытый брифинг, на который Волошин созвал в Кремль всех нас, кремлевских журналистов, немедленно по возвращении из Совета Федерации. Его предшественник Юмашев никогда бы на такое не решился – просто кишка тонка была. Брифинг был прямым объявлением войны Примакову. Глава кремлевской администрации, заикаясь уже не от робости, а от ярости, пообещал, что если президентские обидчики будут и дальше «провоцировать ситуацию», то Примакова и его «коммунистическое правительство» – ликвидируют, Думу – распустят, а Скуратова – посадят.

– Вы видели, как Примус (тогдашняя кремлевская кличка Примакова. – *Е. Т.*) выполнил президентское поручение выступить перед сенаторами за отставку Скуратова?! – негодовал Волошин. – Этот иезуит всю свою речь наполнил проскуратовскими провокациями! Например, вы слышали эти его лицемерные риторические вопросы: «Усилится или ослабеет борьба с коррупцией, если уволить Скуратова?..»

А через полчаса после окончания этого «секретного» брифинга распечатка его стенограммы уже лежала на столе у Примакова. Мне стало известно это от коллег, работавших тогда в медиа-империи Гусинского. «Это – не мы, – клялись они. – Мы бы так быстро не успели. Наверное, это ИТАР-ТАСС – они на Примакова работают...»

Тем временем именно на эту несанкционированную утечку явно и были рассчитаны все волошинские откровения.

Кремлевский администратор понял, что при полном отсутствии каких-либо других, реальных ресурсов единственное оружие, которое еще осталось в его распоряжении, – это жесткая психическая атака. Понты, короче.

А меньше чем через три недели, ровно по этому же алгоритму «взять на слабо» и себя, и своих противников, Волошин принял решение отправить Примакова в отставку.

– Валя был категорически против. Он все говорил про какие-то народные протесты и волнения, – рассказывал мне потом наедине Волошин с легкой снисходительной улыбкой. – Татьяна тоже колебалась. А я сказал: «Черт возьми! Власть мы или не власть?!»

Чудеса этикета мадам Степашиной

Когда Примакова сменили на Степашина, я как-то сразу почувствовала, что он на посту премьера – не жилец.

Может быть потому, что примерно за год до этого я откопала где-то тему научной работы Степашина. Там было что-то про «роль партийных органов в противопожарной безопасности». А когда я рассказала об этом со страниц газеты, Степашин почему-то обиделся и уныло (в смысле – безуспешно) пытался не пустить меня на маловажное мероприятие со своим участием на Старой площади.

Но потом, по иронии судьбы, я даже приложила руку к утверждению Степашина премьером в Думе. Как-то раз, зайдя в Кремль за комментарием к Андрею Шторху, президентскому референту, я нашла его страшно занятым: писал «по совместительству» речь Степашину для выступления перед депутатами.

– Андрюш, брось ты эту фигню – мне с тобой поговорить надо, а времени в обрез, – приставала я к нему.

Шторх взбеленился:

– Да?! А кто степашинскую речь писать будет? Ты?! Я уже второй час бьюсь – ничего не получается. Значит так: если тебе от меня что-то нужно, то сначала бери ручку, садись сюда и пиши! Вон, посмотри сначала, что я наваял...

Я прочитала текст, написанный Шторхом, и осталась очень недовольна:

– Ну кто ж так с депутатами разговаривает... «Мы хотели бы сделать то-то, мы надеемся на то-то...» Что за безвольные модальности? Ты думаешь, после такой речи кто-нибудь его премьером утвердит?!

Тут уже Шторх совсем вышел из себя:

– Вот все вы только критиковать горазды! Будь добра, не критику мне тут разводи, а напиши конкретно, что ты предлагаешь! А если не можешь – уходи! Ну нет у меня вдохновения это писать! Пропади он вообще пропадом со своим премьерством! Все, до свиданья, не могу я ни о чем сейчас разговаривать!

Я четко поняла, что если не сделаю сейчас «по бартеру» того, о чем меня просит Шторх, то никакой информации от него сегодня вообще не получу.

Я взяла ручку и начала править текст выступления, внедряя туда через слово властные обороты типа «Мы можем добиться этого!.. И мы сделаем это!»

Шторх был в восторге.

Когда через несколько дней мы с ним вместе сидели в его кремлевском кабинете перед телевизором и наблюдали процедуру утверждения Степашина премьером, Шторх, хитро улыбнувшись, сказал мне:

– А сейчас – слушай внимательно! Сюрприз!

И, как нетрудно догадаться, вслед за этим я услышала в степашинском выступлении вписанный мною собственноручно властный пассаж...

В июне 1999-го на саммите «Большой семерки плюс Россия» премьер Степашин, по сути, возглавлял российкую делегацию вместо Ельцина, который из-за ухудшения здоровья смог подъехать только на итоговую церемонию. И, вроде бы, на моих глазах главы ведущих держав мира обращались со Степашиным как с наиболее вероятным Ельцинским преемником. Все они наперебой спешили назначить ему двусторонние встречи с глазу на глаз. И вообще держались с ним почти как со взрослым. Чубайс в то время тоже уверял меня, что считает Степашина «вполне реальным» кандидатом в президенты. Но чего-то, едва уловимого, в степашинском характере все-таки не хватало. Может быть, как раз того, что я вписала Андрею Шторху в текст его речи.

А уж когда во время кельнского саммита я случайно познакомилась с женой Степашина, я окончательно поняла: ее мужу президентство не светит.

Дело было так. Во время зарубежных саммитов я уже давно изобрела прекрасное ноу-хау, позволявшее проходить всюду без всякой аккредитации. В любой европейской стране мне всегда достаточно было для этого произвести над собой предельно простую операцию: просто снять с себя бэджик с надписью «ПРЕССА» и с независимым видом идти туда, куда мне хотелось. И как только ты избавлялся от этого стадного ярлыка, охрана сразу же опознавала в тебе человека. Точно так же, как в одной фантастической повести: на космическом корабле, как только герой становился на четвереньки, специальные роботы сразу принимали его за животное, начинали кормить, но зато – отводили в клетку. А потом, как только он опять вставал на две ноги – роботы идентифицировали в нем человека и выпускали из клетки. Но зато прекращали кормить.

У охраны и пресс-служб срабатывала ровно та же логика. Ни одному сотруднику секьюрити ни в одной цивилизованной стране мира, где я побывала с обоими последними президентами, ни на одном саммите ни разу не пришло в голову преградить мне путь, если я заблаговременно прятала журналистский бэджик в сумку и шла сквозь заграждения с полной уверенностью, что мне туда – можно и нужно.

В Кельне, на спор, я блистательно продемонстрировала это свое know how корреспондентке «Общей газеты» Елене Дикун.

Когда жены президентов «Большой семерки», а с ними и Тамара Степашина, отправились осматривать выставку архитектурных проектов, Дикун заныла:

– Ну как назло нам пулов на самое интересное мероприятие не дали! Меня в газете как раз попросили сделать материал о нашей новой «первой леди»...

– Спокуха, Ленка! Если хочешь, – мы туда запросто пройдем. Только отдай мне свой бэджик, расслабься и забудь о том, что ты журналист. И о том, что кто-то тебя куда-то должен пускать или не пускать. Тебе интересно туда войти? Значит – просто входи, и все, ты имеешь право.

После моего минутного психотренинга Дикун, хотя и слегка побледневшая от ужаса, все-таки сделала, как я говорила, и мы, вместе с первыми леди «Большой семерки» – разумеется, беспрепятственно, без единого вопроса со стороны охраны – прошли на выставку.

Но лучше б мы туда не ходили...

В отличие от супруги Блэра, которая все время осмотра выставки профессионально улыбалась и перебросилась с нами парой ничего не значащих светских фраз, Тамара Владимировна Степашина, явно заскучавшая среди иностранок, заслышав родную русскую речь, просто набросилась на нас с откровениями:

– Ой, девочки, да что же это за выставка такая скучная – кошмар какой-то! – начала она жаловаться на тяготы обязательной протокольной программы.

В этот момент я с ужасом заметила боковым зрением супругу Шредера, с интересом застывшую прямо рядом с нами: я не могла точно припомнить, но мне все-таки мучительно казалось, что она когда-то учила русский язык. Я ярко представила себе, как ей «приятно» услышать от русской гостьи такие отзывы...

Я шепнула это на ухо Дикун, и мы дипломатично постарались побыстрее увести госпожу Степашину подальше от любопытных немецких ушей.

Но на этом откровения супруги ельцинского «преемника» не закончились.

Когда совестливая Дикун попыталась перевести разговор в более безопасное светское русло и спросила Тамару Владимировну, как ей понравился номер в гостинице, в которой она здесь с мужем остановилась, Степашина возопила:

– Номер?! Да разве это номер?!

Мы с Дикун в недоумении переглянулись.

– Что, не понравился? – осторожно переспросила я, уже оглядываясь через плечо, нет ли опять Шредерихи на подходе.

– Я могу вам сказать: видали мы номера и получше! – заявила мне Степашина. – Ничего особенного! Так себе!

Дикун, чтобы не прыснуть от хохота прямо посреди зала с первыми леди, стала задом ретироваться к выходу. Но у Степашиной еще явно оставалось много чего недосказанного.

– Куда же вы, девчонки? Вы сами-то откуда? Местные? – дружелюбно поинтересовалась она у нас.

Я решила не расстраивать добрую женщину и мягко ушла от ответа, возразив лишь, что мы «тоже приехали из Москвы».

Но уже распрощавшись, госпожа Степашина все-таки решила, что продемонстрировала нам еще не все высоты международного этикета. И когда к ней подошли устроители мероприятия, чтобы пригласить вместе со всеми остальными первыми леди «Большой семерки» за накрытый стол «перекусить», жена российского премьера гордо ответила:

– Нет-нет, спасибо, я не голодна.

– Вот, Дикун, – заметь, ты сама этого хотела... – напомнила я коллеге, когда мы уже выбрались из музея и она еле дышала от хохота.

Обсудив непростую ситуацию, мы решили, что с нашей стороны будет высшим проявлением патриотизма не писать в репортажах с кельнского саммита про новую российскую первую леди ни слова.

Как Лужкова преследовало имя Лена

Летом 1999 года газета «Коммерсантъ» приняла «политическое» решение: с этого момента кремлевский обозреватель должен был ездить еще и в поездки с Лужковым. И на моих хрупких женских руках в одночасье оказались сразу два «действующих президента». Причем каждый со своими болячками, в которых я должна была постоянно разбираться. Историю болезни Ельцина я уже хотя бы давно вызубрила назубок, а про Лужкова, с которым мне пришлось как-то даже лететь в Вену чинить его мениск, я то и дело путала, какая ж нога у него пошаливает – левая или правая?

Параллелизм между обоими «президентами» подчеркивался еще и тем, что Лужков теперь позировал на фоне бывшего президентского пресс-секретаря Сергея Ястржембского, который, как только оказался в мэрской компании, к мистическому ужасу всех кремлевских журналистов, начал постепенно внешне мимикрировать под Лужкова – стал как будто чуть меньше ростом, приобрел характерную мэрскую мимику, нос картошкой, и даже хихикать стал по-лужковски.

Меня Лужков сразу же заприметил как инородное тело.

Во время первой же зарубежной поездки, куда я с ним отправилась, он подошел ко мне и удивленно спросил:

– Что это вы – вчера были вся в черном, а сегодня – вся в белом?

– Ну и как вам больше нравится – в черном или в белом? – поинтересовалась я.

Но тут мэр таким тоном переспросил меня «Сказать вам, как мне больше нравится?!», – что я предпочла остаться в неведении.

В своих политических оценках Лужков был так же прямолинеен.

Как-то раз в самолете, по пути домой, я спросила его об отношении к премьеру Степашину, и мэр, ничуть не смущаясь присутствием еще десятка журналистов, заявил:

– Это не премьер, а тряпка!

Ближе к осени высказывания Лужкова о ельцинском клане становились тоже все более и более жесткими. Приехав в Германию в начале сентября, Лужков объявил, что «верит» в информацию о коррупции Ельцинской семьи, и, по сути, пригрозил расправой окружению президента, после того как тот уйдет на покой: «Те, кто не совершал ничего неконституционного – они не должны нести никакого наказания. Но те, кто нарушал конституцию или совершил другие какие-то серьезные преступления, которые нанесли большой урон государству, – у таких преступлений нет срока давности, и такие люди обязательно понесут наказание, после того как к власти придут честные люди».

Возбудившись до крайности по поводу этих заявлений, «Коммерсантъ» стал умолять меня добиться от Лужкова эксклюзивного интервью.

Для этого, разумеется, пришлось опять идти туда, куда не пускали. Самым заманчивым пунктом берлинской программы Лужкова была прогулка по реке на катере с местным бургомистром. Журналистов с собой не брали. Но я, воспользовавшись знанием немецкого, смутила дежурившего при входе на катер охранника бургомистра вопросом: «Haben Sie denn keinen Platz fur ein zierliches Mädchen?!» – и оказалась на борту.

Увидев меня, Лужков, разумеется, пригласил сесть с ним за стол, а я тут же достала диктофон и призналась ему, что приехала в Берлин только для того, чтобы взять у него интервью. Текст нашей с ним беседы, опубликованный на следующий же день на первой полосе «Коммерсанта», был настолько хорош, и Лужков, в отличие от подавляющего большинства его тогдашних интервью, получился таким живым, что не могу удержаться от удовольствия процитировать его здесь.

«Я. Юрий Михайлович, многие считают, что как раз при вас в стране может быть установлен авторитарный режим. С отрыванием голов политическим противникам. Скажите, если вы станете президентом, – вы гарантируете, к примеру, безопасность Ельцину и его семье?

Л у ж к о в. А можно я вам задам вопрос? Мы с вами не так хорошо знакомы...

Я. Меня зовут Лена. Моя фамилия Трегубова.

Л у ж к о в. – Лена... Лена... Это имя, часто встречающееся на моем жизненном пути. Вы меня боитесь?

Я. Нет.

Л у ж к о в. А почему меня должны бояться другие люди?..

...Был ли случай, когда я заставлял кого-то и что-то напечатать, или наоборот? А ведь вы же вот меня в «Коммерсанте» обмазываете этим самым веществом коричневого цвета ну буквально с ног до головы! Но ведь не было случая, чтобы я прочел и сказал: не надо публиковать! Или устроил бы на вас какой-нибудь, как у нас говорят, наезд.

Я. А разве не вы на «Коммерсантъ» пожарных наслали? (сразу после известия о покупке «Коммерсанта» Березовским в редакции появились сотрудники службы противопожарной безопасности и пригрозили закрыть газету за несоблюдение противопожарных норм. – *Е. Т.*)

Лужков. Мы?! Избави Бог! Если бы я это сделал, я бы перестал уважать себя! Для меня это значит – разрушить свой внутренний стержень! У меня есть стержень!..

Моя личная философия – это полная демократия. Вот спросите у моих помощников! Вот есть одна журналистка, которая, вы меня извините за термин, меня все время обсирает. И вот мне говорят: нужно ее как-то это вот...

Я. Кто это вам так советует? Цой? (Сергей Цой – пресс-секретарь мэра Москвы. – *Е. Т.*)

Лужков. Нет-нет, не Цой. Так вот я говорю: «Ни в коем случае!» И я жестким образом запретил всякие такие меры!»

Несмотря на симпатичное интервью, мои родители остались мною после поездок с Лужковым очень недовольны.

Дело в том, что как-то раз на обратном пути в самолете ко мне подсел тот самый пресс-секретарь столичного мэра Сергей Цой и душевно предложил:

– Лена, слушай, мы так искренне хорошо к тебе относимся! Ты не подумай – это не потому, что мы хотим, чтобы ты про нас хорошо писала! Мы же – не такие, как там, у тебя в Кремле, – мы же бескорыстные! Просто ты нам нравишься как человек. Так вот ты скажи – что я могу для тебя сделать? Может быть, тебе, например, квартира нужна? Или, может быть, тебе еще какие-нибудь бытовые проблемы помочь решить надо?

Я просто опешила от такой прямоты.

– Нет, Сереж, спасибо. У меня нет абсолютно никаких проблем. – гордо соврала я.

Родители потом еще долго в шутку попрекали меня этой историей:

– Вот! А могла бы ведь уже в хоромах жить, а не снимать квартиру!

Под крышей «Системы»

Впрочем, один бесценный трофей из предвыборных поездок с Лужковым я все-таки привезла. Абсолютно неожиданно для себя в недрах лужковского окружения я нашла не только одного из лучших в стране аналитиков, но еще и надежного друга.

Началось все с того, что мне дико захотелось использовать свою временную аккредитацию при московском мэре для знакомства с самой загадочной и закрытой от прессы фигурой российского бизнеса – Владимиром Евтушенковым.

Вокруг владельца компании с выразительным названием «Система» в журналистской среде сложился к тому времени стойкий романтический миф как о главном столичном мафиози и крыше всех наиболее лакомых секторов московского бизнеса. И, мне, ясное дело, просто не терпелось взять у него интервью.

Но когда во время визита Лужкова в Баварию мне показали Евтушенкова, летевшего с нами в одном самолете, я просто опешила:

– Вы уверены, что это он?!

Столичный «мафиози» предстал предо мной в простеньком свитере, потертых джинсах, да еще и в интеллигентских очках на носу. В окружении Лужкова он держался подчеркнуто на заднем плане и вообще предпочитал общаться со всеми в стиле простачка.

После общего ужина с лужковской командой в знаменитой мюнхенской пивнушке «Хофбройхауз», где «мафиози» ежеминутно заставлял всех хохотать до слез, рассказывая феньки из столичной жизни, я решилась попросить его об интервью.

– Без проблем... Как только прилетим в Москву, звони, – неожиданно согласился Евтушенков и продиктовал мне свой мобильный.

Я не сомневалась, что по возвращении он под каким-нибудь предлогом отвертится: до сих пор хозяин АФК «Системы» принципиально не давал интервью. Тем более – на скользкие политические, предвыборные темы. И уж подавно – на еще более скользкую тему взаимоотношений «Системы» и московского мэра, на откровения о которых я, как было нетрудно догадаться, и собиралась его раскрутить.

Но как только я перезвонила ему в Москве, Евтушенков ответил:

– Приходи в любой удобный для тебя момент... Жду...

Таким интересным способом я не брала интервью еще ни разу в жизни. Записывать беседу на диктофон мне пришлось в четырех разных местах города. Начали мы разговор в известном старинном особняке Дениса Давыдова на Пречистенке (в офисе столичного Комитета по науке и технологиям, который тогда возглавлял Евтушенков), продолжили в его машине по пути в Колонный зал Дома союзов (на предвыборную тусовку «Отечества», где Евтушенкову нужно было поприсутствовать минут десять), потом – опять в машине по пути в здание московской мэрии на Тверской (где Евтушенкову срочно надо было с кем-то встретиться) и, наконец, закончили мы интервью в ресторане «Скандинавия» на Пушкинской.

Но все эти судорожные метания по Москве того стоили. Интервью стало настоящей сенсацией. Глава АФК «Системы» впервые на страницах СМИ подробно и запросто рассказывал мне про свои дружеские и деловые отношения с Лужковым, рассуждал про диспозицию мэрии с Кремлем и давал свои политические оценки ситуации в стране.

При этом, что меня особенно изумило, Евтушенков не попросил дать ему текст интервью на визу. На такое за всю мою журналистскую практику отваживались считанные единицы политиков. Оценив этот смелый шаг, я максимально полно опубликовала текст нашего разговора, использовав для этого печатные площади не только газеты «Коммерсантъ», но и журнала «Власть».

Эффект оказался самым выгодным для моего собеседника.

Прочитав интервью во «Власти», мне тут же позвонила моя школьная подруга Софья Гендлина, работающая на «Deutsche Telecom» (фирме, имеющей какие-то деловые отношения с «Системой»), и призналась:

– Слушай, я просто обалдела от интервью: я этого Евтушенкова несколько раз в жизни издали мельком видела –

он мне казался обычным новым русским. А тут прочитала, что он тебе говорит, – оказалось, он умный, интеллигентный человек...

Из уст Сони такая похвала стоила дорогого: будучи неисправимой рафинированной интеллектуалкой с лингвистическим образованием, ко всем олигархам и политикам она относится с заведомым снобизмом. Даром что деньги на жизнь в телеком-бизнесе зарабатывает.

Я тут же со смехом пересказала Евтушенкову, какой комплимент он заработал от моей подруги. Евтушенков не поверил. «Да ну тебя – ты меня просто успокаиваешь! Наговорил там тебе каких-то глупостей...» – скромно откомментировал он.

Но вскоре, к моему полному восторгу, мне предоставилась возможность познакомить московского олигарха с той самой моей подругой.

Как-то раз я заехала к Евтушенкову в гости в офис в тот момент, когда он выезжал на телекоммуникационную выставку на Красной Пресне и стоял уже буквально в дверях:

– Как хорошо, что ты заехала! Хочешь прокатиться со мной на выставку?

Тут я вспомнила, что на этой выставке, на стенде «Deutsche Telecom», вкалывает сейчас и моя Соня.

– Ой, Владимир Петрович, вы сильно удивитесь, но я действительно очень хочу с вами поехать! Я там как раз подругу заодно навещу.

– Это какую подругу? – живо заинтересовался он.

А когда я объяснила, что «ту самую», Евтушенков моментально загорелся идеей устроить Соне сюрприз и заявиться к ней вместе.

Как только мы приехали в Выставочный центр, где все, разумеется, уже ждали Евтушенкова, он, отбиваясь как минимум от сотни соискателей внимания, прямой наводкой рванул вместе со мной через запутанные лабиринты искать Соню.

Нетрудно себе представить, какой фурор и суета поднялись на стенде «Deutsche Telecom», когда выяснилось, что самый влиятельный московский телекоммуникационщик зашел туда в тот момент, когда никого из начальства «DT» на стенде не было. Я просто познакомила Владимира Петровича с Соней, мы поболтали с ней две минуты и ушли.

А Евтушенков был просто счастлив, что своей крутой мальчишеской выходкой, совсем не похожей на стиль моих обычных визави – кремлевских чиновников, он доставил мне столько удовольствия.

Мне ужасно понравился и какой-то хулиганский, веселый стиль общения Евтушенкова с конкурентами.

На той же самой выставке он вдруг предложил своим сопровождающим:

– А давайте к Зимину зайдем? Вот он удивится!

Все кругом захохотали и принялись звонить Зимину. И только я одна не поняла, в чем цимес шутки. Просто потому, что не знала, кто такой Зимин.

– Дмитрий Зимин – глава «Вымпелкома», это который владелец «Билайна», конкурент нашей МТС, – терпеливо объяснил мне какой-то симпатичный веселый парень Женя.

А чуть позже, когда я пересказала в редакции коллегам из отдела бизнеса этот анекдот, мне заодно объяснили и кто такой этот веселый Женя.

– Как, ты говоришь, его фамилия? – переспросил меня наш корреспондент, который пишет о рынке телекоммуникаций.

– По-моему, Носовец, точно не помню... – стала припоминать я.

– Сама ты – «Носовец»! Это – президент «Системы», Евгений Новицкий, – просветили меня коллеги.

Кстати, та моя прогулка с Владимиром Евтушенковым на выставку, по случайному стечению обстоятельств, помогла мне решить мои собственные телекоммуникационные проблемы. Дело в том, что я, чуть ли не единственная из всей редакции, давно уже пользуюсь служебным мобильным телефоном МТС, а не «Билайн» (с последним у «Коммерсанта» какой-то выгодный корпоративный договор, и поэтому им пользуются большинство моих сотрудников). И вот работник коммерческой службы, отвечавший в редакции за мобильники, все время маниакально пытался уговорить меня сменить компанию. Я категорически отказывалась, объясняя, что при моих постоянных разъездах то по

России, то за рубеж роуминг МТС удобнее (сразу заочно извиняюсь перед господином Зиминым, которого мы в тот раз, кстати, на выставке так и не застали, и прошу не усматривать здесь скрытую антирекламу – просто именно для меня, в моем отдельном случае, пользоваться услугами его конкурента было тогда действительно удобнее).

Так вот, тот самый сотрудник, который уговаривал меня поменять «Билайн» на МТС, случайно вошел в редакционный буфет «Коммерсанта» ровно в тот момент, когда упомянутый коллега из отдела бизнеса громко рассказывал:

– Представляете: сижу я в выставочном центре, жду пресс-конференцию, и вдруг туда заходит наша Трегубова с Евтушенковым и Новицким...

После этого нудные споры нашей коммерческой службы насчет замены мне телефона почему-то вдруг резко прекратились.

Любопытно, что Евтушенков ни разу за все наше с ним знакомство не старался продемонстрировать мне, какой он крутой по бизнесу. И даже в тот самый первый раз, когда я брала у него интервью в ресторане «Скандинавия», глава «Системы» повел себя категорически нетипично для большинства моих богатых знакомых из властных и околовластных структур, которые к месту и не к месту стараются демонстрировать пальцы веером. Евтушенков, к моему огромному удовольствию, наоборот, проявил подчеркнутое уважение к моей журналистской и женской самостоятельности.

Когда после окончания интервью официант принес нам счет за обед и я предупредила Евтушенкова, что заплачу за себя сама, он спокойно ответил:

– Хорошо, только у меня наличных денег с собой нет. Я буду платить карточкой. Тогда я просто возьму у тебя наличными твою половину.

Как же я гордилась этой историей! В отношениях с человеком, у которого я брала интервью, мне это было необычайно важно. Да еще и с московским олигархом! Я была ему невероятно благодарна за то, что он сразу прочувствовал этот деликатный момент и даже спорить со мной не стал.

А однажды, к моему ликованию, он даже позволил мне его угостить. Как-то раз, когда мы встретились на десять минут повидаться в «Пирамиде» на Пушкинской, Евтушенков честно признался мне, что наличных у него нет, а карточку он оставил в машине.

Я была просто на верху блаженства: один из самых богатых мужчин города позволяет мне себя угощать! Может быть, кому-то это покажется феминистическим идиотизмом, но для меня именно этот момент стал залогом дружеских отношений, в которые вскоре и переросло наше знакомство с Евтушенковым.

Когда после прихода к власти Путина у меня начались серьезные проблемы в Кремле, я всегда точно знала, что у меня есть надежное дружеское плечо, в которое можно прийти и поплакаться. В те моменты, когда из-за издевательств кремлевских чиновников у меня случался очередной нервный срыв, я звонила Евтушенкову и, благо его офис совсем рядом с моим домом (сначала – на Спиридоновке, а потом – в Леонтьевском переулке), приходила к нему.

Он почти всегда оказывался по уши занят, а в приемной еще и ждала очередь как минимум из десятка посетителей. Но не было ни одного случая, чтобы он отмахнулся от моих проблем.

Обычно он проводил меня в так называемую комнату отдыха за своим кабинетом и просил:

– Подожди меня здесь, пожалуйста, немножко, а? Попей чаю пока, съешь чего-нибудь. Не сердись, ладно?

Потом он быстро разделывался с очередным посетителем и возвращался ко мне:

– Ну что у тебя стряслось? Рассказывай...

Так, много месяцев подряд, Евтушенкову время от времени приходилось играть роль моего личного психоаналитика.

– Я тебя прекрасно понимаю, я и сам – точно такой же эмоциональный человек, как и ты. И поэтому я прекрасно знаю, как тебе там с ними в Кремле тяжело. Вот поэтому-то я от политики и от власти вообще стараюсь держаться подальше! – успокаивал меня хозяин «Системы». – Тебе просто надо научиться вообще не принимать их близко к сердцу, пойми, что они просто роботы, функции!

В какой-то момент, выслушав от меня очередную историю из жизни кремлевских мутантов, он твердо заявил:

– Все... Я считаю, тебе надо уходить из Кремля... Они тебя там просто сожрут! Зачем тебе гробить на них свою нервную систему?!

Но я не сдавалась и шла в Кремль снова и снова. И Евтушенкову снова и снова приходилось меня успокаивать. В частности – закармливая меня, в целях психотерапии, через не могу, прямо как маленькую «за маму – за папу», вкуснейшими, но чрезвычайно вредными для фигуры обедами «домашнего», системовского изготовления.

Скоро я открыла в Евтушенкове еще одну неожиданную для олигарха черту. Находясь как бы вне кремлевской политики, он тем не менее (или, скорее, именно благодаря этому) оказался самым точным политическим аналитиком и прогнозистом из всех, кого я знаю в тусовке. За все четыре года нашего с ним знакомства еще ни разу не было случая, чтобы его прогноз не сбылся. Такого я не могу сказать больше ни об одном политике или бизнесмене в стране – даже о самых активных участниках политического процесса.

К примеру, в 1999 году, по моим наблюдениям, Евтушенков был единственным из окружения Лужкова, кто с самого начала здраво оценивал перспективы «Отечества – «Всей России».

В 2000 году, сразу после прихода к власти Путина, глава «Системы» стал первым, кто абсолютно точно спрогнозировал в беседе со мной, как будут развиваться события вокруг Березовского. Причем еще в тот момент, когда никакие видимые тучи над ближайшим к Кремлю олигархом, казалось бы, не сгущались.

И именно Евтушенков чуть позже абсолютно точно, по пунктам предсказал мне и будущее НТВ и ТВ-6. Список можно продолжать очень долго.

Некоторые, более долгосрочные прогнозы, данные им, пока еще не сбылись. И я даже боюсь их озвучивать – в надежде, что, может быть, все-таки, пронесет...

Береза «ПасаранЪ!»

В июле 1999 года в здании «Коммерсанта» появился подозрительного вида молодой человек иранского происхождения и объявил, что купил нашу газету. Имя молодого человека было Киа Джурабчиан, и оно ровным счетом ничего не говорило никому из отечественной бизнес-тусовки.

Компанию «American Capital Group», главой которой он назвался, тоже никто не знал. Создал он свою фирму, по признаниям самого господина Джурабчиана, только в 1998 году (то есть всего за год до описываемых событий), со стартовым капиталом всего лишь 50 млн долларов.

Знакомство с журналистским коллективом Киа Джурабчиан начал с того, что повез народ обедать в ресторан «Царская охота» в поселке Жуковка – кичевое и безвкусное место нетронутых ресторанной культурой новых русских, куда ни один приличный человек (кроме разве что президента) в жизни не ходил.

Все это сильно напоминало костюмированное шоу фокусника Кио. Киа уселся, заказал руководящему составу «Коммерсанта» дорогую еду и предложил собеседникам высказывать: а) предложения по дальнейшему будущему газеты; б) пожелания по материальному благосостоянию сотрудников.

От второго пункта народ дрогнул и проникся к Киа симпатией. На эту приятную тему с ними никто уже давно не разговаривал.

– А как насчет августовской зарплаты? – решилась начальница отдела политики Вероника Куцылло поднять болезненную тему, которой все коммерсантовские старожилы уже давно были озабочены. Речь шла о зарплате за август 1998 года, которую, воспользовавшись дефолтовской неразберихой, прежнее руководство газеты заиграло.

Джурабчиан, который, разумеется, вообще ни сном ни духом не знал ни про зарплаты, ни про август, ни про дефолт, решил не вдаваться в детали, а поскорее завоевать сердца избирателей самым простым способом:

– Будут вам зарплаты! Все выплачу!

И тут Вероника решила, пока новый хозяин добрый, взять быка за рога:

– А давай, Киа, не будем откладывать дело в долгий ящик, а? Вот, например, у меня есть служебная машина,

«Пежо». Она уже подержанная, я на ней несколько лет езжу. Так вот она сейчас стоит примерно столько же, сколько мне задолжала редакция за август девяносто восьмого года. Вот давай «Коммерсантъ» мне ее подарит? В счет компенсации?

– Дарю! Бери! Машина – твоя! – по барски кинул с плеча Джурабчиан под восторженное улюлюкание публики.

Словом, простой иранский мальчик так талантливо сыграл свою роль, что некоторых моих простосердечных коллег даже развел.

Но маскарад быстро закончился. «Пежо» Веронике так и не подарили, а по Москве все настойчивее поползли слухи о том, что «Коммерсантъ» купил не кто иной, как Борис Березовский, и что Киа Джурабчиан – просто его наемный работник, которому он выдал деньги на хорошую одежду, представительские расходы и подучил, как надо себя держать с трудовым коллективом.

Вся редакция «Коммерсанта» изнутри была увешана плакатами собственного производства: береза (в смысле, дерево), жирно перечеркнутая крест-накрест, а снизу – девиз: «Но пасаранЪ!» (где твердый знак символизировал логотип нашего издательского дома).

Тогдашний главный редактор «Ъ», Раф Шакиров, до последнего клялся мне, что ничего не знает о том, кто стоит за смазливым двадцативосьмилетним иранцем. И как вскоре выяснилось благодаря увольнению Шакирова, – не врал.

А Леонид Милославский, внезапно восстановленный в должности гендиректора Издательского дома, на вопрос наивных сотрудников, кто, все-таки, купил «Коммерс», острил:

– Кто-кто! «КИА-Моторс»! Южнокорейская фирма такая есть – знаете?

Сводки с теневого поля боя за «Коммерсантъ» регулярно сообщал мне по телефону Борис Немцов, который, правда, тоже узнавал все через третьи руки, и к тому же все время все путал.

– Трегубова, Чубайс выиграл, он купил «Коммерсантъ»! – звонил Немцов в эйфории.

Все мои сотрудники, которым я это пересказывала, стояли на ушах от радости.

– Ой, Трегубова, прости, пожалуйста, я ошибся... Чубайс проиграл... Вас купил Береза... – перезванивал Немцов через пять минут, уточнив все у Чубайса.

Говорили про какие-то 76% акций и про каких-то миноритарных акционеров с пакетами в 10 и 15% акций, с одним из которых (с пятнадцатипроцентным) якобы договорился БАБ, а с другим (десятипроцентщиком) – Чубайс. Про то, что с хозяином издательского дома Владимиром Яковлевым о продаже якобы договорились сразу оба олигарха, а потом, на закрытом тендере, Чубайс якобы предложил за газету больше денег, но Яковлев почему-то все-таки отдал акции Березовскому. Со священным ужасом в голосе поговаривали также и о друге Березовского Бадри Патаркацишвили, который якобы слетал к Яковлеву в Сан-Франциско и «быстренько порешал вопросы».

В какой-то момент мне надоело питаться этими слухами, и я специально отправилась на ближайшую пресс-конференцию Бориса Березовского в «Интерфакс» с одной-единственной целью: прямо, в глаза, спросить его о судьбе «Коммерсанта».

И на мой вопрос, действительно ли, как утверждали слухи, Березовский при финансовой поддержке братьев Черных хочет приобрести контрольный пакет акций Издательского дома «Коммерсантъ», олигарх ответил следующее:

– Да, действительно, ЛогоВАЗ участвует в переговорах о покупке издательского дома «Коммерсантъ». Насколько мне известно, в этих переговорах принимает участие не только ЛогоВАЗ. Что касается того, что покупка этой газеты будет происходить на деньги братьев Черных, то об этом мне ничего не известно...

Все коммерсантовцы были в трауре. Большинство ведущих журналистов намеревались уйти, как только информация о приходе Березовского подтвердится окончательно. И в том числе – я. Мне в страшном сне не могло привидеться, что я буду работать в газете, хозяином которой станет человек, активно использующий свои СМИ для ведения информационных войн.

От всех этих переживаний я слегла с температурой тридцать восемь. А домоуправление, как будто по сговору с Березовским, еще и отключило мне в этот момент горячую воду. В результате, мне пришлось эвакуироваться в квартиру подруги, живущей неподалеку от редакции.

Чтобы прийти в себя, я старалась вообще не думать ни о «Коммерсанте», ни о Березовском и лежала, заткнув уши наушниками от плеера, слушая на полной громкости какое-то попсовое радио. Но меня умудрились достать и здесь: в два часа ночи в минутном ньюс-брейке между музыкой, «Русская служба новостей» «обрадовала» меня:

– В Издательском доме «Коммерсантъ» только что произошел переворот. Известный предприниматель Борис Березовский официально объявил о том, что приобрел контрольный пакет этой газеты. Бывший главный редактор «Коммерсанта» Раф Шакиров отстранен от должности. Временные полномочия главного редактора возложены на Леонида Милославского, который до недавнего времени являлся генеральным директором этого Издательского дома...

Весь следующий день я провалялась с температурой. А вечером, когда все-таки добралась до редакции, меня встретил Леня Милославский:

– Ленка, как жаль, что тебя не было! К нам тут приезжал Борис Абрамыч поговорить. Очень хотел тебя видеть... (Это было откровенной гиперболой, потому что мы с Березовским были в тот момент совсем не знакомы. – *Е. Т.*). Мы тебе дозванивались-дозванивались, но почему-то никак не могли тебя нигде найти!

Я сказала Милославскому, что это не странно, потому что дома меня не было, а пейджер залило дождем.

Через пятнадцать минут сотрудник отдела по работы с персоналом принес мне мобильный телефон:

– Лена, распишитесь, пожалуйста... Леонид Михайлович Милославский распорядился выдать вам мобильный, чтобы он всегда мог с вами связаться...

Мобилы в то время были только у руководства газеты. Все же остальные сотрудники ходили, как тогда было принято выражаться, «как лох с пейджером». Даже мне, кремлевскому обозревателю, служебный мобильный до этого выдавали только на время командировок.

Нетрудно представить, какими косыми взглядами смотрели на меня после этого «подарка от Березовского» рядовые сотрудники «Коммерсанта»:

– Уже покупают? Ну понятно...

Оскорбленная всем происходящим до глубины души, я, точно Димитрий в Углич, сбежала к Слоним в Дубцы и спряталась там ото всех.

Через пару дней туда приехала наша подруга Наталия Геворкян, хорошо знавшая Березовского лично, и принялась меня уверять, что БАБ и не думает вводить в «Коммерсанте» цензуру:

– Да ему этого просто не надо! Для информационных войн ему вполне хватает и телевидения. А со своими газетами он всегда, к счастью, обращался по-раздолбайски! У него вообще другой стиль работы: он никогда не вводит цензуру в редакции, у него просто есть несколько журналистов, с которыми он плотно работает, и через них он старается оказывать точечное влияние. Но тебе-то на это должно быть наплевать!

Я просто не знала, что делать. С одной стороны, знаменитая публикация в «Коммерсанте» статьи с критикой разворота Примакова над Атлантикой (в момент махровой примаковской цензуры в других СМИ), после которой я и решила вернуться в «Коммерсантъ», стала возможной именно благодаря Лене Милославскому. И как раз вопреки Рафу Шакирову, который теперь был уволен. Милославский вообще идеологически был мне чуть ближе. И каким-то шестым чувством я подозревала, что если бы Шакиров остался главным редактором – совсем не исключено, что в момент предвыборной компании «Коммерсантъ» начало бы кренить в лужковско-примаковскую сторону. Но с другой стороны, то, как Березовский обошелся с этим хорошим главным редактором, мне претило.

И самое главное – я вообще не хотела занимать в начавшейся предвыборной компании ничью сторону – ни близкую мне, ни далекую.

И тут выход нашелся сам собой. «Меня уверяют, что БАБ не будет вводить цензуру? – подумала я. – O'k! Отлично, я принимаю эти правила игры! Я буду продолжать работать как ни в чем не бывало и писать статьи в обычном духе. Тогда и посмотрим, насколько Березовский плохой цензор. Все выяснится очень быстро: либо это окажется правдой, либо Борису Абрамовичу придется меня просто уволить», – решила я. И, успокоившись, вернулась в Москву.

Милославский встретил меня веселой прибауткой:

– Не волнуйся, Ленка! Дорогу «отсюда – на х..» я хорошо знаю! (Имелось в виду как раз его предыдущее увольнение из «Коммерсанта». – *Е. Т.*) Так что если Борис Абрамыч попытается ввести здесь цензуру, – я еще раньше тебя отсюда уволюсь!

Однако цензурные проблемы начались у меня уже через месяц. Написав статью о бардаке, творящемся в Кремле, я, как обычно, сдала ее редактору отдела политики Нике Куцылло, а она, в свою очередь, поставила текст в номер. Но за полчаса до сдачи газеты в печать нас попросил зайти сидевший в тот день на хозяйстве заместитель главного редактора Кирилл Харатьян.

– Статью надо переписать. У Милославского не совпадает с вами видение ситуации, – сказал он.

– Если у Милославского «не совпадает видение», то пусть Милославский сам и напишет статью, – в один голос ответили мы с Никой.

– Но вы меня-то поймите, девушки: полчаса до дедлайна осталось, а поставить статью в таком виде, как сейчас, я не могу. Поэтому не могли бы вы, Лена, все-таки переписать статью в том духе, как настаивает Милославский. Он считает, что Кремль уже преодолел кризис и что сейчас в администрации – слаженная, четкая, эффективная команда...

– Вот когда эта «эффективная команда» хоть что-нибудь конкретно эффективное сделает, – тогда я и напишу об этом статью. А писать такое авансом – это, знаете, как называется, – политическая реклама. – спокойно объяснила я и предупредила, что если руководство будет настаивать, то я прямо сейчас напишу не статью, а заявление об уходе.

Когда Березовский назначил в «Коммерсантъ» нового главного редактора – Андрея Васильева, у меня возник с ним очень смешной, но чрезвычайно эффективный для нас обоих устный договор, благодаря которому, как я считаю, я и смогла до нынешнего момента проработать в «Коммерсанте».

Сразу же после назначения Васильева я пересказала ему инцидент с «разным видением» кремлевской картины и предложила:

– Андрей, давайте сразу договоримся, если вам нужно написать какую-нибудь заказную статью – то МНЕ вы ее не заказывайте. Тогда у нас с вами и не будет проблем. Потому что я, к сожалению, все равно напишу то, что думаю...

И впоследствии главный редактор этот простой договор всегда выполнял.

Как-то раз, когда мы вместе с Васильевым оказались на программе «Свобода слова» на НТВ, выяснилось, что Андрей все это время тоже очень гордился такими нашими отношениями.

– Вот говорят, что «Коммерсантъ» – газета Березовского. А вон Лена Трегубова у меня, – ведь даже когда еще Березовский с Кремлем дружил, она уже тогда их всех подонками называла! – заявил Васильев в прямом эфире, приписав мне свое любимое словечко.

Должна признать, что, к чести Березовского, он вообще НИ РАЗУ за все время моей работы в «Коммерсанте» не сказал мне ни слова ни об одной моей статье. И это при том, что, как я краем уха слышала от руководства газеты, в эпоху своего недавнего активного зарубежного партстроительства наш главный акционер неоднократно бывал моими репортажами недоволен.

Даже опытный правительственный пиарщик, Лешка Волин, недавно, когда я как-то зашла к нему в Белый дом, листая при мне «Коммерсантъ», выразил крайнее недоумение по поводу «либерализма» Березовского:

– Слушай, Ленка, я не понимаю: ну как Береза все это в своей же собственной газете терпит?! Гусь бы своих за такое – убил!

И, помолчав, добавил:

– А Путин бы – закрыл.

Рома выбрал классное место

Новую «информационную войну» я заметила висящей на столбе. Возвращаясь 13 июля 1999 года из Подмосковья по Рублевскому шоссе, я увидела огромный рекламный плакат «Рома думает о семье. Семья думает о Роме. Поздравляем! P. S. Рома выбрал классное место».

Я сразу почувствовала, что эта серия «Информационных войн» (единственного качественного российского боевика) будет самой кровавой из всех предыдущих.

В том, что речь шла не о семейном празднике какого-нибудь Ромы, а об объявлении вендетты всему ельцинскому клану и, в частности, тогдашней «правой руке» Березовского по «Сибнефти» Роману Абрамовичу, сомневаться не приходилось.

Место для рекламы Рома (вернее, – его поклонник) выбрал, действительно, классное – правительственная трасса, где можно сразу, одним ударом, доставить удовольствие всем гражданам Москвы, кто догадается, что фамилия Ромы – не Иванов.

Коммерсантовские фотографы стали едва ли не единственными, кто успел сфотографировать этот рекламный плакат – он провисел меньше суток и был снят по требованию «Сибнефти». Как нам удалось выяснить, заказ на эту рекламу обошелся неким анонимам всего-то навсего в 1600 долларов. А сколько удовольствия! В общем, креатив бил ключом.

Следующим шедевром стала серия плакатов с призывом выкорчевывать «БаоБАБы», стилизованная под «Маленького Принца» и развешанная на всех центральных улицах Москвы.

Одним из авторов идеи в Кремле считали близкого к Владимиру Гусинскому пиарщика Сергея Зверева, который в тот момент, по совместительству, работал еще и заместителем главы кремлевской администрации. До того момента считалось, что Зверев – необходимое президенту «недостающее звено», посредник между «околосемейным», «подберезовым» руководством администрации и «Мостом», и именно поэтому его держали в Кремле.

Однажды, когда я зашла к Звереву в его кремлевский кабинет, «недостающее звено» с азартом подвело меня к окну, выходящему на Ивановскую площадь и сообщило:

– Вон, видите, это – машина Абрамовича. Значит он сейчас – либо у Волошина, либо у Татьяны. Он целыми днями здесь у нее торчит...

И началось... Последующие проекты были уже куда менее изящны. За один из них – публикацию в пролужковской газете «Версия» телефона и домашнего адреса старшего сына Волошина Ильи с подстрочным призывом к вкладчикам AVVA прийти и взять свои деньги, якобы украденные Волошиным, – дико хотелось прийти и надавать по морде, наоборот, коллегам из «Версии». Я до сих пор убеждена, что именно подобными заказными ударами ниже пояса СМИ разбудили в Волошине зверя.

С конца июля отдельные бои без правил превратились уже в одно, сплошное, непрекращающееся кровавое месиво. Каждое воскресенье политически озабоченные граждане жалели, что у них – не два телевизора. Потому что смотреть надо было и рупор Гусинского (киселевские «Итоги» на НТВ), и рупор Березовского (Доренко на ОРТ). При мысли же, что весь этот взаимный поток нечистот придется еще и записывать на видео, а потом планомерно отсматривать, возникал просто физический приступ тошноты.

В те выходные, когда я гостила за городом у Маши Слоним, мы выходили из положения просто: специально разделялись по разным комнатам – она на кухню, я – в гостиную, а потом, наоборот, – чтобы отсмотреть взаимные «пятиминутки ненависти» по обоим каналам. А потом, в перерывах между сюжетами, бежали друг к другу обмениваться впечатлениями.

– Ну как там Кисель?

– Занудство, как всегда. Он даже с сенсационными документами в руках мекает и бекает так, что всем уже скучно становится. А что Доренко?

– Огнево! «Расчлененку» давал! Жопу Примакова и ногу Лужкова... Весело!

Информационная война достигла апогея, когда НТВ прямо обвинило Волошина и ельцинскую дочь Татьяну в коррупции. Это было самым большим политическим (а вернее, – психологическим) просчетом Гусинского. Потому что ровно в ту секунду для кремлевского администратора виртуальная пропагандистская война вышла из политической плоскости и превратилась в отчаянную битву за собственное физическое выживание. А на фоне звучавших в тот момент угроз Лужкова расправиться с коррупционерами из ельцинского окружения после прихода к власти – глава кремлевской администрации стал еще и вожаком в борьбе всего клана именно за физическое, а не за политическое выживание.

Таким образом, стараниями своих врагов, Волошин превратился в раненого зверя, которого Лужков с Примаковым, при активной информационной поддержке НТВ, пытались выкурить из кремлевской берлоги.

И выкурили, блин, на собственную голову. Глава администрации Волошин собрал «кремлевский пул» на брифинг и объявил, что «вопрос сейчас стоит так: либо мы сломаем «Мост», либо «Мост» сломает государство». Под «государством», разумется, подразумевалась тогдашняя кремлевская команда. После этого счета «Медиа-Моста» и «НТВ-плюс» во Внешэкономбанке были немедленно арестованы.

В Кремле с прямой санкции Волошина был введен жесткий запрет для чиновников всех рангов на общение с журналистами из медиа-холдинга Гусинского. Последнего мостовского лазутчика Сергея Зверева с позором вышвырнули из Кремля.

Вслед за этим Волошин всерьез предложил коллегам даже перестать пускать в Кремль телекамеры НТВ, – чтобы оставить этот телеканал без «картинки» с официальных президентских мероприятий.

Из списков аккредитации на брифинги Волошина (как всегда, закрытые) всех мостовских журналистов тоже вычищали.

Ленка Дикун из «Общей газеты», финансируемой Гусинским, звонила и жалобно умоляла:

– Ленка, скажи, что было на брифинге! Меня Егор (главный редактор «Общей газеты» Егор Яковлев. – *Е. Т.*) просто убьет, если я ничего об этом не напишу!

И я, разумеется, рассказывала.

Ровно с тех пор в «кремлевском пуле» появился самый четкий индикатор, позволявший определять степень «вменяемости» журналиста: если ты, несмотря на войну кланов способен поделиться информацией со своим коллегой, которого лишили аккредитации, – значит, у тебя еще все в порядке с головой. Если нет – значит, пора лечиться. Или – менять профессию на кремлевского чиновника.

Со мной Волошин в тот момент вообще не вполне понимал, что делать. Вроде бы, по номиналу, я была – своя. То есть – из СМИ Березовского. С другой стороны, из-за того, что в своих статьях по отношению к обоим враждующим кланам я последовательно занимала непатриотичную позицию «оба – хуже», да еще и позволяла себе информировать читателей обо всех известных мне теневых действиях Волошина против «Моста», в какой-то момент я тоже попала под горячую руку. В начале сентября Стальевич «собственноручно» (как поспешила сообщить мне кремлевская пресс-служба) вычеркнул меня из списка на аккредитацию на свой закрытый брифинг.

Мой ответ был прост и эффективен: я в тот же день разузнала в подробностях, о чем он говорил на закрытой встрече (благо в тот момент здоровые на голову коллеги в «кремлевском пуле», все-таки оставались), и опубликовала все это на первой полосе «Коммерсанта».

Причем, если после предыдущих брифингов, на которые Волошин сам меня приглашал, я оказывалась повязана «честным журналистским словом» и могла использовать всю прозвучавшую там информацию только «без ссылки на источник», то на этот раз я, напротив, ни в чем себе не отказывала. И под каждой воинственной цитатой поставила гордое имя кремлевского администратора.

После этого Волошин быстро смекнул, что безопасней все-таки со мной дружить, чем враждовать. И с этого момента глава администрации стал не только звать меня на все брифинги, но и исправно снимать трубку, когда я звонила ему в приемную. А если бывал занят – то обязательно просил потом секретарш найти меня и связать с ним по телефону.

Меня давно занимает вопрос: почему тот же самый человек, который в тот момент смог взять себя в руки и, несмотря на все свое личное раздражение, повести себя в отношении меня настолько профессионально, – так вот, почему он же не сумел год спустя поступить столь же профессионально в отношении НТВ и отказаться от личной мести?

Я, конечно, понимаю, что я, в отличие от Гусинского, не угрожала волошинскому физическому существованию. Вполне возможно, что у людей, испытавших такой сильный физический страх, действительно примерно так же, как после инсульта – безвозвратно отмирают какие-то нервные клетки, отвечающие за умение прощать.

Но я даже не говорю сейчас о совершенно не прижившемся в России понятии «милость к поверженным врагам». Меня удивляет в данном случае только аспект профессионализма: почему такой точный и эффективный Волошин оказался настолько непрофессионален по отношению к НТВ? Ведь если бы он в 2000 году «конверсировал» собственную жажду мести и сохранил НТВ в прежнем виде – это стало бы потрясающе выигрышным ходом для имиджа новой власти и страны в целом.

К тому же, попридержав месть, Волошин не показал бы своему политическому ученику Путину того развращающе легкого способа, которым можно сворачивать головы бывшим союзникам. Чем застраховавал бы, кстати, на всякий случай, на будущее, и свою собственную, волошинскую, шею.

Легкий путинг

Даже с помощью многоточий я не решаюсь воспроизвести того густого мата, которым российская политическая элита встретила утро 9 августа 1999 года, когда вместо «с добрым утром, страна!» услышала о пятой за полтора года отставке премьера (Степашина) и назначении на его место Путина. Получив непечатный комментарий от первого десятка политиков и чиновников, до которых смогла дозвониться, я решила сделать профилактический санитарный перерыв на пару часов: просто потому что чисто конкретно вяли уши.

Зато, ценой своих завядших ушей, я сразу опытным путем установила, что окончательное решение назначить Путина принял даже еще более «узкий круг ограниченных людей», чем тот, что принимал решение об отставке Примакова и назначении Степашина.

Чуть позже лица, пролоббировавшие решение об отставке Степашина, выработали кулуарную мотивировку отставки, которая практически дословно совпадала с характеристикой, чуть раньше в беседе со мной данной Степашину за глаза Лужковым: «Это – не премьер, а тряпка. Слабак». Впрочем, лица, не входившие в судьбоносный «ближний круг» (то есть, практически, вся политическая элита) в открытую говорили о том, что объективно слабый Степашин тем не менее ухитрился все же за время своего премьерства несколько раз наступить на хвост Семье – пару раз вошел в пике с семейным «министром» путей сообщения Василием Аксененко (которого, кстати, в смутное, неврастеничное время после отставки Примакова Юмашев с Дьяченко чуть было сразу не назначили президентским преемником вместо Степашина), а также, якобы, не совсем «понял по бизнесу» Романа Абрамовича. Злые языки утверждали, что в результате именно за несговорчивость с Семьей, а не за слабость, Степашин и поплатился: был заменен по-чекистски исполнительным семейным протеже Путиным.

Как вскоре выяснилось, категорически против отставки Степашина (и, следовательно, – назначения Путина тоже) выступал в тот момент Анатолий Чубайс и даже лично встречался с Ельциным, чтобы отговорить его от этого решения. Скорее всего, именно этого (а не сомнительного факта нерасторопности Чубайса при помощи ему с трудоустройством в Москве, как принято считать в тусовке) так до сих пор и не может простить главе РАО «ЕЭС» Путин.

В тот же день мне стало известно, как были расписаны роли в последней трагикомической кремлевской драме ельцинской эпохи. Драме, финал которой (теперь уже не важно: закономерный или случайный) переломил весь ход политической истории страны на многие годы вперед.

5 августа. Ельцин, которого окружение уже накрутило, что «Степашин – слабенький», вызывает к себе премьера и с порога объявляет ему об отставке. Но Степашин ведет себя нетипично для увольняемых премьеров и задает президенту вопрос: «За что?» Ельцин обвиняет его в бесхребетности и неспособности остановить наступление Лужкова с Примаковым. Степашин возражает Ельцину, пытаясь возложить ответственность на главу кремлевской администрации Александра Волошина, затеявшего войну с «Мостом». Присутствующий на встрече Волошин понимает, что вопрос теперь стоит так: либо он – либо Степашин.

Ельцин требует встречи с министром печати Лесиным. Тот также подтверждает президенту информацию, что противостояние с «Мостом» привело к критической дестабилизации ситуации.

В этот день указ об отставке Степашина на новостные ленты так и не выпускается. Ельцин, не увидев в вечернем выпуске новостей информации об отставке, не устраивает приближенным разноса: для опытных царедворцев это – верный знак того, что президент остыл насчет отставки.

6 августа. Окружение Сергея Степашина со вздохом облегчения сообщает в кулуарах журналистам, что «все рассосалось».

7 августа. Во время заседания ассоциации «Большая Волга» премьер Степашин, говоря о событиях на Северном Кавказе, делает важнейшее политическое заявление: «Россия больше не повторит ошибок 1994–1995 годов, в Чечне больше не будут гибнуть русские солдаты».

8 августа. Появляется неофициальная информация о вторжении в Дагестан. Степашин вылетает в Махачкалу.

В это же самое время судьба премьерского – а заодно, и президентского, кресла решается в ближнем Подмосковье. На дачах руководства администрации проходят консультации с участием Романа Абрамовича и Анатолия Чубайса. Чубайс вновь высказывается резко против отставки Степашина, говоря, что тот «еще не раскрыл свой ресурс». Однако Волошин по-прежнему непоколебим и намерен идти до конца.

Ельцин назначает решающую встречу с премьером на 10.00 утра 9 августа.

Чубайс звонит Ельцину и просит назначить ему личную аудиенцию до этого срока, – все еще надеясь повлиять на решение президента.

Ельцин соглашается принять Чубайса в 9.15 утра 9 августа. Однако руководство администрации уже подготовило для Ельцина текст его речи, где Путин, по сути, объявляется преемником. Ельцин охотно соглашается с доводами своего окружения, что это – «сильный ход». Волошин также предупреждает Ельцина: «Борис Николаевич, Чубайс утром попытается вас отговорить от этого сильного хода...»

9 августа. В нетерпении сделать «эффектную рокировочку» и показать стране, какой он крутой, Ельцин приезжает в Кремль гораздо раньше запланированного – к 8.00 и сразу вызывает к себе Степашина: «Сергей Вадимович, вы свободны... Освободите кабинет для Путина... Всего доброго!» Сразу после этого Ельцин звонит Чубайсу, довольно сообщает о «рокировочке», которую только что проделал, и интересуется: «Еще какие-то вопросы у вас ко мне остались?»

После августовского провозглашения преемником рейтинг у Путина был просто копеечный – 2 %. Это, как известно, – вообще в пределах статистической погрешности.

Я специально пользуюсь здесь данными Фонда «Общественное мнение»: это – предельно лояльная Кремлю служба социологических исследований. Но даже она не питала насчет Путина никаких иллюзий.

На протяжении как минимум месяца вся политическая тусовка (за исключением самих авторов проекта под названием «Путин») от души смеялась над его президентской потенцией.

Даже у Степашина рейтинг в тот момент был гораздо выше: в августе его готовы были выдвинуть в президенты 10%. Причем за время его премьерства очевидна была динамика: с мая количество поддерживающих Степашина в качестве кандидата в президенты выросло на целых 7%.

Рейтинг доверия к Степашину, судя по ФОМовским исследованиям, рос с огромной скоростью: в мае ему доверяли 14%, в июне – уже 23%, в июле – 28%. А в августе (то есть ровно к тому моменту, когда Волошин и Семья решили отправить Степашина в отставку рейтинг доверия к нему достиг целых 33%.

Путину же, сидевшему в тот момент во главе ФСБ, в смысле «доверия населения» блеснуть было нечем. В августе 1999 года доверяли ему (по тем же, лояльным Кремлю ФОМовским данным) всего 5% населения.

А НЕ доверяли Путину в августе 1999 года (внимание, сейчас будет фокус) – целых 29% населения.

Зайдя к опытному пиарщику Алексею Волину в РИА «Новости», я поинтересовалась у него:

– Ну как тебе Путин? В смысле – как потенциальный клиент? Ты бы взялся его раскручивать в президенты?

– Не приставай с глупостями... Безнадежен, – отмахнулся от меня Лешка и продолжил заниматься какими-то более важными, текущими проблемами..

Но я не отставала:

– Лешка, вот давай предположим такую гипотетическую ситуацию: у тебя на руках вот такой вот безнадежный клиент, с таким вот низким рейтингом и вот с такими никакими публичными данными... Давай смоделируем ситуацию: существует ли хоть что-то в мире, чем его пиар-команда могла бы резко поднять его рейтинг и сделать из него президента?

Лешка почесал репу и ответил:

– Да. Есть. «Маленькая победоносная война».

Заочный рецепт Волина (пришедший, очевидно, в голову не только этому пиарщику) был выполнен безнадежным пациентом с пугающей точностью. Начиная с 9 сентября, после того как был взорван девятиэтажный жилой дом в Москве на улицы Гурьянова, рейтинг Путина стал расти как огурец в Чернобыле: по 3–4 % в неделю. И к декабрю, на пике вновь развязанной военной операции в Чечне, достиг 45%. Кстати, глава ФОМа Александр Ослон тоже неоднократно подтверждал мне, что, даже по их исследованиям, главной составляющей дрожжей, на которых вспучивало путинский рейтинг, была именно война. Удачно преподнесенная общественному мнению.

Никогда он не был на Босфоре

Стамбульский саммит ОБСЕ в конце ноября 1999 года оказался для «кремлевского пула» прощальной президентской поездкой Бориса Ельцина. Может быть, именно поэтому, теперь, когда я вспоминаю то время, все комические персонажи и анекдотичные подробности поездки в Стамбул кажутся мне исполненными какого-то эпического, законченного обаяния. Точно так же, как муравьишки и былинки, ненароком попавшие в янтарную бусинку, – все кремлевские обитатели совершали самые обычные, земные, свойственные им, мелкие ежедневные телодвижения. До того самого момента, пока всех их не накрыла волна. И тогда они застыли в самых естественных для них, бытовых, незначительных позах. Которые, однако, благодаря убившему их янтарю, приобрели какую-то вечную внутреннюю подсветку и смысл.

Кремлевский отдел аккредитации журналистов к тому времени уже окончательно превратился в какую-то турфирму. Нас вывезли в Стамбул почти на неделю.

На все мои трудоголические вопросы, зачем тратить на эту поездку столько времени, незабвенный Сергей Казаков (начальник кремлевского отдела аккредитации) произнес свою коронную, излюбленную фразу:

– Попрошу без фанатизма! Вы когда-нибудь бывали до этого в Стамбуле? Нет? Так вот: прекрасный город! Шопинг, дешевые дубленки, золото, Гранд-базар, туда-сюда! Расслабьтесь!

И мои подружки – Ленка Дикун, Танька Нетреба и Танька Малкина – пошли расслабляться. Налеты «кремлевского пула» на Гранд-базар и другие оптовые рынки города Стамбула совершались ежедневно. Дурея от избытка свободного времени, каждая из моих товарок закупила уже по несколько дубленок разных цветов и размеров: сначала – себе, потом – мужьям, потом – матерям, а потом уже и малым детям. Потом – перекинулись на украшения.

Мне, клинически неспособной к массовому шопингу и толкучке на рынках, приходилось вечерами рассматривать их добычу и выслушивать «охотничьи» рассказы:

– Нам скидку в два раза сделали! Ты бы видела, как турки Нетребе эту курточку втюхивали! «Моделька!» – говорят. Мне кажется, еще немного – и они бы ей это все уже и за бесплатно отдали!

В общем, судя по количеству трофеев в номерах «кремлевского пула», древний Царьград был разорен до основания.

Я развлекалась по-своему. Такого волшебного, свежайшего мороженого из молодых фисташек, как в маленькой кофейне на улице Истиклал рядом с Таксимом, я не пробовала ни в одной стране мира. Молоденькие французские спасатели (приезжавшие в Турцию разбирать завалы от землетрясения, случившегося накануне саммита), приходили в кофейню вместе со своей огромной поисковой бельгийской овчаркой и каждый вечер с любопытством наблюдали один и тот же аттракцион.

– Ну что, Трегубова, – еще по одной? – подначивала меня Ленка Дикун после пяти съеденных порций.

– Нет, сначала еще горячего чайку «Earl Grey», иначе я сейчас превращусь в снеговика! – просила я официанта. Но через минуту все-таки раскалывалась. – Хорошо, а потом – еще две порции мороженого!

В этот момент хозяин заведения обычно не выдерживал, начинал хохотать и приносил нам огромный чан с фисташковым мороженым:

– Our Compliments, my friends!

Приходилось делиться с бельгийской овчаркой.

Как же я обрадовалась, когда после этих дней мучительного безделья в Стамбул, наконец-то, приехала российская делегация! Я мертвой хваткой вцепилась в Лешу Громова (он был тогда еще на технической должности главы пресс-службы) и потребовала, чтобы он немедленно организовал нам встречу с главой кремлевской администрации Александром Волошиным. И Громов, который, как потом выяснилось, мечтал занять место тогдашнего президентского пресс-секретаря Дмитрия Якушкина, рьяно бросился исполнять мою просьбу.

Волошин поселился в том же отеле, что и Ельцин, самой красивой гостинице Стамбула – «Swiss Hotel Bosphorus», и вечером мы с удовольствием отправились к нему в гости.

В интерьере своего шикарного номера Волошин, почти насмерть заморенный годом кремлевской борьбы за выживание, смотрелся как только что освобожденный узник Освенцима.

Ввалившиеся щеки стильно подчеркивались мумифицированно-желтым цветом лица, а при взгляде на его фигуру было не вполне понятно, на чем там вообще висит костюм.

Впрочем, сам Стальевич отчаянно, из последних сил, не подавал виду. Почти не шатаясь, он вышел к нам навстречу, бодро поздоровался со всеми за руки (холодной, как лед, бескровной, мумифицированной рукой), и провел к себе.

Вслед за нами в полуоткрытую дверь волошинского номера незаметно проскользнул несчастный президентский пресс-секретарь Дмитрий Якушкин, которого все журналисты тогда чморили. Пока мы рассаживались на волошинской кровати, пресс-секретарь прятался то ли в прихожей, то ли в уборной. И только когда мы уже начали разговаривать, он беззвучно шмыгнул в комнату и... – ко всеобщему изумлению – быстро полуприлег на соседней кровати, на бок, картинно подперев голову ручкой. Словом, опершись локтем о гранит. В этой вальяжной позе «друзей круга Пушкина» наш кремлевский «меланхолический Якушкин» так и провел безмолвно всю беседу.

Волошин же механически, как на подкосившихся ходулях, опустился рядом с изящным, раскрытым деревянным бюро, забитым уродливыми кремлевскими циркулярами. Практически не дрожавшими пальцами он достал и зажег сигарету. Которая вскоре, когда у него уже не хватало сил затягиваться и стряхивать пепел, начала красиво прожигать дорогое дерево.

Но в целом кремлевский доходяга держался молодцом. После того как он удачно приземлился в кресло, последним, что его слега выдавало, было лишь мерное, едва заметное кругообразное покачивание головы вместе с верхней частью туловища, вокруг собственной оси. Было такое впечатление, что сейчас глава администрации запоет звук «ом». Присмотревшись к этим циклическим движениями, я вдруг поняла, что Волошин просто спит с открытыми глазами.

В какой-то момент он все-таки попался.

На один из наших вопросов Волошин живо ответил:

– Ага.

– Чего «ага»? – удивленно переспросили девчонки.

– Угу... – пояснил Волошин. И продолжал сидеть, изображая, что не спит.

Глаза его то и дело как-то сами собой закатывались (точно так же, как если спящему зверю пробовать поднять веко), но он чудовищным усилием воли смаргивал и продолжал дарить нам рассредоточенный, сведенный даже не на переносице, а на вечности, мутный взгляд спящего Будды.

Малкина решила, что глава администрации просто устал говорить о политике и поэтому с ним надо срочно побеседовать о любви:

– Александр Стальевич, а вот скажите: а какие вам женщины нравятся?

– Тарелки, – сомнамбулически проговорил Волошин.

Оказалось, что он отвечал на предыдущий вопрос, заданный Нетребой – про его хобби.

– Я в молодости раскрашивал тарелки. Разрисовывал, а потом сам обжигал. Красиво получалось.

– Неужели у вас до сих пор остались эти тарелки? Можете показать?

– Не-а. Все продал, – флегматично признался кремлевский аскет. – Денег тогда не было, вот и продал.

Нетреба, которой редакция «Аргументов и Фактов» дала задание написать заметку о «человеческом аспекте» Волошина, взмолилась:

– Ой, Александр Стальевич! А расскажите, что вы вообще обычно делаете на досуге?

Тут я уже не выдержала:

– Нетреба, да ты что, издеваешься над ним, что ли? Ну какой ему еще досуг?! Ты посмотри на него!

Стальевич удивленно вскинул на меня закрывающиеся глаза и жалко улыбнулся:

– Слушай, а что – правда заметно, да? Я действительно уже неделю не спал...

Поняв, что пользы сейчас от Волошина – как от козла молока, мы оставили его отдохнуть, договорившись попозже вместе пойти поесть.

Несмотря на странноватую компанию, это был один из самых красивых ужинов в моей жизни. Потому что вид на Босфор из ресторана «Свисс-отеля» – просто офигительный. Да и закат в тот день был какой-то запредельный.

Впрочем, глава администрации всего этого не видел, потому что сидел рядом со мной спиной к окну. А сил вертеть головой у него не было.

Работа вилкой Волошину тоже давалась с трудом. И тем более уж он не мог координировать сразу два процесса: еду и речь. Поэтому вилка со спасительным кусочком пищи то и дело безвольно зависала где-то на полпути между волошинской тарелкой и его же ртом.

Фальшиво пытаясь синтезировать в одном флаконе стерву-журналистку и заботливую женщину, я проговорила:

– Александр Стальевич, вот доешьте, пожалуйста, этот кусочек. А потом объясните мне: НУ ВОТ ЗАЧЕМ ВЫ тринадцатого октября в третий раз внесли в Совет Федерации представление на увольнение Скуратова? Вам, что, мало двух раз позора было?! Что за мазохизм!

– А просто мне уже все по фигу было! – захихикал Стальевич. – Хуже уже быть не могло, а дожать их в психологическим смысле я был должен: я им просто показал, что они могут там сколько угодно сидеть упираться, – а я, если надо, еще хоть сто раз, им назло, буду вносить увольнение Скуратова! И все равно в конце концов дожму их!

После этого обещания Волошин даже немного поел.

Душевную атмосферу ужина мне, правда, слегка подпортил сидевший напротив нас волошинский заместитель по международным делам Сергей Приходько. Политические темы его, похоже, вообще не волновали. И как только я выбиралась из-за стола, чтобы подойти к буфету и принести себе и Волошину чего-нибудь вкусненького, Приходько бросался за мной и, едва я отходила на несколько шагов от общего стола, с маниакальным упорством приставал:

– Лена, ну скажите мне: когда мы с вами встретимся в Москве?

– У вас ко мне какое-то дело, Сергей Эдуардович? – как можно более корректным тоном переспрашивала я.

– Неужели вы не понимаете, Лена! – горячился Приходько. – Я вас спрашиваю: когда мы с вами сможем встретиться наедине?

В какой-то момент эти дурацкие, водевильные домогательства так достали меня, что я не выдержала и при всех девчонках его пристыдила:

– Слушайте, Приходько, вы что – влюбились в меня?

– Да, и не скрываю этого! – нагло заявил внешнеполитический кремлевский стратег.

– Тогда будьте любезны держать себя в руках и не приставать ко мне больше с этой вашей проблемой – вы же все-таки серьезный государственный чиновник, Сергей Эдуардович, отвечающий за лицо государства, – напомнила я под общий хохот коллег.

Тем временем Ельцин уже готовил свою скандальную стамбульскую речь о том, что западные страны «НЕ ИМЕЮТ ПРАВА упрекать Россию Чечней». Как признавался тогда в кулуарах Герхард Шредер, из-за непримиримой позиции России по Чечне саммит уже был на грани срыва. И даже российский министр иностранных дел Игорь Иванов обронил в неофициальной беседе, что «кое-кто уже сравнивал этот саммит с Карибским кризисом».

Закончился же для меня этот исторический саммит опять в «Свисс-отеле». Игорь Иванов, уже упаковав чемоданы, вышел в фойе гостиницы пообщаться с прессой.

– Отечественная дипломатия одержала победу, – провозгласил министр. – Потому что в Хартию европейской дипломатии не был вписан пункт о том, что нарушение прав человека «не является внутренним делом государства»...

В ярости от слов Иванова, я уселась неподалеку в кафе «Свисс-отеля», заказала себе чизкейк и, любуясь напоследок дневным босфорским пейзажем, принялась писать злобный репортаж. Тут зазвонил мобильный. Это была моя мама, только что посмотревшая в Москве по телевизору репортаж об итоговом брифинге Иванова.

– Знаешь, дочурка, о чем я хочу тебя попросить: ты, пожалуйста, у Иванова больше за спиной под телекамерами не стой, – на полном серьезе заявила мне мама. – При твоем высоком росте это как-то слегка унижает российскую дипломатию...

Вот ровно такими все тогдашние ельцинские придворные и застыли навечно в стамбульской янтарной бусинке, припрятанной на дне моей диггерской сумки. Потому что через сорок дней, 31 декабря 1999 года, в момент объявления Ельцина об отставке, для всех них началась уже новая «жизнь после смерти».

А я с тех пор, каждый раз, оказываясь в Стамбуле, заезжаю в «Swiss Hotel имени Волошина» поужинать – в память об ушедшей ельцинской эпохе.

Кстати, через несколько месяцев, когда там произошел теракт, я, зайдя к Стальевичу «в гости» в Кремль, посетовала:

– Слушайте, наш босфорский «Swiss Hotel»-то чуть не взорвали!

Он вопросительно на меня посмотрел:

– Какой «Swiss Hotel»?

Я стала напоминать ему про его «тарелки».

И тут Волошин расхохотался:

– Слушай, представляешь: а я ведь вообще ничего этого не помню! Знаешь, я тогда в таком состоянии был, что вообще ничего вокруг себя не замечал... Так что мне – что был в Стамбуле, что не был...

Глава 10

ТЕНЬ ПОБЕДЫ

Абсолютно помимо собственной воли кремлевскую победу на декабрьских выборах 1999 года мне пришлось отпраздновать аж дважды: сначала в Кремле с Волошиным, Юмашевым и Дьяченко, а потом – еще и с Березовским в Доме приемов «Логоваза». Даже тогдашний глава ФАПСИ, предложивший мне в Кремле в ночь выборов выпить с ним коньяку за победу, тут же на всякий случай хмуро добавил: «Которая, правда, состоялась вопреки вашим стараниям...».

Своей я эту кремлевскую победу действительно не считала. Я вообще чувствовала себя примерно как на свадьбе любимой подруги, выбора которой я не одобряю. С одной стороны – вроде бы праздник, все радуются. А с другой стороны: ну вот точно я знаю, что этот ее женишок, долболоб-военный, сразу же после свадьбы, как только гости разойдутся, начнет ее лупасить почем зря. А с третьей стороны, думаешь: ну а может быть, этот-то все-таки чуток получше, чем прежний ее хахаль – наркоман и бабник.

Вот примерно так я кремлевский «День победы» и справила.

Одна ночь с Александром Стальевичем

Я всегда знала, что в журналистике – точно так же, как в жизни: если нельзя, но очень хочется, – то можно.

В декабре 1999 года шеф-редактор «Коммерсанта» попросил меня сделать нечто абсолютно невозможное: попасть в Кремль в ночь подсчета итогов думских выборов:

– Вон, Лужков с Примаковым кричат, что Кремль будет фальсифицировать выборы в пользу «Единства». Вот ты и пойди посмотреть, как Кремль это будет делать!

Я прекрасно понимала, что никто, никогда, ни при каких обстоятельствах и ни за что в Кремль ни одного журналиста в ночь выборов не пустит. Они ж там все-таки еще не совсем больные на голову.

Пришлось уповать только на мой вышеуказанный журналистский принцип: очень хочется – значит можно.

«Елки-палки, зря я, что ли, столько лет протусовалась в администрации?!» – подумала я и решила на практике применить те уроки византийских интриг, которые мне столько раз преподавали кремлевские профессионалы.

Пришлось провернуть хитрую многоходовку. Первым делом нужно было заманить к себе в редакцию главу кремлевской администрации Александра Волошина. Для этого сначала пришлось долго убеждать Волошина в том, что ему срочно необходимо встретиться с руководством нашей газеты. А уже потом, когда я получила волошинское согласие, – уговаривать руководство газеты, что встреча с Волошиным им нужна позарез.

В результате, в назначенный день все ведущие журналисты «Коммерсанта» собрались в предвкушении встречи с «кремлевским барбудо» в нашей каминной комнате для летучек. Я судорожно дописывала какую-то статью в завтрашний номер. Мобила разрывалась: то Волошин извинялся, что задерживается из-за пробок на дороге («Как, разве вы не на танке едете?» – на автомате переспрашивала я), то гендиректор «Коммерсанта» Леня Милославский просил меня спуститься и встретить Волошина на крыльце.

– Да?! Может, мне еще, как Ярославне, взять беленький платочек и помахать ему с крыльца? – возмущалась я.

– Ну знаешь, – тебя он хотя бы в лицо знает, – растерянно оправдывался Милославский. – А я ему что скажу: «Здрасьте, я Леня...»?!

В результате, Волошина пришлось встречать все-таки мне.

Милославский, которого я торжественно представила Стальевичу, успел язвительно шепнуть мне на ухо:

– Ну, блин, Ленка, у тебя и друзья...

Встреча прошла душевно: «мой друг» открещивался от Березовского, обещал замочить НТВ и в довершение предлагал напрямую из Кремля цензурировать тексты журналистки Трегубовой. В общем, шутил в своем обычном стиле.

В момент всеобщего веселья я молниеносно воспользовалась ситуацией и ввернула:

– Да, кстати, Александр Стальевич, тут вот главный редактор командирует меня писать репортаж о том, как девятнадцатого декабря вы в Кремле будете подтасовывать результаты выборов. Организуйте мне там, пожалуйста, доступ во все ваши секретные службы!

Волошин захихикал. Главный редактор – тоже. Все 25 присутствовавших журналистов – захохотали. И Волошин вдруг понял, что теперь уже ему не отвертеться.

– Ну ладно, приходи, я не против...

Так Кремль был побежден его же собственным оружием.

Я все-таки до последнего сомневалась, сдержит ли Волошин слово. Тем не менее в день выборов, в воскресенье, я на всякий случай решила как следует выспаться впрок – вдруг придется работать всю ночь. В 4 часа дня меня разбудил телефонный звонок: это был не Стальевич, а моя бабушка, которую я, по нашей с ней традиции, должна была вести голосовать на избирательный участок у Триумфальной арки на Кутузовском.

– Пока ты дрыхла, я уже сама сходила и проголосовала! – гордо заявила она.

– За кого же это, интересно?

– Как это за кого?! Я – за молодых! – смешным, нарочито старушачьим голосом отрапортовала бабушка.

Я знала, что под «молодыми» у нее имеется в виду «Союз правых сил».

– Все равно твои «молодые» никуда не пройдут! – сонно пробубнила я.

Тут трубку у бабушки перехватил мой старший брат Григорий, который голосовать принципиально никогда в жизни не ходит, да и вообще уже несколько лет из своей башни из слоновой кости – ни ногой. Даже новостей по телевизору не смотрит – из брезгливости.

Но тут он неожиданно бодрым голосом потребовал:

– Сестра, вставай! Представляешь, тут действительно какая-то чушь творится: там эти Чубайс с Немцовым, похоже, правда, проходят в Думу. На первом месте – «Единство», а Лужков с Примаковым со своим «Отечеством» – вообще в заднице!

– А откуда ТЫ все это знаешь?! – изумилась я. – Еще же не кончилось голосование!

– Да тут все радиостанции только об этом и говорят! Даже соседка наша прибегала рассказывать! Там в интернете этот... как его, Павловский, что ли, вывесил результаты «exit pools» – опросов избирателей на выходе с избирательных участков...

Чтоб мой рафинированный, аполитичный брат – да вдруг не побрезговал узнать, что такое «exit pools»! Я была просто потрясена таким невероятным примером эффективности кремлевских избирательных технологий.

Моментально вскочив с постели, я помчалась... голосовать. «За молодых», как велела бабушка. По дороге я вдруг начала хохотать сама же над собой: я ведь тоже стала жертвой Павловского! Ведь если бы я была уверена, что «правые» опять все профукали и не попадают в Думу, я бы, разумеется, не стала тратить свой выходной на голосование!

В журнале-то «Власть» я, конечно, абсолютно точно спрогнозировала неделей раньше такой расклад голосов. Но одно дело – прогнозы в статье, а другое дело – тратить личное воскресенье на аутсайдеров.

Едва я успела, справив гражданский долг, отойти от урны, позвонила секретарша Волошина:

– Лена, Александр Стальевич ждет вас часам к восьми вечера. Сможете подъехать?

В Кремле было пусто, как после ядерной войны.

Поднявшись в кабинет Волошина, я застала его там ОДНОГО. И даже в приемной никто не ждал. Картина – нереальная.

Он усадил меня в кресло за журнальным столиком, а сам направился к письменному столу:

– Подождешь минутку? Мне надо с Путиным поговорить...

Когда секретарша соединила его по телефону с Путиным, Волошин безо всякого пиетета, а наоборот, – тоном старшего товарища, произнес в трубку:

– Володь, слушай, мы тут все договорились к одиннадцати часам вечера подъехать в штаб «Единства». Ты тоже подъезжай, ладно? Нужно ребят поздравить. Ага, ну пока...

Я напомнила Волошину, что он обязан отвести меня «туда, где подтасовывают результаты» – в так называемый Ситуационный центр президента, организованный ФАПСИ.

– Да ничего там интересного нет, – засмеялся Волошин. – Они даже мне вон старье какое-то подсовывают – посмотри!

Я взглянула на сводки на столе у Волошина и убедилась, что он действительно знал не больше, чем к тому моменту, стараниями Глеба Павловского, знала уже вся Москва.

– Ну ладно-ладно, любопытная Варвара, – пойдем, я отведу тебя в Центр...

И Волошин проводил меня на первый этаж, в строго охраняемую зону, куда стекалась вся информация по выборам.

Меня ожидало горькое разочарование. Центр представлял из себя просто большую комнату с парой мониторов, где выводились те же данные, что и в Центроизбиркоме, и третьим монитором, вообще включенным на канале НТВ. Вот и все государственные тайны...

– В принципе, мы могли получать данные о результатах голосования напрямую, минуя Центроизбирком, потому что электронная система подсчета голосов ГАС «Выборы» работает как раз по нашим каналам, – откровенно признался мне глава ФАПСИ Владимир Матюхин, спокойно глушивший коньяк в отдельной комнатке ситуационного центра. – Но у них там все время почему-то какой-то файл не проходит...

Короче, ФАПСИ не оправдало в моих глазах своей репутации суперосведомленного ведомства. Работа у подчиненных господина Матюхина шла из рук вон плохо – если им и удавалось вывести на мониторы какие-то собственные цифры, то они все равно опережали официальные ЦИКовские данные всего лишь минут на 10–15.

Впрочем, Кремлю суетиться уже было нечего – мочилово конкурентов и без того благополучно завершилось.

Когда после полуночи в Кремль на совещание к Волошину начала съезжаться вся кремлевская тусовка, ко мне подскочил ликующий Юмашев:

– Вот, Лена, смотрите, как мы работаем!

Валя вытащил из кармана свой пейджер и гордо показал мне сообщение, датированное 9.51 утра воскресенья: «Это очень похоже на победу. Перезвони. Глеб».

В том, что отправителем был тот же самый Глеб, который в тот день разнес весть о победе «Единства» по всей стране еще до закрытия участков, сомнений быть не могло. Павловский стал безусловным героем дня. Победная истерия, которой политтехнолог умудрился за несколько часов инфицировать, как вирусом, через интернет, всю страну, наверняка добавила по нескольку очков и «Единству», и СПС. Публикация результатов опросов в день выборов, по тогдашнему закону, была запрещена. Но судить победителей было уже просто некому. Да и незачем. Фарш невозможно провернуть назад.

В отличие от своего будущего супруга Татьяна Дьяченко старалась держаться невозмутимо, как будто она никогда и не сомневалась в таких результатах выборов, как будто еще 5 месяцев назад у «Единства» не было катастрофических 3 %.

– Что вы, Лена, о каких неожиданностях можно говорить: у нас все было с самого начала абсолютно просчитано...

Юмашева же, наоборот, на моих глазах все больше захлестывала эйфория, граничившая уже с истерикой. На кону ведь действительно стоял вопрос о жизни и смерти ельцинского окружения, и в отличие от меня, журналистки, для Вали эти слова имели не образное, а самое что ни на есть буквальное значение.

В том, что Лужков с Примаковым, придя к власти, не замедлили бы расправиться с Ельцинской Семьей, не сомневался тогда никто из заинтересованных лиц.

И именно в минуту победной эйфории после пережитого недавно животного страха за собственную шкуру, Валентин Борисович Юмашев и раскрылся лучше всего. Будущий ельцинский зять скакал как мячик перед монитором, не переставая потирал ручки, неестественно хихикал и корчил издевательские гримасы монитору, на котором выступали Лужков с Примаковым.

Словом, бывали в моей жизни эстетические переживания и получше.

В какой-то момент Юмашев совсем уже сорвался и затеял визгливую перепалку со своими виртуальными врагами на телеэкране:

– Что же вы нам все про коммунистов да про коммунистов говорите?! Вы бы нам про свои результаты рассказали!!!

– Валь, интересно, а что бы вы сейчас сами на месте Лужкова говорили? – не удержалась я.

– А я бы на его месте вообще застрелился. Причем еще до выборов! – не задумываясь ответил Юмашев.

Невольное участие во всей этой вакханалии вызвало у меня тяжкое раздвоения личности. С одной стороны, мне были глубоко противны лозунги, под которыми шли на выборы Лужков с Примаковым. И я точно знала: лучше уж кто угодно – но не академик-эсвээровец с заскорузлыми советскими дружками.

Но зрелище ликования людей, которым из-за своего мелкокорыстного устройства мозгов удалось довести страну до такого позорного выбора: Лужков с Примаковым – или Путин, «Единство» – или «Отечество» (которые потом к тому же еще и сразу после выборов объединились) – вызывало не меньшее омерзение.

Впрочем, Валентин, кажется, не замечал, какое шокирующее впечатление производил весь этот его танец папуаса над убитым иноплеменником. Он подсел ко мне и стал вдруг ни с того ни с сего задушевно объясняться в любви:

– Я так вас любил, Лена... А вы...

Я изумленно подняла на него глаза:

– Что – я?!

– Ну, вы гадости про президента писали...

– Не надо передергивать, Валь: я не про президента гадости писала, а лично про вас.

Но Юмашеву даже это мое замечание не испортило благодушного настроения:

– Знаешь, может быть, на следующей неделе созвонимся и встретимся, поговорим... – резко перешел он на приятельское «ты».

В этот момент в зал, к моему счастью, вошел Волошин и подсел ко мне с другой стороны. Таким образом, действующий глава администрации оказался от меня по правую руку, а бывший – по левую. Увидев, что беседа с нынешним кремлевским главой вызывает у меня куда больший интерес, Валя ретировался к своей подружке Тане, которая все продолжала одиноко стоять перед мониторами.

Таким, как в ту ночь, я Волошина никогда, ни до, ни после, не видела. Чаще всего, общаясь с журналистами, он выглядел невероятно зажатым, с тихим, как бы неуверенным, слегка заикающимся голосом, с застенчивым хихиканьем и затуманенным взглядом аллигатора, медитирующего перед броском на новую жертву.

Но когда Стальевич вернулся в Кремль, объехав вместе с Путиным предвыборные штабы «Единства» и СПС с «парадом победы», я просто не поверила своим глазам. Это был абсолютно другой человек. У него пунцовым румянцем горели щеки, сияли глаза, и, хотя улыбка на его лице была все-таки, как обычно, застенчивой, он выглядел абсолютно счастливым и каким-то необычайно расслабленным.

– Путин потом поехал еще и к коммунистам в штаб... – выдохнул он, закуривая. – Сотрудничать же в Думе с ними надо как-то будет...

– А что ж вы с ним не поехали? – поинтересовалась я.

– Устал...

Я в первый и последний раз в жизни услышала от этого абсолютно железного человека жалобу на усталость, да и вообще – впервые обнаружила у него хоть какие-то человеческие эмоции.

Но мало того: в первый и последний раз я почувствовала от Волошина легкий и приятный запах спиртного – я поняла, что в штабах ему пришлось вместе с Путиным наотмечаться с рядовыми соратниками.

К нам начали подходить волошинские заместители – Владислав Сурков и Джахан Поллыева, на лицах которых было написано откровенное недоумение: почему вместо общения с ними он тихо и счастливо сидит на стульчике рядом с журналисткой.

Через несколько минут обделенный вниманием начальства Владислав Юрьевич Сурков нервно облил свою белую рубашку кока-колой и отпросился у Волошина домой переодеваться.

А Джахан Реджеповна Поллыева подкараулила меня по дороге в туалет и зашипела:

– Ну и долго ты еще здесь в своей мини-юбке вышагивать будешь?!

Я поймала завистливый взгляд несчастной кремлевской женщины на своих коленках, не прикрытых юбкой (размера вполне-таки миди, но все-таки, конечно, куда более сексуальной, чем наряды чиновниц), и сочувственно улыбнулась в ответ.

Впрочем, ту ночь в ситуативном центре в Кремле у меня все же состоялось одно любопытное знакомство: с будущим путинским министром обороны Сергеем Борисовичем Ивановым.

Бывший разведчик Иванов в личном общении оказался невероятно светским и по-настоящему gentle.

– Сережа, давно хотела с вами познакомиться! – подсела я к ему. – Вот многие мои коллеги опасаются, что после выборов Путин закрутит гайки и ликвидирует в стране свободные СМИ. Вы ведь, говорят, его давний соратник по работе в советских спецслужбах – что вы на это скажете?

– Ну что вы! Я вам скажу: это – ложные страхи. Вы поймите: мы с Владимиром Владимировичем оба долго проработали в советское время за границей. Мы уже тогда видели, что где-то есть другая, цивилизованная жизнь! И поэтому мы оба – цивилизованные люди. Так что все это ерунда, когда про нас говорят, что мы введем какие-то силовые меры и уничтожим оппозицию...– мягким, проникновенным, любезным, почти бархатным (ровно настолько, насколько позволяла природа) голосом заверил меня Иванов, приветливо, располагающе, обволакивающе и успокаивающе улыбаясь.

И сразу же куда-то бесследно исчез.

Скоро Волошин предложил:

– Слушай, пойдем ко мне наверх, тут все равно сейчас нечего делать...

Я с радостью согласилась.

У себя в кабинете Воло́шин просто упал в кожаное кресло и несколько минут был не в силах не только вымолвить ни слова, но и пошевелить рукой. Истлевшая сигарета в которой грозила уже вот-вот осыпаться на пол.

– Знаешь, все это глупости, что Кремль находился в кризисе, – проговорил он, выйдя из оцепенения. – Да при желании мы бы могли еще хоть пятерых президентских «преемников» сменить! Власть мы, в конце концов, или хрен собачий?! Понимаешь: власть – это действительно великая сила. Я даже не говорю сейчас про какой-то там «административный ресурс»! Достаточно было просто почувствовать себя властью, почувствовать себя силой, перестать бояться всех и вся...

– ...Как это делал, например, ваш предшественник Валя Юмашев, – докончила мысль я.

Обычно подчеркнуто корректный в оценках своих коллег, в этот момент Волошин сделал исключение:

– Да, был у нас такой... период в недавней истории... – проронил он, аккуратно подбирая слова.

После секунды молчания он со смехом добавил:

– А меня, знаешь, как Лужок с Примаковым боялись! Я как-то случайно встретил Примакова здесь в коридоре, когда он к президенту приходил жаловаться на меня, – так он ка-а-к припустил от меня на своих этих костылях ковылять по коридору! Мне даже жалко его стало...

Мы с главой администрации посмеялись и над предвыборным анекдотом про него: «Во время избирательной кампании журналисты спрашивают Волошина: «А правду ли говорит Лужков, что это вы приказали не давать московскому мэру воздушного коридора для предвыборного облета Подмосковья?» «Правда, – отвечает Стальевич. – Потому что командование ПВО отказалось выполнить другой мой приказ: поднять в воздух эскадру истребителей и открыть по лужковскому вертолету огонь на поражение».

– Александр Стальевич, а объясните все-таки: кто придумал Путина? – подхватила я его откровенное настроение.

Но тут задремавшая было животная осторожность Волошина моментально проснулась:

– Как это кто «кто придумал»? Ты что вообще такое спрашиваешь?! Придумал – Путин Владимир Владимирович! Он у нас – самостоятельный политик! – строжась, ответил хранитель кремлевских секретов.

– Он – «у вас» – без сомнения! – посмеялась я.

– Ну так! Аск! – довольно улыбаясь, вставил Волошин свое любимое сленговое словечко.

Тем не менее задав другой сакраментальный вопрос – о здоровье Ельцина, я получила более откровенный ответ:

– Ты знаешь, я бы сказал, что он даже слишком здоров...– признался Волошин. И тут же пояснил свою мысль. – Помнишь, когда мы на саммите Совета Европы в Стамбуле были? Так вот там он приготовил крутую речь, от которой бы никому мало не показалось! Типа «да вы все вообще заткнитесь, козлы!»

– Так ведь он ее и озвучил! Сказал, что Чечня – не их дело, и что они все «не имеют никакого права» обвинять Россию, – вспомнила я.

– Да нет, ты не понимаешь! То, что он написал сначала, было бы вообще скандалом!

– Что, было еще круче?

– Во много раз. И я ему сначала исправленный вариант положил...

– То есть вы президенту подсунули другой документ?! – в восторге переспросила я.

– Да нет, ну не совсем так... Просто любой ведь текст выступления проходит через правку... Вот я и велел напечатать текст уже с исправлениями, где я смягчил формулировки... Отдал ему, а он заметил, что там исправлено, – представляешь?

– И что?

– Что-что! Скандал мне устроил! – рассмеялся Волошин. – Взял ручку и прямо в тексте переправил все обратно, как было...

– Ну? А потом?

– Ну а я, разумеется, переправил все заново и опять отдал машинисткам... Потом снова принес ему...

– И на этот раз он уже не заметил?

– Какой там! Заметил, еще как! Он же хитрый – он как только текст получил, сразу – раз – и на то самое место смотреть! Ругался минут пять! «Уволю!» – говорит. А я отвечаю: «Хорошо, Борис Николаич. Увольняйте. Я готов. Если вы хотите разругаться со всей Европой, то, пожалуйста, возвращайте в текст все, как было».

Он насупился, сел за стол, исправил все опять по-своему, как было, и сказал мне: «Еще раз исправите – уволю».

– А как же тогда получилось, что в Стамбуле он не прочитал этого с трибуны?

– Как-как! Ну что ты как маленькая! Ну конечно же я опять все переправил на свой страх и риск. Но – что ты думаешь: наш президент и здесь не дал промах. Перед самым выступлением он взял в руки текст, перечитал, потребовал ручку и прямо от руки, поверх текста вписал: «Вы не имеете права!» Ну и так далее, по тексту, – то, что ты слышала в Стамбуле. Вот! А вы все говорите – «больной»... Все равно, конечно, прочитал он это, в результате, в более мягком варианте, чем было сначала... Но меня за это чуть не уволил.

Было что-то необычное для кремлевских чиновников, можно даже сказать – мужественное, в том, что Волошин, говоря о Ельцине за глаза, не сюсюкал и называл главу государства не слащавым «Борис Николаевич», как все остальные, а чаще всего просто «он». Ну, или на худой конец – «президент».

В 6 часов утра, когда Ельцин позвонил Волошину, у главы кремлевской администрации уже совсем не было сил даже на то, чтобы попросить меня выйти из кабинета на время разговора с главой государства. Пришлось мне сделать это самой – проявив небывалый журналистский такт исключительно из жалости к волошинскому плачевному состоянию.

– Ну, в общем, президент доволен, – пересказал мне Александр Стальевич через три минуты. – Только говорит, что «коммунистов у нас многовато получилось». Ну ничего. В следующий раз сделаем меньше...

По цвету лица и направлению взгляда Волошина (если быть точной, то смотрел он в тот момент на собственный затылок, причем изнутри) я поняла, что еще пару минут – и он упадет в обморок от нервного истощения за все эти месяцы борьбы за выживание, которые только сейчас, когда он, наконец, расслабился, дали себя знать.

– Слушайте, Александр Стальич, – а пошли куда-нибудь позавтракаем. А то, я чувствую, вас скоро из этого кабинета вперед ногами вынесут.

Волошин обрадовался как ребенок и вскочил с места:

– Пойдем, конечно! А ты думаешь, сейчас где-то еще открыто?

Но оказалось – обрадовался он напрасно. Мы друг друга не поняли.

Когда я открыла ему большую государственную тайну, что в Москве полно круглосуточных ресторанов и клубов, он сразу погрустнел:

– А-а... Не-е, я думал, ты имеешь в виду, что где-то здесь, в Кремле, еще что-то работает...

– А за пределы Кремля вам, что, выбраться уже слабо?! – изумилась я.

– Ну я же не могу так просто выйти... Ты понимаешь, мы сейчас с этой моей охраной замучаемся... Я же даже на дачу переехал, потому что на моей старой квартире мне уже просто перед соседями неудобно было из-за этих моих «топтунов»...

Я заручилась обещанием Волошина, что он немедленно попросит секретаршу накормить его, потом проинспектировала его комнату отдыха, где он поклялся «немножко вздремнуть» (там оказался просто-таки ильичевского призыва узенький неудобный диванчик), и пошла из Кремля восвояси.

Когда мы прощались, Стальевич облегченно вздохнул, как человек, только что закончивший адский труд и который теперь может расслабиться. В тот момент я еще не знала, что в этом вздохе скрывалось гораздо больше, чем могло показаться: ведь для Волошина в ту ночь, по сути, уже закончились победой не только думские, но и президентские выборы. И, разговаривая со мной, глава администрации уже прекрасно знал, что через несколько дней Семья, уломав больного Ельцина подать в отставку, сделает «самостоятельного политика» Путина легальным президентским наследником.

Как Валя потряс дом Нирнзее

В день публикации моей статьи о «ночи с Волошиным» разразился скандал.

В 8 часов утра Юмашев позвонил мне на мобильный:

– Лена! Как вы могли! – перешел он опять на «вы».– Я вам свой пейджер, думаете, для чего показал?! Чтобы вы в газете про него писали?! Если б я знал, что вы в Кремле как журналистка сидите, я б вам свой пейджер не показывал!

– Не поняла, Валь, а ты думал – я в Кремле как КТО сижу?! – впервые в жизни от крайнего изумления обратилась я к Юмашеву на «ты».

– Ну, я думал, ты там – как подруга Александра Стальевича...

– Да ты что, с ума сошел?! Какая я ему подруга?! Я ведь тебе прямым текстом сказала, что собираюсь писать репортаж! Ты же меня не первый день знаешь и прекрасно помнишь: когда мы с тобой разговаривали наедине и ты просил об этом не писать, я всегда держала слово и не публиковала ни строчки! Разве не так? Ты бы и сейчас мне мог про свой этот пейджер то же самое сказать. Но ты же ведь мне сам стал хвастаться вашей «хорошей работой», тебя никто за язык не тянул!

Но в мозгу у Юмашева, как дурная заноза, засела «подруга Волошина», и он еще раз десять повторил мне, что «не понял моего статуса в Кремле». Я почувствовала, что Валя подставился и, поняв это, он, по своему доброму обычаю, просто ищет, на кого бы спихнуть вину.

Вредоносность Валиного занудства усугублялась еще и тем, что разговаривала я с ним, по пояс высунувшись из окна: мой тогдашний мобильник не пробивал через вековые метровые стены «дома Нирнзее». И все мои попытки унять юмашевские пудовые рыдания с интересом выслушивали соседи на всех девяти этажах.

Кроме того, на дворе, кстати, был совсем не май месяц, а наоборот, декабрь, а Юмашев, между прочим, поднял меня с постели в чем мать родила.

Почувствовав, что еще пару минут таких бесед нагишом на морозе – и я превращусь в посмертный памятник Снегурочке, я решила срочно утихомирить Юмашева не пряником, а кнутом:

– Ну что за истерики, Валь! Что за эгоцентризм! Ты бы лучше о президенте так заботился, как о себе!

Я старалась говорить как можно тише. Но акустика в квадратном внутреннем дворике-колодце «дома Нирнзее» – как в оркестровой яме. И для моих перебуженных соседей мой заговорщический шепот, по видимому, придавал всей этой сцене еще большую ценность подлинного драматического искусства: сначала на моем этаже, а потом и на всех остальных этажах из окон по пояс высунулись заспанные зрители и начали угрюмо сопереживать кремлевской трагикомедии. Причем я кожей чувствовала, что их зрительские симпатии – не на моей стороне. Хотя бы потому, что собеседника моего они не видят.

Я срочно прикрыла срам одеялом и продолжила с гневным сценическим придыханием:

– Валя! Ну почему ты вообще все время думаешь, что все вокруг только на тебе и зациклились?! Что, всей Москве, по-твоему, сейчас больше делать нечего, как думать о твоем пейджере?!

Но несмотря на мои психотерапевтические пассы, вся политическая Москва в этот день действительно только и говорила что о юмашевском пейджере. Профессиональный самопиарщик Глеб Павловский по полной программе использовал ситуацию для раскрутки собственной персоны. Вечером он заявился в эфир НТВ и стал героем дня. Евгений Киселев зачитал в студии эпизод из моей статьи про Валин пейджер и попросил Павловского прокомментировать. А тот, разумеется, ни секунды не заботясь о сохранении лица Юмашева, все про пейджер подтвердил, да еще и, по сути, провозгласил, что это как раз он, по сговору с бывшим кремлевским главой администрации, выиграл выборы с помощью публикации своих «exit pools».

На совещании в Кремле из-за Валиных откровений, разумеется, тоже был скандал. Юмашеву вставили по первое число за то, что он ради бахвальства раскрыл причастность администрации президента если не к черным, то уж точно не к белым избирательным технологиям Павловского.

Формально интернет-сайт, на котором глава Фонда эффективной политики провернул всю операцию, не являлся СМИ, и поэтому не подпадал напрямую под закон о выборах, запрещавший в день выборов публикацию результатов опросов (как одну из самых эффективных форм агитации). Кроме того, хотела бы я в тот момент взглянуть на Примакова, подающего в суд на Павловского или Юмашева за этот черный пиар. Проигравшие попрятались в норки и только и мечтали о том, как бы им поскорее замолить грехи перед новым режимом, чтобы потеплее пристроиться в будущем. Однако это был тот краткий момент новейшей политической истории, когда Кремль еще слегка стеснялся собственной наглости. Поэтому Валентина Борисовича, как мне с хохотом рассказывали кремлевские обитатели, коллеги, не сговариваясь, замучили однотипным вопросом: «Слушай, а ну х... ты вообще там своим пейджером начал размахивать?!»

Меня больше занимал другой вопрос. Откуда Валя в 8 часов утра уже знал о том, что написано в моей статье? Разгадка нашлась быстро. Собственно, достаточно было вспомнить наш разговор с Валей: когда я напомнила ему, что прямо предупредила о намерении написать репортаж, он своим обычным плачущим голосом возразил:

– Да нет, я только вчера вечером узнал, что ты репортаж пишешь...

«Вчера вечером» узнать о содержании моего репортажа Валя Юмашев мог только из единственного источника. И элементарная разгадка персоны «лазутчика» меня отнюдь не радовала. Потому что человеком этим оказалась наша бывшая коллега, незадолго до этого сменившая профессию журналиста на должность кремлевской чиновницы – Наталья Тимакова (сегодня занимающая пост главы пресс-службы президента). Накануне, когда я писала репортаж, Наташка зашла к нам в «Коммерсантъ» «попить чайку и поздравить всех с Новым годом». Она «по старой памяти» попросила разрешения у тогдашней начальницы отдела политики Вероники Куцылло войти в редакционную компьютерную систему, чтобы прочитать мою статью. Вероника разрешила – при условии, что Наташка прочтет репортаж именно как бывшая коллега, а не как «кремлевский шпион».

Моментально пробежав текст, Тимакова заявила мне:

– Статья, конечно, отличная. Но ты же понимаешь, что этот текст нельзя публиковать! У Вали же будут из-за этого большие неприятности!

– А ты не считаешь, Наташ, что это Валины проблемы? Он – взрослый мальчик и сам должен понимать, что говорит. Я же все-таки работаю не в его пиар-службе, а в газете.

Но Наташка не унималась:

– Ну мы тогда завтра Стальевичу на совещании устроим выволочку! Ему мало не покажется! Будет знать, как журналистов в Кремль приглашать!

Я на всякий случай поинтересовалась:

– Кто это «мы устроим»?

– Ну... я и Валя...– не моргнув глазом, с уверенной хлестаковской интонацией ответила Тимакова и попыталась перейти к угрозам. – Учти, я тебе по-дружески говорю: мы тебя в Кремль больше не пустим!

– Знаешь, Наташка, не вы меня туда пускали, не вам меня туда и прекращать пускать. Ты бы на моем месте, если бы оставалась журналисткой, поступила бы точно так же, разве нет? – закончила я разговор.

Тимакова ушла в бешенстве, но, впрочем, перед уходом, по требованию своей бывшей начальницы Вероники Куцылло, все же поклялась нам, что до выхода публикации не разгласит ее содержания кремлевским сотрудникам.

– Не переживай, Ленка! – постаралась меня успокоить Ника Куцылло, как только новая кремлевская чиновница удалилась. – Знаешь, по-моему, Тимакова просто ревнует к нашим журналистским успехам. Она-то ведь теперь дорвалась до Кремля, информации у нее много, а писать она про это больше не может – представляешь, как ей обидно? По-моему, в ней просто до сих пор борется журналистка и чиновница...

На следующее утро, после того как Валя проговорился мне, что он узнал содержание текста накануне вечером, нам стало ясно, кто же победил в этой схватке внутри бедной Наташки.

Я старалась воспринимать эту историю с Тимаковой просто как факт чужой биографии. Но при этом никак не могла отделаться от гнетущего впечатления, что на моих глазах произошла мутация талантливого журналиста в обычного чиновника, с традиционным для чиновников набором моральных качеств. Просто как в фильме ужасов про вампиров, типичный голивудский сюжет: девушку уже укусил вампир, но какое-то время внешне она все еще напоминает человека, и поэтому друзьям все еще жалко вколачивать в нее осиновый кол. Жалко – но только до тех пор, пока у нее внезапно не отрастают клыки и она не пытается вас пожрать. В общем, John Carpenter, «Vampires», Kremlin-production.

Большой прием у Воланда

Смешно сказать, но в декабре 1999 года я оказалась чуть ли не единственным человеком во всей политической Москве, который не знал про так называемый Дом приемов Логоваза на Новокузнецкой улице в Москве. То есть, про Дом приемов Березовского.

Поэтому, когда меня туда пригласили, я вообще не поняла, куда иду.

Мое локальное невежество было тем большей природной аномалией, что к тому времени я вот уже полгода как работала в газете Березовского, «Коммерсанте». Видимо, руководство газеты настолько щадило мои чувства независимого журналиста, что раньше в моем присутствии об этом месте старались даже и не говорить.

Леонид Милославский, тогдашний гендиректор «Коммерсанта», как-то раз шутливо прошелся на эту тему:

– Ну, не хочешь ты работать с ними в одной команде – фиг с тобой! Никто тебя силком не тащит. Мне и так нравится, как ты работаешь...

Именно поэтому, когда после победоносных для Кремля парламентских выборов Милославский решил, что мне все-таки пора познакомиться с Березовским, он зашел издалека.

Позвонив мне на мобильный после сдачи номера, Леня осторожно спросил:

– Ленка, а что ты делаешь сегодня вечером?

Я честно отчиталась, что собираюсь навестить родителей.

– Слушай, я тут иду в клуб... Там Борис Абрамыч устраивает какой-то прием по случаю выборов... Там все твои кремлевские приятели будут. Ты не хочешь сходить со мной? Я просто подумал, что тебе наверняка интересно будет.

Я категорически не поняла, куда меня зовут. Ну какой-то там клуб... Мало, что ли, в Москве клубов? Ну, наверное, Березовский арендовал какой-то клуб на сегодняшний вечер. Ну и плевать мне на него – пообщаюсь там с ньюсмейкерами и уйду.

И я, как полный дебил, начала выяснять у Милославского адрес и название этого клуба. Оба вопроса ввели Леонида Михайловича в состояние полнейшего ступора.

– Ну, это там – на Новокузнецкой... Честно говоря, я даже и номера дома-то не знаю...Ну ты скажи таксисту: «Клуб на Новокузнецкой» – и он найдет...

Мне такой адрес не понравился. Мы договорились, что я пока съезжу к своим родителям, а Ленька поедет в клуб без меня, и уже оттуда позвонит мне, переспросив точный номер дома у швейцара.

Всего через пару часов, когда я уже поняла, что это за место, до меня стало доходить, каким глубоким идиотизмом должны были казаться Милославскому мои вопросы. Впрочем, он держался молодцом и не подавал вида. Даже когда я начала трезвонить ему уже из такси с Новокузнецкой с жалобами на то, что из-за трамвайных путей тут невозможно развернуться, чтобы проверить номер дома...

Надо сказать, что никакого желания общаться собственно с Березовским у меня не было. В отношении этого человека я испытывала в тот момент – как бы помягче выразиться – давнюю и стойкую неприязнь. Не только потому, что видела в нем одного из главных виновников большинства последних катаклизмов в государстве, но и из-за чисто эстетических противоречий: мне представлялся безвкусицей тот допотопно-византийский стиль кулуарный политики, моду на который Березовский привил ведущим участникам политического процесса.

Симпатий к главному акционеру «Коммерсанта» Березовскому не добавил и инцидент, произошедший со мной буквально накануне в редакции. Дело в том, что коллеги решили к Новому году подарить мне подарок с «цензурным» намеком – достали где-то старый сборник карикатур Андрея Бильжо и сделали специально для меня закладку на странице с такой картинкой: мужик печатает на машинке «Петрович – козел! Петрович – козел!». А его приятель замечает ему на это: «Слушай, боюсь, Петрович это в печать не пропустит...»

– Это – карикатура специально для тебя, со смыслом, чтобы ты сделала выводы, – по-доброму объяснила мне начальница отдела политики Вероника Куцылло под одобрительный хохот большинства моих коллег. – Потому что я думаю, что если до выборов наш «Петрович» многое еще пропускал в печать, то после них он уж этого точно пропускать не будет!

От этого неловкого намека мне стало грустно. Потому что помимо искренней заботы моей близкой подруги Ники Куцылло о том, чтобы я не оказалась на улице из-за своего критического отношения к Путину и Березовскому, от подарочка веяло какой-то безнадегой.

Как ни странно, большинство сотрудников «Коммерсанта» были в тот момент на сто процентов убеждены, что теперь, после удачной реализации политических проектов Березовского на парламентских выборах с «Единством», БАБ «совсем обнаглеет» и введет жесткую пропутинскую цензуру в своих СМИ, чтобы на президентских выборах уж точно не было никакой осечки.

В общем, коллектив «Коммерсанта» уже приготовился к идеологической перестройке. А я приготовилась к увольнению. Из-за Березовского.

Поэтому не удивительно, что когда я, переступив через порог пафосного особняка на Новокузнецкой и наивно спросив у швейцара: «Скажите, а как называется этот клуб?» – услышала в ответ: «Дом приемов Логоваза», – то чуть не плюнула в сердцах на этот самый порог. Но отступать было уже некуда.

Помимо популярных кремлевских персонажей, которые уже давно фигурировали в моих статьях с титулом «члены группировки Березовского», вокруг меня с озабоченными лицами шныряли безвестные малые и средние паркетные шаркуны, зависящие от Березовского кто в финансовом, кто в аппаратном смысле и ожидающие от него «великия милости».

Даже малозначительные кремлевские чиновники вроде Джахан Поллыевой явились туда в этот день засвидетельствовать свое почтение «главному режиссеру кремлевской победы» Березовскому.

В толпе обожателей то и дело мелькали лица журналистов и пиарщиков, которых молва уверенно причисляла в тот момент к пропагандистской свите Березовского: Михаил Леонтьев с телеканала ОРТ, Ксения Пономарева и другие.

На предусмотрительном отдалении от общей толпы напряженно «решал вопросы» с Виктором Черномырдиным замглавы кремлевской администрации Владислав Сурков.

Я почувствовала себя в логове вурдалаков. На какую-то долю секунды мною даже овладел детский страх, что вот сейчас они распознают во мне чужака, просто почуют по запаху, накинутся всей стаей и сожрут.

Но еще гаже мне стало, когда один из «вурдалаков» по ошибке принял меня за свою.

– А-а! Ты тоже здесь! Рад тебя видеть! – подскочил ко мне с «братскими» поцелуями Миша Леонтьев. – Слушай, ты случайно не видишь, где Борис Абрамович? А то я в этой толпе что-то совсем потерял его из поля зрения...

Словом, переживания какой-нибудь там Татьяны на лесном шабаше или Маргариты на балу у Воланда просто блекли в сравнении с моими ощущениями на приеме у Березовского.

Как раз в таком состоянии меня нашел Милославский. Увидев мое потерянное лицо, Ленька решил, что сейчас он меня ободрит:

– Ну чего ты смутилась, Ленка? Пойдем, я тебя с Борисом Абрамовичем познакомлю.

– Ой, не надо, я тебя умоляю! У меня и так полное ощущение, что ты меня сюда привел помазать кровью христианских младенцев! – смеясь чуть ли не сквозь слезы, взмолилась я.

Но Леня, настойчиво обняв меня за плечи, уже влек сквозь концентрические круги поклонников Березовского, сужавшиеся по мере приближения к некоему виртуальному, невидимому пока для меня центру. Шагах в десяти от самого центрального сгустка я кожей почувствовала, как из этой точки по толпе волнами расходится физическое напряжение. Вернее, – даже не просто напряжение, а вожделение. Каждый жаждал припасть к руке хозяина дома и напряженно ждал своей очереди.

Милославский бесцеремонно протащил меня к Березовскому сквозь толпу страждущих, чуть ли не локтями распихивая остальных соискателей внимания.

Но из-за подобострастно прильнувших к Березовскому фигур я до самой последней секунды не замечала его самого. Поэтому вышел конфуз: уже буквально в одном шаге от виновника торжества я вдруг в последний раз попыталась вырваться из заботливых объятий Леньки и дезертировать, придумав хорошее оправдание.

– Слушай, Лень, честное слово, зря ты стараешься – меня бессмысленно с Березовским знакомить: я уже с ним раз пять знакомилась, но БАБ все равно каждый раз, к счастью, тут же забывает, кто я такая! – громко, стараясь перекричать гул окружающих, возопила я.

И тут же поймала на себе внимательный, слегка удивленный взгляд Березовского.

Милославский поспешно выступил вперед и представил меня:

– Борис Абрамович, разрешите вам представить – это Елена Трегубова, ведущий политический обозреватель газеты «Коммерсантъ».

Березовский с неожиданным для меня озорным смешком в глазах слегка поклонился мне, щелкнул каблуками и шутливо отрекомендовался:

– Березовский. Борис Абрамович. Очень приятно с вами познакомится, Леночка!

Лицо олигарха расплылось в широчайшей сияющей улыбке, и он галантно поцеловал мне руку.

Надо признаться, я была несколько обескуражена таким теплым приемом. «Если Березовский читал хоть одну из моих статей о нем, то его искренняя радость по поводу знакомства со мной может объясняться только одним: он опять, слава Богу, забыл, кто я такая», – заключила я и успокоилась. Милославский остался обсуждать с Березовским какие-то дела, а я под шумок улизнула.

Убегать с приема сразу же после знакомства с хозяином дома было бы каким-то малодушием. Но ошиваться там дальше среди его свиты становилось уже не страшно, а как-то скучно. Редеющая публика, уже добившаяся от Березовского секундной аудиенции или просто мимолетного знака внимания, уныло подъедала остатки угощения со столов. А я тщетно вглядывалась в окружающих, надеясь отыскать хоть одного приятеля.

И вот, когда я увидела, наконец, входящего в зал Александра Волошина, со мной произошла странная метаморфоза: я бросилась к нему как к родному. После всех моих приключений этого вечера и на фоне всех остальных гостей глава кремлевской администрации показался мне прямо-таки старым добрым дружищей.

Как ни странно, он, как существо непубличное, похоже, тоже чувствовал себя неловко на этом многолюдном приеме, не очень знал, как держаться, и тоже с радостью уцепился за меня как за спасительную соломинку. Мы ушли с ним в отдельную комнату, удобно устроились на диванчике и стали болтать.

– Ты там, говорят, у себя в газете хулиганство опять какое-то про Кремль написала? – спросил меня Волошин с весьма довольной улыбкой и без малейшей тени упрека.

– Ой, Александр Стальевич, единственное, за что я переживала, это что вас ругать будут за это. Вы все-таки так любезно меня у себя в Кремле в ночь выборов приютили...

– Ты что, с ума сошла: кто это меня ругать может? Ты как себе это представляешь? Я же все-таки глава администрации или где?! – с шутливым негодованием в голосе заявил он.

– Ну Юмашев там грозился вам выволочку на совещании устроить...

– А кто такой Юмашев? Сотрудник администрации? – хихикнул Волошин.

Но еще больше он веселился, когда я ему рассказала, что Юмашев, оказывается, считал меня «боевой подругой Волошина». И что якобы именно из-за этого Валя в ночь выборов говорил при мне вещи, которые «не стал бы говорить в присутствии журналистки».

На правах боевой подруги я стала трепаться с Волошиным не о политике, а о жизни. Он рассказывал о своем маленьком сыне, о том, как тяжело сохранять семейную жизнь при сумасшедшей кремлевской жизни. А я ему в ответ детально обрисовала всю гамму своих ощущений от визита в дом приемов Березовского и вообще от необходимости ежедневно общаться с кремлевскими уродами. И глава мутантской администрации, кажется, меня прекрасно понял.

Время от времени наш треп прерывал какой-нибудь визитер, начинавший расшаркиваться перед Волошиным и что-нибудь выпрашивать. И хотя мы сидели в уединенном маленьком помещении, отделенном от места основного празднества длиной анфиладой комнат, визитеры вырастали перед нами внезапно, откуда ни возьмись, прямо на паркете перед диванчиком. Они появлялись точно как гости на балу у Воланда: из камина то и дело выскакивал истлевший скелет, ударялся оземь и превращался в какую-нибудь важную персону.

– Александр Стальевич, позвольте вам представится: я – настоящий руководитель «Логоваза»...

– Александр Стальевич, разрешите с вами познакомиться, я гендиректор «С...», у меня к вам маленький вопросец...

В какой-то момент Александр Стальевич изобрел отличнейший способ избавляться от навязчивых просителей: он начинал выразительно коситься на меня и давал понять, что у него тут не просто свидание с девушкой, а важный разговор. Посетитель, краснея и извиняясь, «что помешал», начинал по-рачьи пятиться к двери на полусогнутых ногах, с согбенной в поклоне спиной, с повернутым к нам лицом, на котором подобострастная улыбка сохранялась до последней секунды, пока вместе с владельцем не исчезала в дверном проеме.

Каждый раз я начинала хохотать от этого представления и честно спрашивала Волошина:

– Александр Стальевич, може, вам все-таки нужно по работе пообщаться с этим человеком? Давайте я вас оставлю?

– Да ничего мне не нужно! Сиди ты, ради Бога! – упрашивал Волошин. – Если б ты знала, как я от них от всех устал! Имею я право отдохнуть хоть немножко?

Впрочем, вскоре мне тоже пришлось воспользоваться волошинским ноу-хау, – когда нас каким-то чудом разыскал Милославский и стал уговаривать, чтобы я пошла объясниться с Сурковым:

– Лен, там Сурок при всех про тебя гадости говорит из-за твоей последней статьи. Я думаю, что тебе лучше пойти и выяснить с ним отношения...

Мне так не хотелось опять нырять в ту же самую атмосферу приема, из которой я только что выплыла на тихий бережок с Волошиным, что я сказала:

– Ладно, я скоро к вам приду. Только вот нам тут с Александром Стальевичем нужно закончить важный разговор...

Но когда через какое-то время мы с Волошиным решили пойти попить чайку к барной стойке, находившейся в соседнем помещении, нас все-таки отловили. Потому что за дело взялись уже не какие-нибудь там аппаратные акулы-любители, а профессионалы-папарацци.

На Волошина напали с телекамерой и принялись снимать. Причем я так и не смогла понять, что это была за камера. Как нетрудно догадаться, прием у Березовского был строго закрытым от посторонней публики, и уже тем более от прессы. Единственное, что оставалось предположить, – это что Ксения Пономарева контрабандой провела с собой по старой дружбе замаскированных операторов с ОРТ. Или что Березовский поручил каким-нибудь своим личным операторам заснять для истории «тусовку победителей».

Так или иначе, журналисты были чрезвычайно разочарованы отказом Волошина отвечать на вопросы и, в порядке компенсации, решили заснять антураж, на фоне которого он там дефилировал. А главным антуражем Волошина в данный момент была я. Увидев, что на меня нацелили камеру, я тут же шарахнулась в сторону от Волошина: «Мало того, – подумала я, – что меня обманом заманили в дом к Березовскому, так теперь еще и хотят скомпрометировать дружескими отношениями с Волошиным! Ну уж фигушки!»

Стараясь максимально быстро отстраниться от Волошина, чтобы не попасть с ним в кадр, я краем глаза успела заметить, что из-за этого я вынужденно прильнула к какому-то проходившему мимо неизвестному мне мужику в домашнем свитере и усах. «Ну что ж, во всяком случае мужчина домашнего вида – лучше, чем глава администрации президента. Это – более подходящая компания для независимой журналистки», – посмеялась я про себя.

Так закончился для меня «бал у Березовского».

На следующий день в редакции фотограф «Коммерсанта» Василий Дьячков положил мне на рабочий стол «подарочек»: мою фотографию с Волошиным и тем другим мужиком. Оказывается, что из-за телекамеры я не заметила, что там еще и фотограф наш подсуетился.

Видок у нас с Волошиным на фотографии получился тот еще: на заднем плане – рояль, а рядом – интимного вида диванчик, с которого Волошин как будто бы только что встал и по-домашнему затянулся сигареткой. А я запечатлена ровно в тот момент, когда с застенчивой улыбкой пытаюсь отстраниться от Волошина и отворачиваюсь от него, делая вид, что я вообще этого человека впервые в жизни вижу. Да еще плюс ко всему этому из-за отсвета телевизионных софитов у меня над головой получился на фотографии какой-то издевательский нимб. Ну и еще тот мужик в свитере рядом.

– А, да это же Бадри Патаркацишвили! – объяснил мне Волошин, когда я показала ему фотографию.

Нетрудно себе представить, как я «порадовалась», что теперь меня «уличили» еще и в связях с Патаркацишвили...

Что же до Бориса Березовского, то после «Большого приема» в декабре 1999 года до самой его «высылки» за рубеж я с ним больше так ни разу и не виделась.

А вот мои тогдашние воландовские аллюзии по поводу Березовского вскоре реализовались с пугающей точностью. Потому что спустя короткое время человек этот, которого я в тот момент считала злым духом российской политики, превратился для отечественной журналистики совсем уж в настоящего манихейского Воланда. В смысле, в «часть той силы, что вечно хочет зла и вечно совершает благо». Сначала Березовский привел к власти Путина, и тем самым запустил механизм уничтожения в стране гражданских свобод – и в частности, свободной журналистики. А потом тот же самый Березовский, поругавшись с Путиным, по иронии судьбы, стал для многих моих коллег-журналистов, по сути, единственным гарантом существования в России независимых от государства СМИ.

Но это – еще не конец анекдота. Два года спустя после знаменитого приема у Березовского, в начале 2002 года фотограф Дьячков, давно уволенный из «Коммерсанта», продал вышеописанную фотографию журналу «Компромат. ру». Журнал опубликовал ее в отдельном номере, посвященном компромату на Александра Волошина. Для моих друзей, знавших историю «Бала у Воланда», лучшей хохмой стала подпись, которую «Компромат. ру» поставил под фотографией нашей великолепной троицы: «Александр Волошин, глава администрации президента. Бадри Патаркацишвили, денежный мешок Бориса Березовского. Елена Трегубова, журналистка ближнего круга Бориса Березовского».

Bonus track 1

ЖИДОВКА ТРЕГУБОВА НА РУБЕЖЕ ВЕКОВ

Когда я, к отчаянию ближних, заперлась наедине со своей книгой, отключив все телефоны и только раз в день включая мобилу, чтобы прочесть и тут же стереть без ответа истерические SMS потерявших меня друзей, в какой-то момент блокаду все-таки ухитрилась прорвать моя старейшая (в смысле, знакомая со мной ровно столько лет, сколько нам обоим от роду) подруга Маша Щербакова, работающая на Австрийском телевидении. Ее SMS гласило: «Срочно перезвони. Перескажу тебе свой сон о твоей книге».

Анонс интриговал. И я купилась и перезвонила.

– Ленка, ты не представляешь, какая умора мне только что приснилась! Что ты пишешь совсем даже и не книгу! – выпалила Машка.

– А что же?! – просто-таки с замиранием сердца поинтересовалась я.

– Мне приснилось, что ты готовишься выпустить компакт-диск с песнями! А еще я во сне тебя спрашивала: «А какие bonus-треки там будут?»

Из-за щербаковского «вещего сна» я даже хотела сначала назвать книжку «Песни кремлевского диггера». «Ну бывают же, – рассуждала я, – свои профессиональные песни, скажем, у венецианских гондольеров. «Баркарола» называются. Так почему бы собственным профессиональным песням не быть и у кремлевских диггеров?»

Но потом решила, что у читающей части публики такое название вызовет слишком скучные эпические аллюзии, а для нечитающей части – наоборот, будет слишком фривольным (подумают еще, что я это все – не всерьез. А я ведь – серьезный диггер. Хоть и травящий байки на досуге).

Так что, в результате, от компакт-диска остались только два бонус-трека: те истории, которые никак не влезали даже в акробатически извернувшуюся в соответствии с капризами девичьей памяти сюжетную линию. Но без которых мой диггерский песенник все-таки был бы не полным.

Может, весь цивилизованный мир компьютерная «проблема 2000» и не тронула, но вот нам с Ельциным она точно подпортила программу.

28 декабря 1999 года газета «Коммерсантъ», выпуская последний перед «нулевым» годом номер, решила, что просто так писать о «проблеме 2000» – это скучно, нужно выпендриться. В общем, мы решили прикинуться, будто нас всех уже обнулило. Причем, под корень – до самого 1900 года. И все журналисты написали статьи по своей теме так, будто нам снесло крышу ровно на сто лет назад. Мне как кремлевскому (то есть, в понимании моих коллег, придворному) журналисту, разумеется, поручили разузнать об интригах при Дворе Николая Второго.

Мой репортаж на эту тему получился практически эксклюзивным:

«В СЕМЬЕ ОЖИДАЕТСЯ ПОПОЛНЕНИЕ

Как стало известно корреспонденту «Коммерсанта» из источников в Зимнем дворце, Императрица Александра Федоровна ожидает четвертого ребенка. При дворе, разумеется, надеются, что на сей раз это будет наследник престола.

По информации «Коммерсанта», Императрица Александра Федоровна без всяких видимых причин переведена врачами на домашний режим. Уже вторую неделю ей строжайше запрещено не только участвовать в любимых спортивных развлечениях Двора – теннисе и бэдмингтоне, но и предпринимать длительные пешеходные прогулки.

Все эти ограничения в физических нагрузках могут служить признаком новой беременности Императрицы. Конфиденциальные источники «Коммерсанта» при Дворе подтверждают эту догадку.

После того как у Государя родились три дочки подряд, в Высочайшем семействе, да и, разумеется, во всем государстве, воцарилась напряженная атмосфера ожидания появления на свет мальчика – наследника престола.

Однако, как сообщил в неофициальной беседе с корреспондентом «Коммерсанта» один из придворных врачей, не исключено, что в силу природной предрасположенности Императрицы у Великих Княжон и на этот раз появится не братик, а еще одна сестричка. Можно быть уверенными, что и такой сюрприз ничуть не расстроит любящих друг друга Ники и Аликс (как их называют в ближнем кругу), которые, как известно, воспринимают любые подарки или превратности судьбы как дар Божий.

Однако было бы малодушием не замечать, что вопрос о престолонаследии встает все острее. Как обронила в частной беседе с «Коммерсантом» одна из приближенных к Императору особ, над воображением Императрицы Александры Федоровны тяготеет некое зловещее предсказание касательно судьбы ее детей, сделанное деду нашего Государя Александру Второму тогдашним Саровским отшельником Серафимом.

Но, несмотря на эти саровские предсказания (которые, по семейному преданию, Император Александр Второй не решился полностью раскрыть даже Императрице, потрясенной грозящими их потомкам бедами), до сих пор Господь наделял Государя и его супругу прекрасными здоровыми дочерьми, и единственное, чего им остается еще желать, – это появления на свет наследника, в руки которого когда-то должно будет перейти управление нашей державой...»

У меня холодок бежал по позвоночнику, когда я набивала в своем Пентиуме этот текст. Было полное ощущение, что еще секунда – и меня саму, вместе со всей страной, засосет во временну́ю воронку.

Все дурацкие мистические шутки (к числу которых, безусловно, принадлежала и выходка-00 «Коммерсанта») имеют странную особенность: наполняться стихийным, неожиданным смыслом.

Через три дня после публикации нашей «столетней» газеты Ельцин объявил об отречении от престола.

С самим Ельциным «проблема 2000» тоже, похоже, сыграла злую шутку. В своей знаменитой новогодней речи, назначая Путина своим наследником, он обмолвился: «В новый век страна должна войти с новым президентом!» Всей стране стало ясно, что Дедушку просто надули, чтобы отобрать власть: окружение явно внушило ему, что новый век наступает не тогда, когда у всего человечества – 1 января 2001 года, а уже сейчас, 1 января 2000-го. То есть, если бы президент просто навел справки получше, то мог бы еще и дальше царствовать себе спокойно. Может, кого другого бы нам тогда без спешки подобрал.

А уж через год, когда миллениум меняли по-настоящему, глобальная ошибка в программе, спровоцированная всеми этими нашими дурацким махинациями со временем, зашкалила меня уже с «переходом на личности».

В декабре 2000 года, когда до смены века и тысячелетия оставались считанные дни, мне домой среди ночи позвонила абсолютно растерянная Ника Куцылло, которая в тот момент выпускала журнал «Власть»:

– Ленка, прости, что разбудила! Но я просто не могу подписать номер в печать, не спросив у тебя разрешения... Дело в том, что тут – о тебе написано... Мы тут публикуем отрывки из книжки Радзинского о Распутине...

– Ника, не пугай меня – что за шутки! Ну что РАДЗИНСКИЙ мог написать обо мне?! – в ужасе застонала я, спросони отчаянно пытаясь сообразить, что за компромат на меня мог нарыть эксцентричный попсовый историк.

– Ну вот слушай – я тебе сейчас зачитаю. Сразу тебе говорю: если ты потребуешь, – мы сразу выкинем весь этот абзац на фиг!

Компромат, который тут же зачитала мне по телефону Ника, в контексте моих проблем с Кремлем, начавшихся с приходом к власти Путина, звучал действительно как очередной дурацкий розыгрыш «Коммерсанта».

Как констатировал в своей книге Радзинский, «пока шли политические баталии, «распутиниада», уже отдающая безумием, продолжалась». И в частности, от нее пострадала некая девица Трегубова, которую Распутин обещал устроить на императорскую сцену, но только при условии «близких с ним отношений». Их отношения, по показаниям Трегубовой (в пересказе Радзинского), «закончились безобразием»: «После очередного неудачного приставания «он плюнул мне в лицо, говоря: “Убирайся к черту, жидовка!”»

После этой неудачи, как констатирует историк, «мстительный Распутин решает изгнать Трегубову как еврейку из столицы». В результате его репрессивных усилий, по сведениям Петроградского адресного стола, «означенная Трегубова выбыла из Петрограда на жительство в Тифлис».

В Тифлис меня, пока еще, вроде, слава Богу, не выслали. Но через несколько дней после этой публикации, на самом рубеже прошлого века и тысячелетия, пресс-служба Путина добилась-таки моего исключения из «кремлевского пула».

После всех этих ярких примеров сбоя в глобальной системе во время смены тысячелетия никто уже не сможет меня убедить, что и сам Путин – не компьютерный глюк, виртуальный сын «Проблемы 00».

Глава 11

ЛЕГКАЯ НЕВЫНОСИМОСТЬ БЫТИЯ

Открою маленький секрет: на самом деле я написала эту главу последней. Я долго не могла себя заставить сесть за компьютер и открыть архив за 2000 год. Чего я только не придумывала, чтобы улизнуть от работы: то в газете замучили, то в компьютере троянский конь завелся. В общем, конь не валялся месяца два, пока я вдруг не призналась самой себе, что мне просто противно вспоминать об этом периоде жизни.

Тогда я, прямо как барон Мюнхгаузен, взяла себя за шкирку и силком приволокла к компьютеру.

Сначала, когда я открывала и читала файлы со статьями и записями того времени, я испытывала просто физическую боль. Я вдруг осознала, что никогда в жизни, ни до ни после этого момента, на меня не выливалось такого концентрированного количества ненависти, подлости, вранья и издевательств. Причем со стороны людей, с которыми я была вынуждена ежедневно общаться по работе.

Окунувшись снова в эти воспоминания, которые до того дня я, видимо, старалась всячески вытеснять из сознания, я почувствовала, что мне просто жизненно необходимо срочно прочистить организм от этих испорченных ядовитых остатков. Выписать. И забыть.

Короче, речь пойдет о начале цензуры в Кремле сразу после прихода к власти Путина и идеологической «зачистке», проведенной новой путинской пиар-командой в «кремлевском пуле» журналистов. Первой жертвой которой я как раз и имела честь стать.

Начало цензуры в Кремле

Некоторые странности начались уже в конце 1999 года, сразу после того как Путин стал премьером. Ни для кого не было секретом, что, несмотря на премьерский статус Путина, его поездки по стране, по сути, являются предвыборными, то есть – «президентскими». Поэтому руководство моей газеты заранее огорчило меня, что теперь, помимо Ельцина, у меня на руках параллельно окажется еще один «клиент». Это выглядело тем более логичным, что при всей информационной закрытости Путина я была практически единственным кремлевским обозревателем, знакомым по прежней жизни и с ним лично, и с Игорем Сечиным, который (точно по такой же схеме, как и раньше в ФСБ) занимался в Белом доме связями премьера-преемника с прессой. Однако Сечин, вопреки моим ожиданиям, наоборот повел себя с загадочной нелюбезностью: он не подходил к телефону, когда я ему звонила и, вопреки нашей с ним прежней обычной практике, не перезванивал, когда я оставляла информацию у него в приемной.

А однажды, когда я случайно встретила его на одном из официальных мероприятий, Сечин поздоровался со мной с самой что ни на есть демонстративно-дружеской улыбкой и рассыпался, как обычно, в комплиментах. Но как только я попросила его организовать интервью с Путиным и аккредитовать меня с ним в поездки по регионам, он моментально отвел глаза и сделал вид, что не расслышал.

– Что же вы старых друзей так быстро забываете, Игорь Иваныч? – посмеялась я над ним.

Но тут Сечин припустил от меня со всех ног, сделав вид, что он вспомнил о каком-то неотложном деле.

Тем временем начальница отдела политики «Коммерсанта» сообщила мне, что в следующую поездку премьера путинские люди почему-то позвали и вовсе не меня, а нашего военного обозревателя.

Все это выглядело слегка странным. Впрочем, один из моих кремлевских приятелей, знавший в общих чертах историю моего знакомства с Путиным, тут же прокомментировал ситуацию по-аппаратному:

– Слушай, а может, Владимир Владимирович просто боится общаться с теми, кто его знал до того, как он стал президентским преемником? Знаешь, это ведь очень типично для мелких чиновников, которые вдруг неожиданно взлетают наверх: они стараются как можно дальше держаться от тех, с кем были знакомы раньше. А уж тем более – от журналисток, которым они пытались назначить свидание...

«Ладно, разберемся. Когда Путина станет президентом, тогда и посмотрим», – решила я.

Но Путин стал президентом гораздо раньше, чем мы предполагали. И с гораздо более серьезными последствиями не только для меня, но и для всей российской журналистики.

Как только Ельцина уговорили подать в отставку и Путин приступил к исполнению обязанностей президента, работа кремлевской пресс-службы сразу же радикально изменилась. Новый пресс-секретарь президента Алексей Громов с готовностью бросился исполнять негласные установки сменившегося руководства: ежедневной практикой в Кремле стало лишение журналистов аккредитации за критические или даже просто за недостаточно лояльные статьи о Путине.

Поначалу все это казалось нам каким-то мелким недоразумением, которое вот-вот прояснится. Когда президентский пресс-секретарь впервые отказался аккредитовать меня в одну из предвыборных поездок Путина, сославшись на то, что в предыдущей статье я что-то не так написала, в «кремлевском пуле» нашлись даже двое камикадзе, которые кинулись за меня заступаться: Елена Дикун из «Общей газеты» и Татьяна Нетреба из «Аргументов и Фактов».

– Мы подумали: может, это просто какая-то мелкая разводка кого-то из пресс-службы? Ведь у тебя с Громовым всегда раньше были прекрасные отношения – может быть, кто-то ему просто наврал, что ты «называла его земляным червяком»? – недоумевали девчонки.

Во время президентской поездки в Краснодар Дикун и Нетреба вечером подошли к Громову, предложили посидеть за рюмкой чая и по дружески обсудить проблему. На рюмку чая Громов охотно согласился, проблему обсудить – тоже. А в результате, обеих моих заступниц тоже начали выкидывать из аккредитационных списков – видимо, в воспитательных целях, чтобы впредь не высовывались.

Чтобы хоть чем-то мотивировать свое поведение, Громов с маниакальным упорством то и дело поминал Лене Дикун какие-то «коробочки», о которых она якобы не имела права писать. Выяснилось, что во время одной из агитационных поездок Дикун случайно подглядела, как путинская служба безопасности выгружает из президентского самолета коробки с предвыборными подарками для детей (которые, видимо, не были зафиксированы как агитация, законно оплаченная из предвыборного штаба кандидата Путина). Ясное дело – не написать об этом было бы для Дикун просто журналистским проколом.

А Таньку Нетребу Громов попрекал какой-то мелкой заметкой про связь Березовского и Путина, опубликованной в «Аргументах и Фактах». Комизм ситуации заключался в том, что заметку писала даже не Нетреба, а какой-то ее безвестный коллега.

– Ну Алексей Алексеевич! Я не виновата! Это – не я! Честное слово! – пыталась оправдываться кроткая по натуре Нетреба.

Но Громова уже заклинило.

– Ну и что – что не ты писала! Ты обязана контролировать все статьи про Путина, которые публикуются у вас в газете, раз ты в Кремле работаешь! – кричал он в присутствии всего «кремлевского пула» на задворках путинской протокольной встречи в Кремле.

Внезапная мутация Громова стала для нас неразрешимым психологическим ребусом. Вроде бы еще совсем недавно он был верной тенью предыдущего президентского пресс-секретаря Ястржембского (который, правда, после смены президента тоже быстро ассимилировался с общей путинской массой, но, по крайней мере, в благословенную ельцинскую эпоху либеральных поветрий никогда не позволял себе такого грубого и непрофессионального стиля работы, как сейчас его преемник Громов).

Да, Леша Громов всегда был сереньким и невыразительным. Всегда был на вторых ролях. И никогда не решался высказывать собственного мнения ни по одному политическому вопросу. Но зато – до прихода Путина к власти он был абсолютно беззлобным, скромным и никогда никому не делал гадостей. Что в Кремле само по себе было огромной редкостью.

Был, впрочем, один яркий инцидент во времена заката Ельцина, который, как я сейчас понимаю, должен был сразу заставить нас заподозрить, что с Лешей Громовым что-то неладно. Во время поездки Ельцина в Стамбул в конце 1999 года Громов как-то случайно затесался со мной и несколькими моими подружками пообедать в ресторане в здании, где проходил саммит ОБСЕ. Суп-пюре с дарами моря, который мне подали, оказался совершенно холодным, и я, разумеется, отправила официанта обратно на кухню его разогревать.

На что Громов по-отечески посоветовал мне:

– Зря ты это, Леночка! Они не любят, когда с ними так. Если ты начинаешь предъявлять претензии, то они тебе там, на кухне, в эту тарелку еще и плюнут! Так что лучше бы ты суп холодным съела!

Но в тот момент, я, по наивности, приписала этот лакейский бред чрезмерному смирению Громова.

Даже хобби у Громова было подчеркнуто безобидное: он тихо собирал у себя в кремлевском кабинете больших садовых гномов. В смысле, не живых гномов, конечно, а их фигурки. Типичное хобби хорошего «маленького человека» (в литературном, а не в физическом смысле), который осознал свое амплуа и со смирением, и даже с гордостью, несет его по жизни.

Теперь же, после назначения пресс-секретарем – куда все его добродушие только подевалось! На беднягу Громова стало страшно смотреть: его лицо все время перекашивалось болезненной злобной гримасой, глаза просто источали ненависть, при разговоре он начинал трястись, даже губы его дрожали от злости. Вскоре во время его ругани из-за очередных «неправильных» статей журналисты начали благоразумно отстраняться от него на почтительное расстояние: потому что, во-первых, было полное впечатление, что этот буйный человек начнет сейчас драться, а во-вторых, стыдно сказать, но в припадках гнева президентский пресс-секретарь начинал в буквальном смысле слова брызгать слюной.

Но самое ужасное: лицо Громова начало просто на глазах мимикрировать под его нового хозяина – Путина. Мутация зашла так далеко, что вскоре в Москве даже разразился скандал вокруг репортажа НТВ о «двойнике Путина». Оператор заснял какого-то серенького человека в сереньком пиджаке, как две капли воды похожего со спины на президента, с абсолютно путинской прической, фигурой и движениями. «Мы не знаем, что это за человек, – сказали в новостях. – Но это очень похоже на подготовку двойника для президента».

– Они не знают, кто это, зато я знаю! – с самодовольной усмешкой подтвердил Громов мою догадку.

Как ему удалось достичь на телесъемке этого очевидного для всех разительного сходства – тоже загадка: ведь в реальности Громов значительно выше и крепче Путина.

Вскоре, во время президентских мероприятий, Громов стал внешне держаться не как пресс-секретарь, а как президентских охранник или телохранитель: неотступно следуя по пятам за президентом, всем наклоном своей фигуры как бы приникая к Путину и окидывая окружающих недобрым взглядом, явно готовясь загрызть любого, кто попытается приблизиться к Телу. Даже я, бесчисленное количество раз изнутри наблюдавшая поведение президентской свиты, включая телевизор и видя все происходящее со стороны, просто изумлялась: человек явно перепутал свою должность.

С нами, журналистами, Громов тоже стал вести себя как охранник, а не как пресс-секретарь: он, в основном, занимался тем, что отгонял нас от политиков и запрещал нам задавать им вопросы.

Мои друзья – западные журналисты, которых Громов при Путине начал третировать с удвоенной яростью, отзывались о работе нового президентского пресс-секретаря предельно кратко: «КГБ», – и выразительно постукивали себя по тому месту, где растут погоны.

Не знаю уж, и вправду ли работал кремлевский пресс-секретарь Громов раньше в том же ведомстве, что и нынешний президент. Мне известно только об одной его прежней карьерной ступеньке: вместе с Ястржембским он служил в Братиславе в советском посольстве. Непросвещенная молва утверждает, что в советское время работать в посольстве за рубежом, не будучи сотрудником советских спецслужб, было невозможно. Не знаю – мала я еще была в то время. Надо спросить у самого Громова. В любом случае, имеет ли он под чиновничьим пиджачком погоны или нет, – меня мало интересует. А вот от стиля работы с прессой, который он с подачи Путина внедрил в Кремле, духом КГБ, действительно, не попахивает, а просто воняет.

Впрочем, в тот момент, на заре путинской эпохи, силясь разгадать загадку скоропостижной мутации Громова, я считала слишком поверхностным объяснять все погонами. Я мучилась-мучилась, переживала-переживала, не спала по полночи, и в конце концов решила для себя, что Громов, наверное, просто не вынес психического перенапряжения от осознания внезапно свалившейся на него секретарской ответственности. И эта ответственность просто раздавила его, деформировала его личность и даже лицо, выдавила его самого из его тела. А вместо него, туда, в опустевшее место, судя по изменениям во внешности, вселился не кто иной, как Владимир Владимирович Путин. Не понятно только, куда в таком случае переселился теперь дух нашего добряка и скромняги Громова...

Впрочем, большая часть моих коллег из «кремлевского пула» даже и не пыталась разобраться в громовской психологической драме, а просто предпочла поскорее выстроить с ним отношения в соответствии с новыми порядками. Девушки-журналистки, при путинском режиме стремительно начавшие превращаться в кремлевских паркетных придворных дам, быстро включили Громова в ранжир тех чиновников, с кем при встрече следует не просто здороваться, а целоваться в щеку, а то и в губы. Причем, ни целующих, ни целуемого не заботил вопрос, почему раньше, до его назначения пресс-секретарем, таких нежностей он от них не получал.

Никакого морального дискомфорта заинтересованные стороны не испытывали и когда главные редактора газет вдруг стали подсылать своих журналистов к Громову на праздники с подарком – бутылкой дорогого спиртного.

И уж, разумеется, никто из кремлевских журналистов даже и не думал выражать протест, когда Громов в очередной раз отдавал распоряжение вычеркнуть меня из списков на аккредитацию за очередную непонравившуюся начальству статью.

Молчали даже те мои коллеги из «кремлевского пула», кого я до того момента числила в друзьях. Но тем ценнее и трогательнее для меня был поступок тех двоих девочек, Дикун и Нетребы, которые ради меня бросились на Громова, как на амбразуру. За что потом долго еще расплачивались, терпя воспитательные репрессии со стороны президентского пресс-секретаря в виде циклических отлучений от Кремля.

Смешнее всего в этой истории было то, что Лена Дикун в то время работала в еще не уничтоженной «Общей газете», которую финансировал Владимир Гусинский. И, соответственно, по всей логике вещей, Дикун должна была видеть во мне классового врага: ведь Гусинский в тот момент уже был опальным олигархом, а хозяин моей газеты Березовский – наоборот, еще вовсю зажигал на кремлевских дискотеках.

Однако в какой-то момент Лена призналась:

– Знаешь, Трегубова: я просто посмотрела на то, что они делают с тобой, и поняла, что если я сейчас промолчу, то потом очередь дойдет и до меня, а потом и до всех остальных...

В тот момент Дикун не могла еще, конечно, предположить, что даже если она не промолчит, очередь все равно неминуемо дойдет не только до нее, но и до НТВ, ТВ-6, «Общей газеты», «Итогов» и до всех остальных.

Впрочем, даже сейчас, когда я дописываю эту книгу, меня не оставляет странная иллюзия: что если бы в тот самый первый момент, когда начинались репрессии в «кремлевском пуле», не промолчали бы все журналисты, а не только эти двое девчонок, Кремль не посмел бы так нагло уничтожить в стране практически всю независимую прессу. И тогда, может быть, эта загадочная проказа, вызывающая у, казалось бы, милых людей страшные формы моральной и даже физической мутации, не расползлась бы из Кремля по всей стране. Или, хотя бы, может быть, не расползлась бы так быстро, и было бы время найти какое-то противоядие. Вон – локализовали же сейчас атипичную пневмонию...

Спасти рядового Бабицкого

Самой яркой сигнальной ракетой, которой Владимир Путин, сразу же после захвата кремлевской высоты, выстрелил по неприятельским позициям российских журналистов, стала скандальная история с исчезновением корреспондента радио «Свобода» Андрея Бабицкого.

На этом фоне все мои личные неприятности с кремлевской пресс-службой показались просто фейерверком на детском празднике.

Все время, пока Бабицкого держали в плену, ни у кого из моих друзей-журналистов не оставалось ни малейшего сомнения: если мы не будем ежедневно, ежечасно, что есть мочи орать на власть, требуя отдать журналиста, – то его просто тихо убьют.

И каждый из нас честно использовал все имеющиеся у него каналы влияния. Большинство газет каждый день выходили с отсчетом дней, прошедших с момента похищения корреспондента. А я бегала в Кремль к Волошину и умоляла его повлиять на ситуацию.

– А мы-то тут при чем? – прикидывался веником Волошин.

– Хорошо, вы не при чем, договорились. Но если вы сейчас, после этого скандала, выпустите Бабицкого живым, то вашему президенту это будет только на пользу: он спокойно сможет сказать, что все это была «журналистская истерика»! – со змеиной хитростью, как мне, в тот момент казалось, уговаривала я главу администрации.

А его заместитель Владислав Сурков вообще объявил мне:

– Да Бабицкий же – враг! Ты посмотри, что он в своих репортажах передавал! Что после зачисток мирных чеченских селений, проведенных российской армией, он «понимает», почему чеченцы берут в руки оружие! Это же – враг российского государства и провокатор!

– И что теперь – убить его надо?! – с интересом переспрашивала я.

Внятного ответа не следовало.

Очень скоро я, видимо, так всех в Кремле достала своими постоянными напоминаниями о Бабицком (причем, подозреваю, что я была в тот момент не единственным ходоком, мозолившим глаза руководству кремлевской администрации), что Волошин заявил мне:

– Все!!! О Бабицком больше – ни слова. Что ты вообще привязалась к этой теме? По-моему, она – надуманная какая-то! По-моему, никого, кроме тебя, это вообще больше в стране не интересует!

«Ах так! – злобно подумала я. – Надуманная?! Ну я вам устрою... Вы у себя на собственной шкуре попробуете, насколько она «надуманная»!»

И на следующий день я, сделав вид, что приняла правила игры «О Бабицком – ни слова», зазвала Волошина в гости к Маше Слоним, на Тверскую, 4, где собиралась «Хартия журналистов».

А перед самым его приходом мы с Машей подговорили всех наших коллег, чтобы Волошину не позволяли уходить от вопросов о пропавшем журналисте.

Такого прессинга со стороны журналистов, как в тот вечер, глава кремлевской администрации явно еще никогда не получал. А я сидела молча, как ангел, и, периодически ловя на себе затравленные взгляды своего кремлевского приятеля, лишь разводила руками: мол, представляете, тема-то, оказалось, волнует не только меня...

Я испытывала просто-таки артистическое наслаждение, наблюдая, как слаженно мои друзья обрабатывали Волошина: когда кремлевский администратор в первый раз ушел от прямого ответа, «жив ли журналист», через минуту ему задали вопрос, находится ли Бабицкий в руках российских спецслужб. А когда Волошин вывернулся и здесь, то через минуту другой мой коллега уже допрашивал его, «считает ли Путин, что подобные меры воздействия можно впредь применять ко всем журналистам». И чем больше Волошин увиливал от ответа, тем с большим жаром его дожимали собеседники. У меня было такое ощущение, что каждый из коллег, издерганный всей этой виртуальной войной за спасение Бабицкого, отыгрывался на Волошине за вранье, которым нас кормили официальные источники. А ведь нас там было не трое, не пятеро, а человек двадцать, и весь этот журналистский гвалт несколько раз пропускал Волошина по кругу.

В конце концов, глава кремлевской администрации не выдержал и просто рассвирепел:

– Да вы что все о Бабицком и о Бабицком, а?!

– Не важная тема, да, Александр Стальевич? – елейным голоском переспросила я.

И тут, чтобы уж окончательно добить гостя, Алексей Венедиктов вручил ему листок бумаги:

– Особая просьба, Александр Стальевич: примите это в память о сегодняшнем вечере и передайте, пожалуйста, президенту!

Это было наше открытое письмо с протестом против действий властей в отношении Бабицкого, инициированное «Хартией», и подписанное более чем 50 ведущими журналистами из русских и западных СМИ.

«Ответственность за жизнь Андрея Бабицкого целиком и полностью лежит на тех, кто передал его в руки неизвестных людей в масках, тех, кто принял и санкционировал это решение, и лично на и. о. президента Владимире Путине. У нас есть все основания считать, что российская власть отказалась не только от принципа защиты свободы слова, но и от элементарного соблюдения законности. Такая власть называется тоталитарной», – так заканчивалось наше письмо, которое Волошин вынужден был унести с собой в Кремль Путину.

Случилось так, что именно в тот момент, когда у нас сидел в гостях Волошин, мы стали первыми людьми в стране, во-первых, узнавшими, что Андрей Бабицкий жив, а во-вторых, – получившими четкое подтверждение того, что Путин имеет ко всей этой истории с похищением самое непосредственное отношение.

В половине двенадцатого ночи, когда главе администрации уже позволили слегка расслабиться и закусить водку вареной колбасой, у Маши Слоним зазвонил телефон. Звонила Наталия Геворкян, которая в тот момент писала для Путина предвыборную книгу интервью.

– У меня тут Путин в соседней комнате,– жарким шепотом сообщила Наташка. – Не могу долго говорить! Я знаю, что вы там сегодня все встречаетесь – просто передай скорее ребятам со «Свободы» – пусть позвонят родственникам Бабицкого и успокоят их: он жив и скоро появится какая-то пленка с ним. Мне только что сказал об этом сам Путин...

На этом связь оборвалась. Наталия звонила прямо с объекта АБЦ (это такой правительственный объект, бывший объект КГБ, где в 1991 году, кстати, готовился путч ГКЧП), где в тот самый момент проходило ее очередное интервью с Путиным для книжки.

На следующий день Наташа подробно рассказала мне, что же произошло. Точно так же, как я каждый день долбила по голове своих кремлевских знакомцев за Бабицкого, Геворкян, в свою очередь, воспользовавшись ситуацией, попробовала капать на мозги Путину.

– Путин отвечал мне о Бабицком с такой откровенной ненавистью, что мне становилось просто страшно за жизнь Андрея, – признавалась Наталия. – А в тот вечер, когда я опять начала орать: «Верните немедленно Бабицкого!» – Путин вдруг заявил мне: «Слушайте, да отстаньте вы от меня с вашим Бабицким! Вот привезут вам пленку с ним, и увидите, что он живой и здоровый...». Я на это ему говорю: «Постойте, вы же уверяли, что вы его боевикам каким-то отдали! Это что, вам чеченские боевики, что ли, сейчас сообщили, что кассету с Бабицким в Москву везут?!»

Услышав от Путина о кассете, Геворкян вспомнила, что она – как-никак – дочка разведчика и, выбежав под невинным предлогом из комнаты, где сидел президент, бросилась звонить нам с секретным донесением.

Когда Бабицкого, наконец-то, привезли в Москву, у всех у нас было полное ощущение, что мы все вместе отбили журналиста у спецслужб своим криком, не прекращавшимся несмотря на то, что все властные чиновники отмахивались от нас, как от назойливых мух.

Но одного из наших коллег, спасая Бабицкого, мы все-таки потеряли. Вернее, – коллегу.

После публикации в газетах обращения «Хартии», которое я цитировала, мне позвонила Слоним и в жутком возмущении рассказала:

– Ты представляешь, у нас там под заявлением в защиту Бабицкого подпись Ани Мельниковой стоит, а сегодня за ее же подписью на ленте «РИА «Новости» абсолютно бл.. ская статья вышла, где утверждается, что Бабицкий – шпион ЦРУ!

До этого момента Аня Мельникова была членом нашей «Хартии».

– Я сначала хотела немедленно созвать всех и исключить ее из «Хартии», но потом подумала, что это какое-то советское партсобрание получится. Я просто впредь откажу Мельниковой от дома, и все! – заключила Маша.

Я попросила ее не горячиться и вместе с Ленкой Дикун отправилась к Алексею Волину, возглавлявшему тогда государственное информационное агентство «РИА «Новости» (под крышей этого агентства как раз действовал тогда так называемый Российский информационный центр, занимавшийся пропагандистским прикрытием войны в Чечне) – выяснять, в чем дело.

– Лешка, за что ж ты так Мельникову-то опустил, а? – с порога поинтересовалась я.

Волин, ничуть не смутившись, с обычной циничной откровенностью заявил мне:

– А потому что не хрена Мальниковой выпендриваться и подписывать всякие ваши правозащитные бумажки, раз она работает на государственное СМИ. Пока я ей плачу деньги, я буду решать, какие ей заявления подписывать, а какие не подписывать! А эту статью на ленте про то, что Бабицкий – шпион, даже не Мельникова писала. Я просто вызвал к себе Аньку и говорю: «Выбирай, дорогуша! Либо ты завтра на улице окажешься без зарплаты, либо ты у меня сейчас в порядке наказания поставишь свою подпись под эту статью!» В другой раз будет умнее!

На моей памяти, после прихода к власти Путина, эта наша акция в защиту Бабицкого стала вообще последней совместной акцией российских журналистсков в защиту чьих-либо (и в первую очередь – своих собственных) прав.

Выборы под Zемфиру

Позволю себе маленькую военную хитрость. Только в следующей главе я объясню, как мне удалось, несмотря на все старания кремлевской пресс-службы, сохранить аккредитацию в «кремлевском пуле» – не только на время президентской предвыборной кампании Путина, но и еще на целый год.

А пока что расскажу о периоде, когда я и сама уже проклинала тот час, в который добилась от Кремля права ездить с Путиным по стране.

На предвыборных аттракционах Путина я накаталась до тошноты. Чуть больше чем за месяц президентской избирательной кампании мне пришлось вместе с ним объездить с экскурсией 12 городов: Иркутск, Волгоград, Зеленоград, Звездный городок, Сургут, Воронеж, Санкт-Петербург, Нижний Новгород, Набережные Челны, Казань, Иваново, Орехово-Зуево.

Некоторые поездки продолжались по нескольку дней, и под конец я уже начала путать названия населенных пунктов.

– Во время посещения КамАЗа в Нижнем Тагиле Путин заявил, что... – диктовала я по мобиле в дикой спешке прямо из самолета, ловя оставшиеся секунды до взлета.

– Мы не в не Нижнем Тагиле, а в Набережных Челнах! – вовремя подсказывал кто-то из коллег.

– А мне уже все равно. Пусть скажет спасибо, что я еще могу вспомнить, как его-то самого зовут!– честно признавалась я.

Если учесть, что в перерывах между перелетами и написанием репортажей мне приходилось еще и выдерживать беспрестанные разборки с президентской пресс-службой из-за уже опубликованных текстов, а потом, в краткие счастливые мгновения приземлений на родной московской земле, бежать в редакцию и ночами (перед очередным вылетом) писать комментарии и аналитические статьи в коммерсантовский еженедельник «Власть», – нетрудно посчитать по скольку часов в день мне удавалось поспать: ни-поскольку.

Я, конечно, понимаю, что Владимиру Владимировичу тоже было нелегко. Но ему-то хотя бы его же собственная пресс-служба нервы не трепала.

К тому же, я в отличие от Путина в президенты не рвалась и, возвращаясь из редакции домой в 4.30 утра только для того, чтобы прямо в одежде замертво упасть в постель на полчаса, а потом, в 5.00 – вскочить, переодеться и снова поехать в аэропорт, категорически не могла ответить на экзистенциальный вопрос: «За что мне все это?!»

– Ну что, завтра – в пять тридцать на нашем месте? – эту фразу мне приходилось в то время так часто слышать от Елены Дикун, что даже теперь, когда кто-нибудь из нас ее произносит, мы обе начинаем хохотать как безумные.

Под «нашим местом» подразумевался новый выход из метро Белорусская, неподалеку от Ленкиного дома, где во время наших поездок с Путиным она ждала меня утром, чтобы вместе ехать в правительственный аэропорт «Внуково-2».

Представительница вражеского для Кремля (и на тот момент – для владельца «Коммерсанта» Березовского – тоже) лагеря Гусинского, Ленка Дикун стала для меня во время той предвыборной кампании без преувеличения персональным ангелом-хранителем.

Дело в том, что, к своему несчастью, по природе я – животное глубоко антиобщественное: мне бы лучше не с Путиным ездить, а дома полежать с Прустом в обнимку. И если мне долго не дают побыть одной, я потихоньку впадаю в состояние глубокого транса. Дыхание слабое. Пульс нитевидный. Реакция на окружающих практически отсутствует. В общем, система на вызовы не отвечает, попробуйте перезагрузиться.

Я настолько болезненно переношу насильственное пребывание в любом коллективе, что в детстве обе попытки родителей отправить меня в пионерский лагерь заканчивались одним и тем же: спешной эвакуацией меня оттуда после первой же недели, со страшными моральными травмами и расстройством желудка.

А с приходом Путина «кремлевский пул» журналистов как раз и превратился в вечно летающий пионерский лагерь.

Только вместо склизкой холодной каши на завтрак там была специальная, гастроколитная самолетная или гостиничная еда, а вместо принудительной зарядки и холодных обливаний – идиотские путинские мероприятия. Ну и, само собой, плюс ко всем удовольствиям – «смотр строя и песни» под управлением пресс-службы президента.

Надо добавить, что я еще и хроническая, убежденная сова, и когда просыпаюсь раньше двенадцати дня, у меня возникает жесточайшая депрессия с немотивированным, но стойким убеждением, что жизнь кончена. От любой еды в первой половине дня меня вообще с души воротит. А уж от людей – тем более.

Дикун оказалась чутким чудом природы: она умудрилась не только понять и простить все вышеописанные моральные уродства своей несчастной коллеги (то есть меня), но и начала меня активно спасать.

Она не только устраивала мне, полудохлой, побудку по телефону, когда нам надо было лететь с президентом, но еще и регулярно подвозила меня до аэропорта. По дороге она ухитрялась не обижаться, когда вдруг из общительного оптимиста, которым она видела меня накануне вечером, я превращалась в немого, угрюмого мизантропа.

– Так, Трегубову – не кантовать. Она не выспалась и злая, – отгоняла от меня Дикун словоохотливых коллег, которым ни свет ни заря почему-то не терпелось сообщить мне что-то чрезвычайно важное о погоде и шмотках.

Сначала нам приходилось выстаивать на машине минут сорок в длинной веренице других машин «кремлевского пула» на шоссе у поворота ко «Внуково-2» (это – немного не доезжая «Внукова-1»). Потому что на воротах охране каждый раз почему-то не могли вовремя «поднести списки».

Потом, уже у павильона аэропорта, после того как наша машина уже уезжала, охрана по неизвестной причине еще долго не пускала нас внутрь, и мы каждый раз вынуждены были топтаться, как бедные родственники, у крылечка, коченея на рассветном морозце. Причем не у центрального входа в аэропорт, а у черного хода с левого бока здания.

– Здесь еще закрыто, – произносил охранник тупую фразу. Тупую, потому что мы прекрасно видели, что двери давно уже открыты. Просто охраннику еще не дали команды.

А когда мы пытались войти в аэропорт через центральный вход, чтобы хотя бы погреться, дорогу преграждал какой-нибудь очередной «мистер Смит» с проводком в ухе:

– Вы кто? Пресса? Для вас вход в другом месте.

Эта попытка службы безопасности на каждом шагу заставить нас чувствовать себя людьми второго сорта бесила больше всего. Журналистов заведомо старались поставить в положение обслуги, вход для которой – только с черного хода, как для кухарок.

А уж когда мы пытались прогуляться по территории аэропорта, чтобы согреться, на расстояние больше, чем 50 метров, мы и подавно начинали чувствовать себя арестантами:

– Немедленно вернитесь! Вы все должны стоять у козырька! – следовал окрик.

Когда нас, наконец, впускали внутрь, мы попадали в руки службы безопасности, которая, несмотря на перепроверенные списки и замусоленные до дыр документы, после прохождения магнитной рамки и сканирования наших сумок, начинала личный досмотр. Сотрудники службы безопасности, которые видели там наши физиономии чуть ли не каждый день, тем не менее каждый раз шмонали нас так, будто мы – не пресса, а чеченские террористы.

– Та-а-ак! Это что это у вас в этой маленькой сумочке?!

– Это – косметичка.

– А что у вас там внутри?

– Тампоны.

– Доставайте, посмотрим!

После этой унизительной «зачистки» мы еще долго (в лучшие дни – минут сорок, в худшие – больше часа) должны были ошиваться в специальном боковом аппендиксе аэропорта. Зачем в таком случае было требовать от нас так рано приезжать в аэропорт – никто никогда так и не смог убедительно ответить мне на этот вопрос.

К счастью, в этом отстойнике для прессы во «Внуково-2» все-таки оказался небольшой буфет. И бóльшая часть моих коллег, пройдя проверку, прямой наводкой направлялась туда завтракать: кто коньячком, кто водочкой. Непьющую журналистку Трегубову коллеги наблюдали в буфете за странным занятием: она покупала там пять бутербродов с колбасой, пять бутербродов с сыром, методично снимала колбасу и сыр с кусков хлеба, потом некошерно заворачивала колбасу в сыр и с плохо скрываемой гримасой отвращения отправляла в рот. Потому что в тот момент журналистка Трегубова, чтобы окончательно не доконать организм вредоносным президентским режимом, пыталась жить по Мишелю Монтиньяку. Бедный Монтиньяк, конечно, поперхнется огурчиком, если узнает, как я надругалась над его системой. Но более здоровой еды во внуковском спецбуфете – прости, Мишель, – не было, а когда нам предоставится следующая возможность поесть – никто не знал.

В третий раз, когда я приехала во «Внуково-2», буфетчица, увидев меня, радостно закричала:

– Ой, девушка, миленькая, как хорошо, что вы пришли: я вас уже ждала! – С этими словами добрая тетенька под общий хохот достала из-под прилавка заготовленную для меня тарелку с нарезанной колбасой и сыром – без хлеба...

В передовом самолете (вопреки напрашивающейся семантике, его называют так в Кремле совсем не потому, что он главный, а ровно наоборот – потому что он не главный, а вылетает перед главным, президентским), чтобы хоть как-то защититься от безудержной тяги коллег к общению на житейские темы (усиливавшейся у них после их стиля завтрака и становившейся абсолютно тошнотворной после моего), я придумала гениальное ноу-хау: объясняла спутникам, что при взлете у меня страшно болят уши, затыкала уши наушниками от плеера, глаза – веками, врубала на полную громкость первую попавшуюся кассету и спокойно медитировала под музыку. Первой попавшейся кассетой во время избирательной кампании оказалась купленная по дороге в аэропорт Земфира. Каждый раз я говорила себе: вот приеду в Москву, зайду в хороший музыкальный магазин и обязательно куплю что-нибудь любимое. Но вспоминала я об этом твердом намерении как раз только в тот момент, когда снова оказывалась в самолете и нажимала кнопку «Play».

Вскоре в моем измученном подсознании случилось прочное якорение: Путин – Земфира, Земфира – Путин. В конце концов я даже обнаружила несомненное – как мне казалось в тот момент – сходство между путинской предвыборной программой и текстами Земфиры: смысла никакого, но спето так, чтобы каждый слушатель заподозрил за этим что-то свое. То есть провалы смысла точно рассчитаны так, чтобы дать слушателям помечтать о чем хочешь (даже крылатые слова модной певицы как нельзя более лучше подошли в качестве заголовков для бивачных историй из жизни Путина в конце этой главки).

Сразу после приземления начинался самый кошмарный пункт программы: так называемая раздача пулов. «Пулами» в данном случае назывались бумажки с номером президентского мероприятия, на котором тот или иной журналист имел право присутствовать.

Выглядела эта раздача слонов так. В автобусе, встречавшем нас в аэропорту, специально обученный сотрудник кремлевской пресс-службы по очереди выкрикивал имя каждого журналиста и вручал ему огромный пухлый белый конверт размером с министерскую папку. Внутри мы находили, во-первых, бэджик (то есть, заламинированную бирку с эмблемой кремлевской пресс-службы, которую мы были обязаны либо приколоть на грудь, либо повесить на шею – в зависимости от того, каких приспособлений в пресс-службе в тот момент оказалось больше – булавочек или веревочек), во-вторых, программу визита В. В. Путина, в-третьих, – описание достопримечательностей региона с подробными историческими справками, и в-четвертых, – так называемый сценарий работы прессы.

Справка о достопримечательностях выкидывалась в помойку сразу же, вместе с конвертом. А вот изучение сценария работы прессы было исполнено настоящего драматизма. Потому что именно там было написано, что, пул № 1 пойдет, например, с Путиным в консерваторию, а пул № 2 – наоборот, останется ждать президента в свинарнике.

Скандал, который вспыхивал в автобусе сразу после прочтения этого документа, напоминал разборки в труппе уездного театра, когда все актеры разом, прочитав сценарий, вдруг обнаруживали, что им достались второстепенные роли.

– Да вы что?! С какой стати меня на интеллигенцию поставили?! Что мне там с нее передавать?! – возмущался представитель официозного информационного агентства, имея в виду, что пресс-служба записала его в графу «освещение встречи В. В. Путина с местной интеллигенцией».

– А почему нас нет на подходе?! – негодовали в свою очередь газетчики. (Термин «подход» означает запланированное по сценарию краткое общение президента с прессой.)

Все прекрасно знали, что пулы разной степени значимости и привлекательности раздаются, прежде всего, в зависимости от места СМИ в придворной иерархии, а также в зависимости от личной идеологической благонадежности и подконтрольности журналиста. Путинская пресс-служба ввела жесткую систему кнутов и пряников при раздаче пулов: если твой предыдущий репортаж о визите Путина пришелся по душе президентскому пресс-секретарю, то для тебя зажигался зеленый свет на все основные мероприятия. А если твоя статья чем-то не приглянулась президентской команде, то тебя запихивают, скажем, на освещение проезда кортежа Путина по центральной улице города или еще на какую-нибудь ерунду, чтобы максимально осложнить тебе написание репортажа.

Подходить и выклянчивать у кремлевских сотрудников пулы получше я как-то брезговала: ведь было понятно, что ровно на это и делается расчет: заставить тебя унижаться и в конечном счете – чувствовать себя обязанным за то, что тебе, наконец, милостиво позволили выполнять свои профессиональные обязанности. Кроме того, я прекрасно видела по опыту коллег, что чаще всего спорить было все равно бесполезно.

Самое смешное, что вся эта тщательно продуманная «пенитенциарная» система, на выстраивание которой тратились все силы огромной кремлевской пресс-службы, в конце концов все равно оказывалась абсолютно неэффективной. Потому что хорошие журналисты все равно умудрялись писать смешные репортажи об этих безмозглых поездках. А официозные журналисты, в какой бы близости от Путина их ни поставь, как ни тужься, ничего, кроме унылой верноподданнической скукотени, выдавить из себя не могли. А ее-то как раз никто и не читал.

Единственное, чего добивалась пресс-служба, вставляя нам палки в колеса – это того, что на подготовку репортажа нам приходилось тратить чуть больше времени. Потому что нужно было успеть переговорить со всеми телеоператорами, которые стояли на выгодных точках, и узнать, что за «картинка» там была. Но в результате общая картина у нас получалась даже более полной, чем у тех, кто просто покорно стоял со своей бирочкой.

Но это был еще не последний пункт бега с препятствиями к Путину, который нас заставляла преодолевать кремлевская пресс-служба при активной поддержке службы безопасности. По заведенному кем-то фашистскому правилу, журналисты были обязаны ждать Путина «на точке» как минимум час. Причем объяснялось это даже не его патологическими опозданиями (опоздания приплюсовывались к указанному времени как «бонус»). А «соображениями безопасности». Спрашивается: ну какая опасность могла исходить от несчастных доходяг-щелкоперов, уже сто раз под корень зачищенных службой безопасности и в аэропорту перед вылетом, и в гостинице перед выездом, и перед входом на «объект»?! Этого тоже не мог объяснить никто. Так просто, для порядку.

Видимо, кто-то умный в Кремле просто решил, что журналистов, как и вино, чтобы они стали хорошими, нужно подольше выдерживать. Причем в отличие от вина журналистов частенько выдерживали на свежем морозце. Метод свежезамораживания прессы был впервые опробован на нас в Нижнем Новгороде, при входе на Горьковский автомобильный завод. На улице было - 15°. Внутрь не пускали. Но и уехать обратно в гостиницу тоже не давали. И полтора часа журналисты «кремлевского пула», точно заключенные концлагеря, под конвоем, устраивали на морозе пробежки для разогрева внутри маленького отведенного нам охраняемого пятачка внутреннего дворика. Причем все без исключения девушки, разумеется, были в изящных сапожках с тонкой подошвой.

– Мы же так все себе отморозим! Ну пожалейте нас, пустите хоть на пять минут внутрь погреться! – умоляли мы охранников.

– У нас тоже есть, что отмораживать, – холодно парировали они.

На следующий день, когда в газете вышел мой репортаж из Нижнего Новгорода, а я уже была с президентом в Казани, мне на мобильный позвонил Немцов:

– Слушай, Трегубова, там что, у Путина, – совсем п...ц, что ли, с предвыборной кампанией? Совсем пустые визиты? Писать не о чем?

– Борь, не пугай меня: тебе что, не понравился мой репортаж? – в ужасе переспросила я.

– Да нет, ты что! Репортаж классный – здесь все в Москве ржут над ним! Но только вот я подумал: если уже Трегубова на первой полосе «Коммерсанта» пишет репортаж об отмороженных придатках, – то значит, во время предвыборных поездок Путина действительно больше ничего интересного не происходит...

Секрет предвыборной кампании Путина действительно, заключался ровно в том, что, если б не наша журналистская изобретательность, писать нам было бы абсолютно не о чем. Сортирные афоризмы у клиента быстро иссякли. А помимо этого фантазия главного кандидата страны ограничивалась лишь видами транспорта, на которых он, видимо, с детства мечтал покататься: истребитель «Су», «Волга», «Камаз», трактор. А у его пиар-команды полет творческой мысли и вовсе застопорился ровно на том, что в каждом регионе Путин должен поцеловать ребенка и покрасоваться у любого работающего конвейера.

Ох уж эти конвейеры! На ГАЗе при нас конвейер чуть не передавил работниц, поджидавших высокого гостя. Просто перед путинским приходом лента, разумеется, не работала, запустить ее хотели только на время его прихода, для виду. А передовице, поставленной у рубильника, вдруг раньше времени примерещилось, что Всенародный Избранник уже на подходе, и она, разумеется, что есть мочи рванула за рычаг – едва не пустив в расход своих товарок, живописно примостившихся меж «Газелей».

На КамАЗе журналистов поджидал просто-таки эффект дежа вю: тот же неработающий конвейер, тот же работник у рубильника, ожидающий Путина. Только вот в расход здесь пытались пустить уже не работниц, а иностранных тележурналистов, которые пытались заснять на камеру эту показуху. Сотрудники путинской охраны, которые и так во время его поездок относились к иностранным журналистам как к врагам народа, тут уж начали просто отпихивать и волтузить бедного оператора, чтобы не дать ему снимать застывший конвейер. Как ни смешно, защищать заморского бедолагу бросились опять-таки лишь хрупкие девушки «кремлевского пула», пригрозив охране, если они немедленно не оставят его в покое, написать обо всем в репортаже.

С детьми у главы государства тоже как-то сразу не задалось. По «кремлевскому пулу» из уст в уста передавались анекдоты, которыми оборачивались попытки Путина приласкать деток.

В Петрозаводской больнице, вместо того чтобы пожалеть маленького мальчика на костылях, которого сбила машина, Путин заявил ему:

– Ну вот, не будешь больше правила нарушать!..

Не удивительно, что после этого крошечная девочка, которую Путин попытался поцеловать, не далась, и в слезах призналась ему:

– Я тебя боюсь!

Об этих эпизодах путинская пресс-служба запретила писать в репортажах под угрозой немедленного лишения аккредитаций.

Впрочем, от путинской предвыборной кампании и не требовалось быть хорошей. Он должен был просто день за днем, в каждом выпуске новостей, с помощью государственного телевидения вбивать в мозги обывателям единственную мысль: «Я, Путин, уже у руля. Вне зависимости от того, проголосуете вы за меня или нет».

Отдиктовавшись (в смысле – передав репортажи) и разместившись в провинциальной гостинице, «кремлевский пул» вообще уже превращался в какую-то труппу странствующих комедиантов. Каждый в обязательном порядке исполнял, на радость провинциальной публике, свое фирменное коленце. Например, Александр Будберг из «Московского комсомольца» немедленно осведомлялся у портье, есть ли в гостинице стриптиз. А если нет – то где тут ближайший. И сразу же отправлялся туда по окончанию работы. Так за время предвыборной кампании кремлевский обозреватель тщательно проинспектировал все ведущие стрип-бары регионов, которые почтил вниманием его президент. А поскольку Будберг – один из немногих журналистов ельцинского призыва «кремлевского пула», чьи поездки с президентом продолжаются и поныне, то теперь эти его полевые исследования приобрели уже практически планетарные масштабы.

У журналистки Трегубовой был другой коронный номер: она каждый раз с доверчивостью ребенка пыталась получить в уездных городках ту же еду и напитки, к которым привыкла дома.

– Простите, у вас есть чай «Earl Grey»? – вежливо осведомлялась я в гостиничном буфете. И получив заведомо отрицательный ответ переходила к следующему обязательному пункту программы. – А свежий апельсиновый сок у вас есть?

– Есть. Двадцать рублей, – отвечала буфетчица.

Я приятно изумлялась низкой цене и на всякий случай переспрашивала:

– Простите, вы уверены, что он – свежий?

Буфетчица презрительно цедила через губу:

– Несвежего мы не держим, девушка....

И через минуту мне приносили – конечно же, не свежий сок, в смысле – не свежевыжатый, а сок в пакете. Может быть, он тоже бы относительно свежим. В смысле – этого года.

Но от такого крушения надежд я приходила в абсолютное отчаяние:

– Я вас умоляю: у вас же есть апельсины – пожалуйста, выжмите мне стакан сока! Я не спала уже две ночи, а мне сейчас репортаж надо писать!

Но, к моему прискорбию, оказалось, что в большинстве городов моей необъятной Родины ни за какие деньги невозможно купить тех мелочей, без которых, как ни смешно, я уже не представляю своей жизни.

В конце концов, чтобы не впадать каждый раз в депрессию хотя бы из-за быта, я стала возить с собой из Москвы душеспасительный чай с бергамотом. А в гостиничном буфете я заранее закупала с вечера килограмма два апельсинов, чтобы потом, утром, не пугая аборигенов прожорливостью, заперевшись у себя в номере, поглотить их вместо завтрака, сымитировав таким образом необходимый мне каждый день для экстренной реанимации свежий оранжевый сок.

Ленка Дикун развлекала провинциальную публику по-своему: времени на еду во время путинских визитов у нас обычно было в обрез, поэтому, как только мы заходили поужинать в местную забегаловку, она сразу строго предупреждала официанток:

– Так, девушки: вы должны обслужить нас в течении пятнадцати минут. Нас ждет президент.

Несмотря на однообразие предвыборных поездок Путина, в каждой из них с нами все-таки случались происшествия, благодаря которым теперь этот город и запомнился мне на всю жизнь. Но именно этого-то писать в репортажах было и нельзя. Поэтому не могу упустить случая, чтобы рассказать несколько этих случаев здесь. И заодно, кстати, проститься со своей предвыборной Земфирой.

Итак...

ИРКУТСК:
«Я ЗАХОТЕЛА ЛЮБВИ, ТЫ ЖЕ НЕ ЗАХОТЕЛА»

Во время встречи с местной интеллигенцией кандидат в президенты Путин во всеуслышание провозгласил, что секс – это одна из форм извращения.

Дело было так: отвечая на вопрос иркутского интеллигента об отношении к государственной цензуре на телевидении, Путин объявил, что «общество должно само отвергать все, что связано с сексом, насилием и прочими извращениями».

Вечером, когда я села писать репортаж, в моем гостиничном номере раздался звонок. Звонила моя коллега Таня Малкина из газеты «Время Новостей»:

– Слушай, Ленка, знаешь, ты эти слова Путина про секс лучше не цитируй. А то он каким-то идиотом будет выглядеть.

– А почему тебя так волнует, как он выглядит? Мы что с тобой, теперь разве в пресс-службе президента работаем? – посмеялась я.

– Ну, понимаешь, Володя Рахманин (тогдашний глава президентского протокола. – *Е. Т.*) просил об этом не писать... – замялась Танька.

– Меня он ни о чем таком не просил, – отрезала я.

Через минуту телефон зазвонил снова. Это был Рахманин:

– Лена, вы извините, что беспокою, просто Таня Малкина мне тут подсказала, что лучше бы предупредить всех журналистов, чтоб вы не цитировали слова Владимира Владимировича... ну там о сексе... А то – нехорошо получается. Вы понимаете, он не то имел в виду...

ВОЛГОГРАД:
«БОЛЬНО НЕ БУДЕТ, ОБЕЩАЮ...»

В волгоградском военном госпитале, который стоял в плане посещений Путина, журналистам раздали белые халаты и выставили на заранее заготовленные точки. Я в этом бутафорском облачении случайно зашла в палату ампутантов, которых недавно привезли из Чечни. Несмотря на ужас увиденного, я поняла, что просто выйти оттуда и закрыть за собой дверь было бы малодушием. Тем более что молоденькие ребята, которые там лежали, уже с какой-то надеждой смотрели на меня: гость. Я интуитивно почувствовала, что им сейчас больше всего надо, чтобы я улыбнулась и не побоялась с ними разговаривать, смотреть на них. И я подошла и стала знакомиться со всеми. И улыбаться. И изо всех сил не замечать оторванных конечностей и изуродованных лиц. И опять улыбаться.

Девятнадцатилетний Алексей из Нижнего Новгорода рассказал мне, что, после того как его призвали в армию, он успел повоевать в Чечне всего три месяца: ему взрывом оторвало кисть руки и чуть было не выбило глаз.

– Я мечтал стать шофером-дальнобойщиком. Как мой отец, – вздохнул Алексей. – Хотел ездить по стране, смотреть новые города. А теперь вот – видите, придется придумывать что-то другое...

– А девушка у тебя в Нижнем есть?

– Да, я ей уже всю правду написал про то, что со мной произошло. Она пишет: наплевать на все. Хочет быть вместе...

Тут дверь в палату распахнулась, и вошел Путин. Чтобы не мешать делегации, я осторожно присела на край кровати Алексея и благодаря этому услышала чудовищный разговор Верхового главнокомандующего с этим мальчиком, искалеченным на войне, которую он, Путин, развязал. Сначала генералиссимус ходил по палате, жал всем руки и вручал часы и переносной телевизор. А когда дошла очередь до Алексея, которому часы надевать было не на что, а телевизор смотреть – почти нечем, Путин спокойно поинтересовался у него:

– Глаз видит?

– Да.

– А то, что шрам такой на лице, – это ничего. Сейчас хирурги все так умеют делать, что ничего потом заметно не будет! – бодро сообщил ему Путин.

После этого кандидат в президенты постарался побыстрей ретироваться из палаты ампутантов – уж больно невыгодная для телекамер предвыборная картинка там получалась.

Когда он стал прощаться, пробираясь к двери, Алексей даже не произнес, а еле слышно выдохнул:

– Даже не верится... Путин... Живой...

Все это время, пока я сидела рядом с Алексеем, мне казалось, что я изо всех сил стараюсь не расплакаться. Но в ту секунду я обнаружила, что на самом-то деле у меня уже давно по лицу сплошным потоком текут слезы. Больше всего мне хотелось встать и дать Путину пощечину: за его бесстрастное выражение лица в тот момент, за менторский тон, которым он, не воевавший, позволил себе говорить с этим мальчиком, раненным на войне, которая так понадобилась Путину для победоносных выборов. А еще – за путинскую пропаганду по всем телеканалам, которая успела так загадить людям мозги, что этот парень, едва оставшийся в живых, радуется, что увидел живого Путина.

ИВАНОВО: «ВОТ НЕЗАДАЧА – ПОПАЛА САМА ПОД РАЗДАЧУ»

Когда Путин осматривал ткацкий цех, один из западных журналистов, аккредитованных в Кремле, воспользовался случаем и, когда мимо него проходил президент, попытался задал ему вполне невинный вопрос.

Однако когда Путин отошел, на журналиста накинулся разъяренный кремлевский пресс-секретарь Громов и принялся орать на весь цех:

– Как вы посмели! Вы что, правила не знаете?! У нас тут несанкционированных вопросов не задают! Еще раз так сделаете – и вылетите отсюда! Мы с вами не будем работать!

Надо пояснить, что несанкционированными вопросами в «кремлевском пуле» с момента прихода Путина к власти стали называться абсолютно все вопросы, которые не были заранее одобрены или даже составлены и розданы журналистам самим президентским пресс-секретарем.

Громов смотрел на иностранного «лазутчика» как удав на кролика, и тот уже явно морально приготовился к тому, что это – его последняя поездка с российским президентом.

Но тут Громов случайно обернулся и увидел, что у него за спиной стою я и все вижу и слышу. Во мгновение ока он сообразил, что меня как опасного свидетеля этой некрасивой сцены нужно срочно хоть чем-то нейтрализовать.

Лицо Громова моментально приняло фальшиво умильное выражение, и он заискивающе обратился ко мне:

– Леночка, а ты не хочешь задать вопрос Владимиру Владимировичу? Вашу газету не интересует, случайно, когда на телевидении появятся предвыборные ролики Путина?

Как назло, это действительно интересовало мою газету, и я согласилась. И, таким образом, на себе испытала весь механизм появления заказных вопросов во время так называемых пресс-конференций Путина.

Собрав брифинг прямо в цеху, Громов пустил туда всех приехавших газетчиков и телекамеры, но из всей толпы начал выхватывать только тех, чьи вопросы были им же самим заготовлены. В том числе – и меня. Ответ Путина тоже оказался явной домашней заготовкой: он заявил, что не намерен наравне со всякими прочими кандидатами в президенты участвовать в «дискуссии на тему: что лучше – «Сникерсы» или «Тампаксы».

Однако вступив на скользкую тему женских тампонов, Путин сильно рисковал. Потому что дело происходило как раз накануне Женского дня 8 марта. И я, конечно же, не удержалась от того, чтобы слегка просветить Владимира Владимировича со страниц газеты «Коммерсантъ» насчет женщин. Например, что, если он случайно не в курсе, то для каждой постсоветской женщины «Тампакс» – это главное (если не единственное) ощутимое достижение демократии. И что если любую россиянку поставить перед выбором «Тампакс» или президент, то она не задумываясь проголосует за первое.

Потом я еще долго пожинала лавры славы среди западных журналисток, которые, как известно, слегка больны на голову феминизмом и поэтому приняли мою статью за гимн женской эмансипации.

ВОРОНЕЖ:
«НЕ ВЗЛЕТИМ, ТАК ПОПЛАВАЕМ!»

Побывав вместе с Путиным на Воронежском авиационно-стоительном предприятии со звучным грузинским именем ВАСО, я, совершенно неожиданно для себя, поняла, что есть только один-единственный способ реформировать нашу страну. Могу поделиться рецептом с правительством. Записывайте: ВЗОРВАТЬ ВСЕ СОВЕТСКИЕ ЗАВОДЫ. А деньги, которые сейчас тратятся на их содержание, заплатить бывшим рабочим для переквалификации и трудоустройства на новые, эффективные рабочие места.

Сейчас объясню, почему это откровение снизошло на меня именно благодаря грузину Васо. Дело в том, что только проехав вместе с Путиным по стране, я воочию увидела, что же такое – наша экономика. Вернее, – наш бюджет. Вот кто-нибудь понимает, куда тратятся наши бюджетные деньги? Нет? А вот я теперь – да.

На заводе ВАСО, пока Путин, как всегда, опаздывал, я гуляла по огромному пустынному ангару и залезала на одинокие самолетики, которые там выставлены. И на одном лайнере, – который мне показался обычным задрипанным рейсовым самолетом советского образца, – я случайно встретила механика, который назвался Дмитрием и принялся изливать мне душу.

– У нас уже пять лет нет ни одного заказа. Последний раз Ельцин, когда здесь был, обещал нам дать госзаказ на постройку президентского самолета. А потом он его не выкупил, и у нас даже денег не хватило, чтобы его достроить. Так и стоит... Никому наши самолеты уже не нужны, никто их у нас не купит – я вам как механик говорю: они не только морально, но и технически устарели...

– А что же вы здесь тогда вообще делаете, раз пять лет ни одного заказа не было?

– Ну... Как «что»... Подкрутить, подвертить где чего... Проверить... Да я почти и не работаю здесь – так вот – сегодня позвонили, вызвали... Я подрабатываю все время. Потому что зарплату я здесь вообще нищенскую получаю – две тысячи рублей с небольшим... А на стороне я баксов триста спокойно в месяц делаю...

– А директор ваш сколько, интересно, здесь получает?

– Ха! За него не беспокойтесь! Знаете, какая у него дача! Вам и не снилось!

Я была просто потрясена: этот механик сам признается, что абсолютно ничего на заводе не делает, но тем не менее получает зарплату. Нищенскую, но зарплату. Более того – он признается, что и весь его завод ничего не производит уже 5 лет! А сколько еще заводов-убийц за каждым закоулком нашей необъятной родины с ножом притаилось и за родным караваем охотятся? Так весь бюджет и сжирают. И когда депутаты в Думе кричат о необходимости дотаций для поддержки отечественного производства и требуют дать новые госзаказы заводам, то они должны честно признаться, что хотят оплатить из кармана налогоплательщиков ровно те никому не нужные устаревшие самолеты, о которых говорил мой искренний воронежский приятель Дмитрий.

«В таком случае, дорогой Васо, нэ дешевле ли будет стране скинуться на несколько сотен килограммов тротила, чтобы ликвидировать эту бездонную прорву навсегда и начать заново создавать в России реальное, нужное, эффективное производство? Ну, Васо, – будь мужчиной!» –

беседовала я с виртуальным воронежским грузином, разгуливая по цехам.

Однако Путин, явившийся на завод как раз в тот момент, когда я уже почти было уговорила Васо самоликвидироваться, спутал мне все карты. Он тут же пообещал авиационщикам выкупить у них президентский самолет и дать новые госзаказы.

– Вот глава «Аэрофлота» об этом позаботится! – заявил Путин и ткнул пальцем в стоявшего поодаль ельцинского зятя Валерия Окулова, который был явно не рад такому соцобязательству, но покорно закивал.

Тут в окружавшей Путина свите у меня неожиданно появился идейный сообщник:

– Да на помойку эти самолеты нужно, чтоб не мучиться... – пробурчал какой-то представительный мужчина себе под нос.

– Ой, простите, а вы – кто? – радостно переспросила я.

– А я – хозяин «Трансаэро», Плешаков моя фамилия... Мы вот, например, давно в лизинг несколько боингов взяли – там и начинка отличного качества, и салоны современные. А по деньгам – гораздо выгоднее получается, чем аэрофлотовские «тушки» и «илы» возить. Они же уже морально устарели лет на двадцать! Вам, случайно, не приходилось летать на трансаэровских боингах?

Я сказала, что приходилось, и откровенно призналась, какая именно деталь в его самолетах привела меня в наиболее буйный восторг:

– Туалеты! Ну откройте секрет: ну вот как вам удается добиваться от ваших унитазов, чтобы они ревели как звери и всасывали воду с такой офигительной скоростью?!

Тут в разговор вступила Елена Дикун и в красках поведала главе «Трансаэро», как, когда мы вместе летели на боинге его компании (обычным рейсовым самолетом, в Европу, на какой-то саммит, к дедушке Ельцину), я щедро делилась с коллегами своим открытием: открывала настеж дверь в туалет, заходила туда, спускала воду и требовала от всех «послушать, какой суперский звук!»

С Плешаковым просто истерика случилась от хохота. На нас уже стали оборачиваться и шикать путинские чиновники, чтобы мы не заглушали президента.

А отсмеявшись, хозяин «Трансаэро» честно мне признался:

— Вы не поверите: со мной в первый раз, когда я эти туалеты увидел, то же самое, что с вами, случилось! Я игрался с этими туалетами ну просто как ребенок! Звук действительно потрясающий! Это называется — пневмотуалеты. Знаете, точно такие же делают на подводных лодках!

Кремлевская пресс-хата

Если кто не знает — слово «пресс-хата» на зоне означает специальную систему моральных и физических издевательств, с помощь которых в человеке пытаются сломать волю, «отпрессовать». Так вот лично для меня в 2000 году, после прихода Путина к власти, кремлевская пресс-служба превратилась в настоящую пресс-хату.

Когда за мой очередной репортаж пресс-секретарь Путина Алексей Громов опять отстранил меня от поездок, я уже скорее даже обрадовалась возможности отоспаться после предвыборной кампании, чем расстроилась. Если бы не одно «но»: Громов объявил мне, что лишил меня аккредитации «с согласия главного редактора «Коммерсанта» Андрея Васильева».

Я бросилась к Васильеву выяснять, в чем дело. Объяснение, которое я от Андрея услышала, просто лишило меня дара речи:

— Извини, подруга: я тебя обменял. Просто Громов лишил аккредитации нашего фотокорреспондента за какую-то там фотку — он там Путина, что ли, уродом сфотографировал... Понимаешь, нам же все-таки важно, чтобы у нас в «кремлевском пуле» был свой фотокорреспондент... Вот я и договорился с Громовым, что я обменяю тебя на нашего фотографа. Но это — только на одну поездку, ты не волнуйся! Я просто хочу понять, в чем проблема: в тебе лично или там вообще уже у них в Кремле пошло говно по трубам...

Я ответила, что тогда немедленно пишу заявление об уходе из газеты:

— Ради чего тогда я каждый день выдерживаю прессинг этих уродов? Чтобы потом, в самый неожиданный момент родная газета исподтишка сдала меня?! Спасибо вам большое за коллегиальную поддержку! Только отдавайте себе отчет: если вы сейчас хотя бы один раз позволите Кремлю себя так прогнуть, то потом они уже будут знать, что с нашей газетой можно на таком языке разговаривать!

В следующую президентскую поездку главный редактор опять аккредитовал меня. А нашего фотокорреспондента потом все равно опять лишили аккредитации: на этот раз Громов совал мне под нос обложку нашего еженедельника «Власть» и орал, что мы не имеем права фотографировать президентских охранников...

Нам все казалось, что, как только пройдут президентские выборы, кремлевская паранойя кончится. Путин перестанет бояться продуть выборы, и надобность в жесткой цензуре у него отпадет, – рассуждали журналисты.

Но не тут-то было. В первых же послевыборных поездках Путина репрессии к журналистам еще больше ужесточились.

Мало того – сразу же после победы Путина на президентских выборах его пресс-секретарь уже совершенно гласно, ничего больше не стесняясь, объявил журналистам о введении в Кремле цензуры.

В середине апреля, перед первой зарубежной вылазкой Путина (еще до инаугурации он совершил блиц-визит в Минск, Лондон и Киев) Алексей Громов внезапно созвал весь «кремлевский пул» на собственный закрытый брифинг.

– Будут объявлены новые правила работы пула, – отрапортовал сотрудник пресс-службы, обзванивавший всех нас по телефону. – Громов просил передать, что явка обязательна для всех!

Предвыборных издевательств мне хватило по горло, и я, сказавшись больной, прогуляла урок. Однако заботливые коллеги, разумеется, в деталях записали содержание секретарского инструктажа и пересказали мне. Правило номер один, оглашенное Громовым, практически дословно копировало вывески на скверных питейных заведениях: «Администрация имеет право по собственному усмотрению и без объяснения причин отказать в обслуживании любому клиенту». В смысле, журналисту, конечно.

– Вы, конечно, можете писать любые статьи. Но только потом не удивляйтесь, когда мы вас не включим в списки аккредитации на освещение следующего президентского мероприятия, – откровенно предупредил Громов.

Правило номер два, по сути, вообще запрещало кремлевским журналистам во время поездок с президентом исполнять их прямые профессиональные обязанности:

– Никто не имеет права задавать президенту вопросы, которые предварительно не согласованы со мной лично. И никто не имеет права в поездках подходить к членам делегации, сопровождающим президента, и задавать им вопросы.

– Извините, а если какой-нибудь член делегации сам ко мне подойдет и захочет поговорить? Что мне тогда делать – бежать от него со всех ног с криком «А мне пресс-служба не велела с вами общаться!»? –постаралась довести ситуацию до абсурда Дикун.

Все захохотали. Только вот Громову было не до смеха:

– Если член делегации к вам сам подойдет, тогда вы обязаны немедленно найти сотрудника пресс-службы и согласовать с ним этот контакт, – на полном серьезе заявил новый президентский пресс-секретарь.

Самым удивительным было даже не то, что официальный представитель Кремля посмел произнести все это вслух при большом скоплении журналистов, а то, что никто, кроме двух-трех человек, даже не попытался возмутиться по поводу эти новых репрессивных установок.

А некоторые коллеги даже начали их активно приветствовать.

– Вы не понимаете: Путин таким образом создает новую элиту журналистики! – восторженно заливал нам с Ленкой Дикун Саша Будберг из «Московского комсомольца».

– Ты, Саш, кажется, чего-то перепутал: так создают не элиту, а прикормленную прессу. Причем очень низкого уровня. Потому что на таких унизительных условиях в «кремлевском пуле» согласятся работать только бездарности, у которых нет никаких шансов при свободной конкуренции, – разочаровали его мы.

Вскоре «прикормленным» «кремлевский пул» стал в прямом смысле этого слова. В первой же поездке за границу, в

Лондоне, пресс-служба организовала ужин с Путиным для наиболее сервильной части «кремлевского пула». Причем, у рядовых сотрудников пресс-службы, когда впервые произошло разделение пула на «козлищ» и «овец», случилось легкое помешательство: они никак не могли понять, почему в списке аккредитованных на ужин нет ведущих политических журналистов, которые до этого всегда ходили на все кремлевские брифинги.

Как сейчас помню абсолютно обалдевшее лицо Кости Мишина (тогдашнего зама начальника отдела аккредитации пресс-службы), когда в аэропорту «Хитроу» он вынужден был рассаживать всех журналистов не в один автобус, а в два: в правый – тех, кто едет ужинать с Путиным, а в левый – тех, кто едет в гостиницу.

– Девочки! Куда же вы! Вам же надо сюда, в правый автобус! – замахал мне и еще нескольким коллегам Костя, уверенный, что меня, само собой, не могли не пригласить.

Однако когда мы к нему подошли и Костя, на всякий случай, все-таки заглянул в список, на лице у него отразилась смертельная паника:

– Ой...Ой-ой-ой... Здесь что-то, наверное, перепутали... Не может быть... Что же делать?! Это точно ошибка! Но я ведь не могу сам вас сюда вписать! Ой, девочки, простите, знаете, вы лучше сейчас тогда поезжайте в гостиницу и ждите, а я все уточню и вам обязательно позвоню!

Я сразу правильно оценила ситуацию:

– Ура! Дикун, у нас – свободный вечер! Пойдем скорее в Чайна-таун, я накормлю тебя своими любимыми лобстерами в соусе чилли!

Но Дикун чуть не плакала. И пока я с наслаждением разделывала крабов (лобстеры в тот вечер в моем любимом ресторанчике, увы, уже закончились), бедная Ленка все причитала:

– Я не понимаю, где же мы возьмем информацию об этой встрече с Путиным? Трегубова, ты представляешь, а если эта пытка будет продолжаться в каждой поездке? Официально они нас, вроде бы, будут аккредитовывать, но пускать никуда не будут! Как же мы работать-то будем?!

Но как только подали китайский десерт, у Дикун моментально просохли слезы, и она тоже возблагодарила судьбу за то, что Путин избавил нас в этот вечер от своего общества.

На следующий день, по дороге на Даунинг-стрит, Дикун стала пытаться выудить из коллег подробности вчерашних посиделок.

Но свеженазначенная элита журналистики не кололась. Все отводили от нас глаза и делали вид, что вообще не понимают, о чем речь. Было видно, что их уже хорошенько обработал пресс-секретарь Громов по поводу секретности.

Дикун пристала к кореспонденту «Комсомольской правды» Александру Гамову:

– Гамов, ну я же знаю: ты – аккуратный мальчик и всегда на встречах с ньюсмейкерами ведешь записи у себя в блокнотике!

– Ну да, веду...

– И вчера вечером вел? – поймала его на понт Дикун.

– Ну да, вел... – растерялся Гамов.

– Тогда дай мне их, пожалуйста, посмотреть, – не растерялась Дикун. – Я прочитаю и сразу тебе верну. Обещаю, я никому не скажу, что это ты мне дал. Мы же коллеги, Саш!

Глаза Гамова забегали. Ему было явно стыдно признаваться, что он просто боится пресс-службы, и он стал отчаянно придумывать, как бы выкрутиться из ситуации:

– Лен, я не могу...

– Почему?

– А у меня больше нет этих записей.

– Куда же ты их дел, Саша? Съел? – съязвила Дикун.

– Да. Съел, – обреченно промямлил Гамов.

В ельцинское время Гамов был единственным журналистом за всю историю существования пула, которого тогдашний пресс-секретарь президента Сергей Ястржембский лишил аккредитации в Кремле за фривольную статью. Теперь же, когда Гамова вернули в Кремль, он был настолько счастлив и перепуган, что стал идеальным экземпляром для нового, управляемого путинского пула.

Другая коллега, к которой Дикун обратилась с той же просьбой, сослалась на плохую память:

– А записи нам пресс-служба запретила вести...– оправдывалась она, тоже отводя глаза и краснея.

Впрочем, когда нам, наконец, удалось отловить «языка», в деталях пересказавшего нам содержание встречи (даже сейчас, спустя это время, не стану называть его имя, поскольку он до сих пор остается в пуле), выяснилось, что опасения Дикун были напрасны. Вместо государственных секретов Путин вылил на головы доверенных журналистов ровно тот же набор банальностей о сложных отношениях России и Запада из-за Чечни, которым потчевали нас перед отъездом кремлевские внешнеполитические стратеги.

– Похоже, он их действительно просто прикармливает, – успокоилась Ленка. – Видимо, он просто надеется, что после этого они не напишут о нем ни одного дурного слова, потому что будут бояться, что иначе в следующий раз президент их уже кормить не будет.

Но, устроив эту разводку, президент добился и еще одной цели: в присутствии кремлевских чиновников журналисты, причастившиеся президентского ужина, стали просто шарахаться от изгоев, как от прокаженных.

Этого зрелища я уже не выдержала.

Я достала мобильный, позвонила в Москву (помнится, с Трафальгара) и заявила начальнице отдела политики:

– Все! С меня хватит! Ищите мне в Кремле замену! Я не намерена больше позволять всяким мелким кремлевским ублюдкам трепать мне нервы!

Но так просто из кремлевского концлагеря было не сбежать. В редакции меня умоляли, чтобы я еще какое-то время оставалась в президентском пуле, потому что никакой адекватной замены быстро придумать было невозможно, а газете все-таки нужны были репортажи о главе государства. Но после каждой моей статьи путинский пресс-секретарь Громов вновь звонил в редакцию «Коммерсанта» и устраивал скандал – то мне, то главному редактору. И Кремль опять лишал меня аккредитации. И я опять вынуждена была ее выбивать всеми мыслимыми и немыслимыми путями. А потом я снова писала статью, из-за которой Кремль опять стоял на ушах, и меня снова вычеркивали из всех списков. Все это превращалось в пыточный замкнутый круг, выйти из которого я была уже не в состоянии.

Вскоре Лондон показался мне санаторием. В городе Балтийске, куда меня с подозрительной любезностью аккредитовали «освещать однодневный визит Путина», президентская пресс-служба опробовала на мне новый вид «психической атаки».

Единственным мероприятием, на которое там пустили прессу, оказался обед с Путиным на военном корабле, в открытом море. Журналистов должны были доставить на корабль на специальном катере.

Но когда я попыталась в него сесть, дорогу мне преградил сотрудник пресс-службы Максим Терноушко:

– Извини Лена, там больше мест нет.

Сценка получилась в духе безвкусных гротескных фелинниевских фильмов: я стою на пристани, одна, полупустой катер отплывает, а из иллюминаторов высовываются коллеги-журналисты, провожая меня самодовольными улыбками.

Самостоятельно уехать из военного городка, где мы находились, я просто физически не могла и вынуждена была пять часов просидеть в автобусе, ожидая, пока закончится большая жратва другого режиссера.

По возвращении первым ко мне подошел Саша Будберг из «Московского комсомольца» и, в буквальном смысле выковыривая из зубов остатки еды (то спичкой, то пальцем), довольно поинтересовался:

– Ну как провела время, независимая журналистка?

А работник пресс-службы Терноушко, не пустивший меня по кома́нде начальства на катер, чуть покраснев, с деланной заботой в голосе спросил:

– Леночка, тебе удалось хотя бы покушать?

Была у путинской пресс-службы и еще одна невинная забава: сначала она отказывалась аккредитовать «Коммерсантъ» на президентское мероприятие, уверяя, что «аккредитация еще не началась», а когда мы перезванивали на следующий день, то нам отвечали, что «списки уже закрыты».

Одно радовало: в отдельных сотрудниках пресс-службы все-таки иногда просыпалась совесть, и они умудрялись показывать Кремлю фигу в кармане.

Ира Хлестова, тогдашняя начальница отдела аккредитации, когда я заехала к ней на Старую площадь, вывела меня из своего кабинета в пустое фойе при входе в подъезд и жарким шепотом принялась умолять:

– Леночка, ты прости меня, ради Бога! Мне и самой противно тебе врать все время по телефону! Но ты же знаешь: у нас здесь все прослушивается! Поэтому по телефону я тебе вынуждена говорить то, что мне велит начальство. Знаешь, как нам самим здесь всем остоеб..ило это гестапо! При первой же возможности отсюда уволюсь!

Сразу поясню: я процитировала этот разговор только потому, что в настоящий момент Хлестова уже давно уволилась из Кремля и перешла на работу в коммерческую структуру. Точно так же, как и еще несколько сотрудников пресс-службы, которые не вытерпели новых порядков.

Остальные, видимо, исполняли репрессивные приказания начальства не по должности, а по складу души.

Как-то раз в редакцию «Коммерсанта» позвонил какой-то низовой сотрудник кремлевского отдела аккредитации (по фамилии, кажется, то ли Мошкин, то ли Мошонкин, – точно не помню) и «по старой дружбе» предложил прокатиться в следующую поездку с президентом моему коллеге Андрею Колесникову.

– Трегубову ведь все равно не пустят... – пояснил Мошкин.

К чести Андрея, с ним этот фокус не прошел: он тут же отправился к нашему главному редактору и рассказал ему о разводке. А тот, в свою очередь, вынужден был накатать очередную официальную телегу в Кремль с требованием аккредитовать меня.

Но самым гнусным пунктом программы были звонки из Кремля мне на мобильный с «добрыми советами»:

– Лен, я тебя по-хорошему предупреждаю: если ты не изменишь тон своих публикаций, то мы ведь все равно рано или поздно найдем в «Коммерсанте» людей, которые будут с нами сотрудничать и писать так, как нам надо. Ты думаешь, у вас там мало журналистов, которые почтут за счастье, если им позволят ездить с президентом?! – с какой-то пугающей откровенностью заявила мне Наталья Тимакова. – Так что советую тебе подумать. Потому что иначе мы тебя скоро вообще отрежем от всех каналов информации. С тобой, заметь, отдельные люди в Кремле еще разговаривают. А посмотри на Пинскера из «Итогов»: мы его и всю

«Гусиную стаю» вообще уже на порог не пускаем. Поэтому Пинскер уже в полном отрыве: в его статьях – ноль реальной информации о происходящем в Кремле!

(Интересно, вспоминала ли нынешняя начальница пресс-службы Тимакова этот разговор, когда полтора года спустя не постеснялась вместе с журналистами прийти на похороны трагически погибшего Димы Пинскера.)

Всеми этими милыми приемчиками кремлевская пресс-хата добилась своего: физически, а главное – морально, существовать там становилось уже просто невыносимо. Но ровно в этот момент я твердо решила для себя: если в неравном бою «Коммерсанта» с кремлевской пресс-службой кто-то и сдастся, то пусть это буду не я. Просто потому, что плюнуть и уйти означало бы признать победу путинских цензоров. И позволить им, по сути, ввести в стране «запрет на профессию» для неподконтрольных Кремлю журналистов.

Как Путин испортил мне Пасху

Я не суеверна, но когда весной 2000 года мне сказали, что Пасху мне придется справлять вместе с Путиным (ему приспичило съездить в Санкт-Петербург, и оттуда нужно было написать репортаж), я громко выматерилась. Дело в том, что мне сразу же в красках вспомнился старый семейный апокриф.

Как-то раз, на Святое Воскресенье, моя мама чуть не плача умоляла папу:

– Ну не езди ты, Витя, сегодня в гараж чинить машину – грех ведь в великий праздник работать, Бог накажет!

Но папа, разумеется, не послушался и поехал. А когда вечером он вернулся, хохот в квартире стоял минут десять. Потому что утром от нас уезжал папа как папа – красивый и здоровый, а вернулось – чудовище с обезображенным лихорадкой лицом и обметанными губами. Возможно, дело было и не в Божьей каре – просто наш папа, поверив весеннему солнышку, несколько часов пролежал под своей машиной в ледяной, как могила, ремонтной яме. Но из апокрифа слова не выкинешь.

Я-то в отличие от своей мамы как раз наоборот убеждена, что работать никогда не грех, а за работу в праздники Господь еще и молоко с булочками за вредность дает. Но все равно, перспектива получить вместо пасхальных куличей постные чиновничьи физиономии вызвала у меня легкий приступ тошноты.

В общем, в Питер я отправилась в самом дурном расположении духа. Предчувствия, как водится, не обманули.

– Как ты думаешь, Лена, а можно в церковь на Пасху без платка на голове идти? – елейным голоском спросил меня по приезде президентский пресс-секретарь Громов.

– Вам – можно, Алексей Алексеевич, – съязвила я.

Я уже чувствовала, куда клонит пресс-служба: они еще и в Исаакиевский собор решили прессу только по пулам пускать! Ну уж вот это – дудки!

У меня в отличие от Громова платочек с собой был, и я решила как добрая прихожанка, пробраться в собор заблаговременно, в обход всяких охранников. Мой маневр прекрасно удался. Я приехала часам к одиннадцати вечера. К этому времени Исаакий хотя и был уже оцеплен, но всех прихожан еще пускали – президентская охрана прекрасно понимала, что иначе выйдет скандал.

Внутри собора, оглядевшись, я к своему изумлению обнаружила, что явиться на пасхальную службу без разрешения кремлевских чиновников не решился больше ни один из коллег-журналистов.

Впрочем, вскоре сквозь толпу молящихся стала пробиваться свита официоза – представители прокремлевских информационных агентств. Сопровождавшие их сотрудники пресс-службы, обнаружив безбилетника в моем лице, прожигали меня ненавидящими взглядами. Но, к счастью, нас разделяла толпа, и устраивать скандал в храме они не решились.

Я же к этому времени успела занять самое удобное место – почти напротив самых Царских ворот, в первом ряду – и попыталась абстрагироваться от всей этой оскорбительной ситуации и насколько возможно насладиться приближением любимого праздника. Но как раз этого-то мне и не удалось.

Минут за десять до полуночи явился Путин и прошествовал к алтарю. Мы с ним оказались прямо напротив друг друга – так, что я прекрасно могла наблюдать за президентской мимикой. Рядом с ним, на левом клиросе, то есть отдельно от всех молящихся, поспешила выстроиться и вся президентская рать – губернатор Санкт-Петербурга Владимир Яковлев, тогдашний министр иностранных дел Игорь Иванов и прочие. Получилось, что они стоят абсолютно симметрично с церковным хором, находившимся на правом клиросе. Таким образом, у Царских ворот, напротив церковных ангелов (как на православном сленге называют певчих), живописно выстроились еще и ангелы Путина. Последние вели себя каждый в меру своего православия или, скорее, должностного положения: министр иностранных дел (подозревавший в тот момент, что находится на грани отставки) истово осенял себя крестным знамением вслед за Путиным, а губернатор Яковлев, не сомневавшийся в своей победе на выборах и уверенный (как теперь выяснилось – ошибочно) в своей неприкосновенности на весь следующий губернаторский срок, позволил себе расслабиться и спокойно стоял с независимой, отрешенной физиономией.

Местный митрополит Владимир, похоже, слегка осоловевший от близости высокого гостя, для приличия сообщил собравшимся, что «Христос Воскресе», и вдруг решительно отвернулся от иконы Спасителя к Путину:

– У меня для вас, дорогой Владимир Владимирович, подарочек есть – яичко! Но яичко не простое! Ну и не золотое, конечно, но скорлупа у него золотая! Но главное, что это яйцо с короной! У нас, конечно, царей теперь нет, но вы – всенародно избранный президент, поэтому здесь, в престольном царском соборе, примите от нас этот символический подарок на долгое и счастливое царствование!

Церковный люд оторопел: вообще-то после Крестного хода все внимание должно быть обращено к воскресшему Христу. Но у митрополита явно был свой герой. Он вывел всенародно избранного к разверстым Царским вратам и вручил подарок. Путин от растерянности промямлил: «Спасибо», – и поцеловал яйцо.

Но владыке Владимиру и этого безобразия показалось мало:

– Хочу вас заверить, Владимир Владимирович: мы все в этом храме как один за вас...

– ...Молились! – наивно предположила какая-то богобоязненная старушка.

– ...Голосовали! – неожиданно по-светски заключил митрополит.

А потом митрополит, уже совсем как государственный чиновник, принялся рассуждать на модную тему – что хорошо бы столицу перенести из Москвы в Санкт-Петербург.

Все это произвело на меня самое тягостное впечатление: и Путин, одаренный золотым яйцом, и его чиновники, наделенные яйцами попроще, и весь этот верноподданнический митинг, устроенный в храме митрополитом, – словом, напрочь изгаженный праздник.

Как и всегда при общении с Путиным у меня началось натуральное раздвоение личности: худшая моя, секулярная, половина – журналист – ликовал, что добыл эксклюзивный материал для скандального репортажа (потому что никто из верноподданных кремлевских корреспондентов, разумеется, не решился написать о произошедшем, а Центральное телевидение, как мне потом рассказали в Москве, по загадочным «техническим причинам» вело трансляцию из Исаакия довольно сбивчиво). Оставшаяся же моя половина на чем свет проклинала первую: к черту весь этот профессиональный долг, ну почему я не плюнула на все и просто не пошла в обычный храм?!

Я с трудом выбралась из Исаакиевского собора сквозь толпу, жаждавшую лицезреть своего президента, и мрачно побрела разговляться в ближайший ресторан.

Приходько с приборчиком

Из достоверных источников, близких к президенту, уже давно известно: у каждого кремлевского чиновника аккуратно вживлен в тело один маленький приборчик. Совсем не тот, о котором вы подумали. Я имею в виду индикатор, который моментально улавливает малейшие изменения климата в кремлевском застенке.

И когда те же самые чиновники, которые в ельцинские времена изо всех сил рядились ко мне в друзья, при Путине, едва уловив этим своим приборчиком запах травли, присоединялись к общей стае и набрасывались на меня, – надо признаться, впечатление они производили довольно тяжелое.

Глупо, конечно, было из-за них расстраиваться: одно дело – люди, и совсем другое дело – чиновники. Да еще и с приборчиками. Но я-то ведь – не чиновник. Поэтому и переживала.

Ровно так случилось и с Сергеем Приходько – заместителем главы администрации по международным вопросам. Формально – главным внешнеполитическим стратегом Кремля.

Приходько, прежде из кожи вон вылезавший, чтобы добиться от меня хотя бы приятельских отношений, едва прослышав о коллективной травле, которую мне устроила пресс-служба президента, повел себя в строгом соответствии с показаниями своего приборчика.

Во время первого президентского турне Путина по Средней Азии, в городе Ташкенте, в резиденции Ислама Каримова с красноречивым названием «Дурмень», я, как обычно, подошла к Приходько за комментарием.

Однако ответ, который я услышала, был довольно нестандартен для высокопоставленного государственного чиновника:

– Знаете, Лена, как с женщиной я бы с вами с удовольствием пообщался. А среди журналистов у меня есть гораздо более интересные собеседники, чем корреспонденты газеты Березовского.

В этот момент я заметила, что рядом с Приходько стоял как раз один из таких «более интересных собеседников» – корреспондент официозного агентства «Интерфакс».

Я чудовищным усилием воли сдержалась, чтобы не дать Приходько пощечину. «Неудобно, – думаю, – резиденция президента все-таки. Хоть и узбекского».

Не сказав ему больше ни слова, я развернулась и ушла. Но когда вошла в свой гостиничный номер, то почувствовала, что статью писать не в состоянии.

Вспомнив кремлевский негласный инструктаж («В Средней Азии в отелях всегда все прослушивается»), я, опытный кремлевский диггер, выскочила на улицу, села на лавочку под южной акацией у подножья своего шикарного пятизведного отеля, позвонила по мобиле маме в Москву и расплакалась, как пятнадцатилетняя девочка:

– Мамочка, ну что же это за вурдалаки?! Ну как они смеют надо мной так издеваться?! Какой-то жалкий кремлевский потаскун смеет оскорблять меня при всех, точно зная, что по морде я ему там дать постесняюсь!

Мама на том конце трубки плакала вместе со мной, умоляя меня плюнуть на все и уйти из Кремля.

Но уже через минуту я взяла себя в руки, поняв, что пощечина все-таки найдет героя. Но – в виде статьи.

Каюсь: это был единственный случай в моей журналистской практике, когда я использовала газету как орудие личной мести. Объясню, что мне в этом помогло. В эту поездку по ближнему зарубежью Путин впервые взял с собой своего помощника Ястржембского, поручив ему «координировать борьбу с международным терроризмом и исламским экстремизмом». При живом Приходько это выглядело достаточно подозрительно. Одновременно мне было известно, что в Кремле уже начинают поговаривать, что новому, физически дееспособному президенту Путину в отличие от ограниченно дееспособного Ельцина нужна «новая внешняя политика». Мои кремлевские собеседники сетовали также на то, что Сергей Приходько, который всегда являлся лишь проводником устаревших советских внешнеполитических концепций российского МИДа, уже «не поспевает» за новым президентом.

Не исказив в своей ташкентской статье ни одного из перечисленных фактов, я просто навела на них крупную лупу. В результате интертекстуально вышло так, будто Сергея Приходько вот-вот уволят.

Внешний курс, который отечественный МИД при посредничестве Приходько предложил Путину в первые месяцы его президентства, действительно приносил президенту один провал за другим. В этом курсе не было ровно никаких осмысленных идей, а лишь один-единственный, доставшийся в наследство еще с коммунистических времен, дешевый приемчик: шантажировать Запад своей дружбой с одиозными режимами. Причем сам Путин тоже явно не имел ничего против того, чтобы поднять это выпавшее из ослабевших рук Ельцина переходящее красное знамя. Позднее новому российскому президенту удалось крайне выгодно продать отказ от этого традиционного шантажа, когда после терактов 11 сентября в США он стал на сторону США. В плату за этот неожиданный расчетливый «цивилизованный выбор» Путина Запад теперь, кажется, на много лет вперед выписал российскому президенту индульгенцию и на все будущие зачистки в Чечне, и на уничтожение в России независимых от государства СМИ.

Но в 2000-м, после президентских выборов, путинская дипломатия все еще представляла собой нехитрую советскую эпическую статую «Фак Западу». Первой же страной, которую Путин демонстративно посетил сразу же после своего избрания президентом, стала Белоруссия. Иначе как демарш в отместку за жесткую международную критику войны в Чечне расценить этого не мог ни один из зарубежных аналитиков. В последующие три месяца Путин еще трижды публично братался с белорусским диктатором Лукашенко и даже пообещал, что вскоре у России и Белоруссии будет «единая внешняя и внутренняя политика». При том, что Лукашенко уже тогда ни одна уважающая себя международная организация к себе на порог не пускала, было очевидно, что если Путин и дальше, с подачи Смоленской площади, продолжит двигаться по этой скользкой дорожке, то очень скоро разделит судьбу своего белорусского дружка и заведет Россию в международную изоляцию.

А уж попытка Путина, по совету МИДа, сразу же после инаугурации «обновить традиционные центрально-азиатские связи» и вовсе закончилась для российского президента международным позором. В столице Туркменистана Ашхабаде старый партийный пахан Сапармурат Ниязов так «опустил» гэбэшного салагу Путина, что у того наверняка навсегда отбило охоту возвращаться в этот город.

Эффектно разводя пальцами в громадных золотых перстнях, Туркменбаши Ниязов заставлял Путина шестерить, как мальчика:

– Да вы садитесь, присаживайтесь!

И тут же:

– Да вы встаньте!

А уж когда Путин, начав выступать перед туркменским партхозактивом, попросил всех «простить, если выйдет нескладно», Отец Всех Туркмен и вовсе расценил это как откровенную слабину нового русского «баши» и публично «отымел» гостя в лучших традициях:

– Вы не обращайте внимания, что он так выступал... Это – не потому, что он – такой... Он просто пока переживает... И мы с ним в дороге долго были... Но в душе он – прекрасный человек...– с презрительной улыбочкой объяснил все про Путина своим подданным султан советского типа.

Путин расстался с Ниязовым просто весь зеленый от злости.

Но злиться ему было не на кого, кроме как на себя самого и своих любимых внешнеполитических стратегов, непонятно зачем собственноручно организовавших российскому президенту это публичное унижение.

Но меня потрясло в Ашхабаде другое: Подсолнух. То есть огромная, метров двадцать высотой, статуя Сапармурата Ниязова из чистого золота, возвышающаяся на высоченной башне в центре главной площади страны. Как гордо подчеркивают местные чиновники, «внутри статуя тоже – не полая, а полная». А «Подсолнухом» злые языки прозвали этого золотого идола потому, что с помощью специального механизма золотой Туркменбаши круглосуточно поворачивается лицом к Солнцу и тянет свои широко расставленные руки по очереди ко всем жителям страны.

А уж когда я смотрела на роскошные, как в персидских сказках, президентские дворцы с фонтанами по фасадам, сгруппированные на огромной площади посреди абсолютно нищего советского города с хрущобами, мне вообще все время хотелось ущипнуть себя, чтобы поверить, что все это – не дикий, причудливый сон, навеянный сорокаградусной среднеазиатской жарой.

Впрочем, «ущипнули» меня другие. Когда я, ожидая приезда Путина и Ниязова на этой самой площади, пошла в туалет (в президентский дворец по малой нужде без президентов, разумеется, не пускали, и пришлось выйти за оцепление и завернуть в первое же попавшееся государственное учреждение), передо мной чуть ли не на колени бросилась какая-то несчастная русская девушка:

– Я вас умоляю, помогите мне уехать из этой страны! Нас здесь убивают как кур, как только кто-то высовывает голову. Работы нет, живем в нищете, а уехать из страны мы не можем. Вы разве не знаете – они нам даже не дают загранпаспортов! Мы здесь как крепостные! И моих родных из Москвы сюда не впускают, визу не дают. Скажите Путину!

Я поняла, что девушка увидела на мне бэджик российской прессы и поэтому подумала, что я чем-то смогу помочь.

Но в этот самый момент возле нас, словно джинн из бутылки, появилась эсэсовского вида восточная женщина в штатском, и моя собеседница в мановение ока отскочила от меня, истерически прошептав:

– Сделайте вид, что я с вами ни о чем не разговаривала. Прошу вас! Иначе они меня убьют!

Это были последние слова, которые я от нее услышала. Девушка спешно удалилась за угол. А следом за ней – та азиатская эсэсовка в штатском. А я с гадким чувством собственной беспомощности вернулась назад, под Подсолнух, на президентскую площадь, в персидско-советскую сказку.

Вот в таком антураже, в одном из президентских дворцов Сапармурата Ниязова, мы и объяснились с Приходько после выхода моей статьи. Я, разумеется, не желала с ним больше разговаривать.

Но он, при большом скоплении прессы, подбежал ко мне и возбужденно затараторил:

– Лена! Я никогда в жизни не читал большей ерунды, чем в сегодняшней вашей статье! С чего вы взяли, что меня могут уволить?!

– А я никогда в жизни не слышала большей мерзости, чем то, что вы посмели произнести мне вчера, – спокойно возразила я и ушла.

Вопреки всем канонам официозного жанра за мной вслед побежал корреспондент «ИТАР-ТАСС» и выпалил:

– Какая ты молодец! Они действительно совсем уже распоясались!

Почему-то в эту минуту я почувствовала, что своей статьей заодно отомстила Приходько еще и за ту несчастную бесправную ашхабадскую девушку, с президентом которой кремлевский стратег почему-то счел лестным для Путина покрасоваться перед телекамерами.

Тяжелая шапка Чубайса

Как же я радовалась, когда в этом зловонном, густонаселенном кремлевском подземелье внезапно находила своих! В смысле – не мутантов, а таких же, как я, диггеров.

Как легко было заметить из предыдущих глав, замаскированные мутанты преобладали не только среди политиков, но даже и среди журналистов, – что особенно давило на беззащитную человеческую психику.

Но однажды, к несказанной радости, я совершила небывалое открытие: обнаружила совершенно обратный биологический вид среди чиновников – диггера, замаскированного под мутанта.

Тут я, конечно, нарушаю главное правило диггеров: своих не выдавать. Но в данном случае, деконспирация оправдана. К сожалению, по вполне трагической причине, которую я объясню чуть позже.

Сначала представьте себе следующую сценку. Город Иркутск. Обледеневшая взлетная полоса. На улице - 20° и уже почти ночь. А несчастная обмороженная стайка журналистов «кремлевского пула» торчит на снегу уже минут сорок в ожидании прилета президента. На одном из журналистов нет шапки, и с каждой минутой он все больше и больше становится похож на генерала Карбышева. А когда президентский самолет наконец приземляется, из всей толпы чиновников, трусцой пробегающих в теплое здание аэропорта, только один человек замечает этого «Карбышева». И не просто замечает, а подходит и насильно надевает на журналиста свою собственную меховую шапку, чтобы согреть его.

Правдоподобно звучит? По-моему, – явный бред.

Тем не менее в роли генерала Карбышева была я, а в роли чиновника – Анатолий Чубайс.

К тому моменту, как я открыла этот странный подвид кремлевской аномалии, мы были с Чубайсом едва знакомы. Впервые я нос к носу столкнулась с ним за два года до этого, в Кремле, в начале 1998-го, во время процедуры с красноречивым названием «Послание президента». В тот раз президент Ельцин посылал куда подальше как раз Чубайса и его реформы. Я обнаружила Анатолия Борисовича на парадной лестнице Большого кремлевского дворца, пытавшегося выбраться из-под груды журналистов.

– Господин Чубайс, какой смысл вы видите в своем дальнейшем пребывании в кабинете, если все основные ваши проекты, как, например, открытые залоговые аукционы по продаже госсобственности, заморожены? – добивал его кто-то из корреспондентов.

И тут, взглянув на Чубайса вблизи, я обнаружила, что он – не поверите – КРАСНЕЕТ от волнения. Просто весь, от кончика носа до кончика ушей покрывается огромными нервными бордовыми пятнами. Это был явный прокол. Мутанты так не делают. Нетипичный для них родовой признак.

А чуть позже, в середине 1999 года, Чубайс по неосторожности засветил нетипичные для чиновника-мутанта черты даже на нашей с ним фотографии, опубликованной в газете «Коммерсантъ» под интервью. (Снимок сделал его пресс-секретарь, Андрей Трапезников, в тот момент, когда я сидела беседовала с Чубайсом на борту самолета «РАО ЕЭС».)

Фотография неожиданно спровоцировала бурю эмоций в тогдашней политической элите.

Главному редактору «Коммерсанта» Рафу Шакирову немедленно позвонил заклятый враг Чубайса Игорь Малашенко и потребовал:

– Я хочу срочно дать интервью вашей газете. Только с условием, что придет та Трегубова, которая брала интервью у Чубайса. (С Малашенко мы до этого вообще не были знакомы лично.)

Дав мне интервью, Малашенко вышел из своего кабинета провожать меня к лифту и признался:

– Честно говоря, Лена, мне просто хотелось вас увидеть и убедиться, что вы – существуете. Дело в том, что один человек, ну... скажем так, – наш общий с Чубайсом знакомый, когда увидел вас рядом с ним на фотографии, сказал: «Да это же его жена, Маша!» Я ему говорю: «Какая это тебе Маша?! Это – реально существующая журналистка! Ты что, совсем уже обалдел?!» Ну в общем, мы с ним и поспорили...

Меня такое сравнение не слишком сильно обидело, потому что жена Чубайса Марья Давыдовна – очень красивая женщина.

И тут, на прощанье, Малашенко, отличающийся железными нервами и холодным, логическим стилем общения, с какой-то легкой завистью процедил:

– Никогда до этой фотографии не видел Толика, смущенно ковыряющего пальцем стол...

Вот, собственно, и все, что до иркутской поездки в начале 2000 года связывало меня с Чубайсом. Мы ни разу до этого не сказали друг другу ни слова не по работе. И отдавать журналистке шапку для этого человека, имеющего стойкую репутацию Железного Дровосека, было явным признаком нездоровья. В конце концов, ни два десятка других чиновников и политиков (знавшие меня ничуть не хуже Чубайса), сопровождавшие тогда президента, ни, наконец, сам президент ничего подобного не сделали.

Впрочем, вскоре в Москве мой приятель-мутант Леша Волин, шутки ради, показал мне в своем компьютере старинный файл времен администраторства Чубайса в Кремле – и там оказались подозрительно знакомые пиар-советы по очеловечиванию имиджа АБЧ (так Чубайса сокращали во внутренней кремлевской тусовке). Среди прочих пунктов данной инструкции значился следующий: почаще проявлять заботу о журналистах, интересоваться, как они доехали, есть ли у них транспорт, в поездках спрашивать, накормили ли их, не холодно ли им, и так далее...

Подпункта «предлагать журналистам свою шапку» там, вроде бы, не было. Но я тем не менее сразу успокоилась. «Померещилось», – думаю. АБЧ – такой же мутант. Только специальный, давно известный науке подвид: «с человеческим лицом».

Но, на всякий случай, я все-таки решила провести над Чубайсом ряд специфических тестов (их список, полученный мною в подпольной школе диггеров, раскрыть, увы, не могу. Тексты инструкций в отличие от неосмотрительных мутантских пиар-служб мы, диггеры, всегда сразу же съедаем без остатка).

Но Железный дровосек не кололся.

Чтобы окончательно отбраковать Чубайса как мутанта – или же раскрыть как диггера – оставался последний метод: серебряная пуля.

Как-то раз, возвращаясь в Москву в президентском передовом самолете из поездки с Путиным, я приметила в уголке первого салона Чубайса, угрюмо, даже, я бы сказала, с угрозой глядевшего в лицо своему собственному лэптопу. Я тихонько села рядом с ним и без всякого предупреждения стала говорить так, как будто бы он – и не мутант вовсе, а мой друг. Я рассказала ему о том, что происходит в «кремлевском пуле»... что происходит в моей жизни... как я безумно хочу снова в Иерусалим...

До сего момента абсолютно индифферентный, Чубайс на слове «Иерусалим» встрепенулся, как будто услышал пароль, ожил, кажется, впервые в жизни заметил меня и переспросил:

– Ой, у вас есть время? Подождите, пожалуйста, минутку... Сейчас я вам кое-что покажу...

Он начал быстро что-то искать в своем компьютере, вскрывая мышкой разные папки на десктопе, и наконец, с абсолютно счастливыми, сияющими глазами, вытащил какой-то файл.

– Вот! Вы хотите в Иерусалим? Пожалуйста! – и открыл мне свои иерусалимские фотографии.

На мелькающих цифровых снимках я смотрела, разумеется, не на Чубайса, а на землю, оливки, камни за его спиной, такие любимые, такие тактильно знакомые, и чуть не плакала. За все эти адские месяцы, которые я провела в путинском «кремлевском пуле», это было самым большим, и уж точно – самым неожиданным подарком, который в тот момент вообще кто-либо был в состоянии мне сделать.

– Знаете, это так странно: во мне вообще, кажется, ни капли еврейской крови нет. Но когда я стояла там, на Масличной горе напротив Золотых ворот – помните, там древнее иудейское кладбище? – так вот я просто костями почувствовала: это – то место, где я хотела бы быть похоронена...

Я не признавалась в этом раньше никому. Потому что в словах это глупо и пафосно. Но Чубайс услышал и понял все так, как никто другой услышать и понять не мог.

Я рассказала ему про то, кто и зачем замуровал в иерусалимской городской стене Золотые ворота. И про то, что с Масличной горы я прилетела в Москву с зеленой оливковой ветвью в клюве, как араратский голубь. И Чубайс опять все почувствовал как живой. Вернее, – я почувствовала, что он чувствует.

Это было чудо. Абсолютно все мои диггерские индикаторы показывали, что он – свой. У Чубайса, кажется, тоже появилось редкое, счастливое ощущение, что мы, как два закодированных диггера, обменялись верными паролями.

Забыв про работу, он стал показывать мне в компьютере свои семейные фотографии. Оказалось, что у него на даче живет пес – азиатская овчарка.

– Мне щенка Егор подарил, – гордо сообщил Чубайс, подразумевая, что я пойму, что речь идет о его друге Гайдаре. – Назвали Кириллом. Сокращенно, Киром звать, – вроде перед Кириенко как-то неудобно, – подумает еще, что я специально... А охрана почему-то его почтительно Кирьяном называет...

– Слушайте, когда же вы с ним успеваете заниматься? – изумилась я. – Со щенком ведь уйму времени надо проводить... Скажите честно: он вас хоть за хозяина признает?

– Если честно, – не очень признает... – смущенно улыбнулся Чубайс. – С ним больше жена занимается. Я домой ночью возвращаюсь – какой уж там воспитывать собаку... В общем, получается, что я его, наоборот, только балую...

Вернувшись в Москву, я услышала в редакции от своего любимого коллеги Валеры Панюшкина (даром что он с моими преследователями – антиглобалистами дружит), еще одну историю из жизни Железного Дровосека. Как рассказал Валерка, в московском хосписе он как-то раз случайно встретил Чубайса с женой Машей, которые привезли умирающим больным ящик шампанского и черную икру.

– Меня больше всего поразило, – признался Валерка, – что, увидев меня, Чубайс абсолютно искренне попросил: «Слушай, только не пиши, пожалуйста, что ты меня здесь видел...».

Чубайс и раньше был для меня самым интересным в стране собеседником для интервью. Но, начиная с этого момента, я стала часто ездить с ним вместе по стране еще и затем, чтобы пообщаться с довольно близким другом, который так неожиданно у меня появился.

Находясь в Москве, он обычно работал примерно по двадцать пять с половиной часов в сутки. И для того чтобы повидаться с ним, каждый раз приходилось лететь «спасать энергетику» в какой-нибудь Лучегорск, Владивосток, Челябинск, Хабаровск, Южно-Сахалинск или Благовещенск. А поскольку поездки иногда бывали двух-трехдневные, и непрерывный рабочий день Чубайса растягивался на 50–70 часов, то общаться с не спавшим трое суток «дежурным по мазуту» было возможно только в самолете. И чем дольше и мучительнее был перелет (идеальным в этом смысле был Владивосток), тем больше было шансов, что грубые, без умолку орущие мужики-энергетики с беременными портфелями и животами, которым от Чубайса каждую секунду было что-то надо, тихо упьются в заднем салоне и уснут.

И каждый лишний час, который я сидела и разговаривала с Чубайсом, несмотря на его дружеские заверения, что «так он отдыхает», я точно знала, что таким образом отнимаю у него единственную возможность поспать. Точно могу сказать: чубайсовы ежедневные перегрузки давно не снилось ни одному из кремлевских обитателей. И в том числе – президенту.

При этом Чубайс оказался единственным политиком в стране, в разговоре с которым я спокойно могла произносить нормальные человеческие слова, без скидок на идиотизм, мутацию или клановые интересы собеседника. Я не сомневалась, что он меня точно поймет (как ни смешно звучит, это – весьма редкое ощущение при общении с политиками). И что ответит правду – даже если и попросит не использовать это в публикации. А когда из-за обещания кому-либо Чубайс не мог мне ответить на мой вопрос правду – то не пытался врать, а вот так прямо, по-человечески, это мне и объяснял. Что для российской политической тусовки – вообще просто нонсенс.

И главное – я, в свою очередь, была твердо уверена: он никогда не использует нашу дружбу в корпоративных целях.

Мы часто перпендикулярно расходились в оценке ситуации в стране, но, опять же, – всегда были взаимно на сто процентов уверены, что мнение, которым мы на этот счет друг с другом делимся, – абсолютно искренне.

Я страшно поругалась с ним из-за Чечни. В смысле – из-за его политической поддержки Путина в момент развязывания там новой войны. Чубайс считал, что «стратегически правильно» (использую его выражение) поддержать президента в отношении Чечни.

– Что значит «стратегически правильно»? Вы что, наивный, надеетесь, что он вам за это потом реформы позволит в стране провести?! – злилась я, срываясь уже просто на крик.

– Это значит, – нервно краснел Чубайс, – что я считаю, что оказать поддержку президенту в этот момент – колоссальный стратегический ресурс. Это значит, что я считаю, что это позволит нам потом, в стратегически важный, критический момент, оказать влияние на ситуацию...

– Вы имеете в виду ресурс влияния на Путина? Вы что, рассчитываете, что Путина настолько растрогает сейчас ваша поддержка, что потом он будет больше прислушиваться к вашим советам?!

Чубайс загадочно и утвердительно молчал. А я кричала, что если сейчас реформаторы прогнутся по Чечне – Путин будет знать, что их можно прогнуть и по любому другому вопросу, – например по ограничению гражданских свобод и ликвидации независимых СМИ.

– Это – не так... Вы достаточно хорошо меня знаете, чтобы понять, что этого не будет никогда, – честно глядя мне в глаза, клялся мой любимый рыцарь в белых одеждах.

Следующим камнем преткновения между нами стали репрессии Путина против бывших олигархов.

– Анатолий Борисович, я все понимаю: у вас с Гусем и Березой – личные счеты из-за «Связьинвеста», писательского дела, информационной и шахтерской войны, и далее по списку. Я с вами абсолютно согласна, что в тот момент они оба вели себя по-свински. Но единственное, чего я просто категорически оказываюсь понимать: ну откуда у вас сейчас-то возникло по отношению к ним какое-то ощущение реванша?! Это ведь – не ваша победа, да и вообще не ваша игра, а Путина, который цинично эксплуатирует именно ваше чувство обиды на них! А потом он точно так же и с вами расправится – именно потому, что вы все это сейчас молча проглотили!

– Подождите-подождите, Лена, а с чего это вы взяли, что у меня есть какое-то чувство реванша?! И потом – как это так «молча проглотил»? Я же сразу после ареста Гуся письмо Генпрокурору написал, вы что, не помните?! – негодовал Чубайс.

– Вы спрашиваете, «с чего я это взяла», Анатолий Борисович? Да я просто чувствую это по ликованию в вашем голосе, когда вы говорите о них! – честно призналась я.

– Клянусь вам: ничего такого во мне нет! – заверял Чубайс.

А через несколько дней после этого разговора я увидела выступление Чубайса по телевизору, где он, по сути, провозгласил, что Гусинский и Березовский – сами виноваты, потому что раньше они считали себя вершителями судеб страны и могли по своему усмотрению срывать важнейшие аукционы. «А теперь – объявил Чубайс, – кончилось их время!» Странно сейчас вспоминать, – но должна признаться, что в тот момент слушать все это было довольно больно. Потому что я и сама могла поклясться, что когда несколькими днями раньше мой друг Чубайс клялся мне в отсутствии у него «ощущения реванша» – то он был абсолютно искренен. Но кому-то, получается, он все-таки наврал: или мне – или стране? Впрочем, скорее всего, ни мне, ни стране. А сам себе.

Ведь ровно так же, несколькими годами раньше, он вколачивал и «последний гвоздь в гроб» Коржакова и Барсукова. С известным результатом: Ельцин подло навесил на него всех дохлых собак в стране и выгнал, так и не дав провести серьезных реформ. Реформ, ради которых, как осел ради морковки, Чубайс вроде бы так долго и терпел все эти унижения и беззаветно работал на власть.

Путину Чубайс дал себя использовать до обидного похоже. Сначала Чубайс согласился поддержать войну в Чечне, потом – не стал слишком громко возмущаться по поводу ареста и высылки Гусинского и уголовных дел на него и БАБа, потом – не стал особо скандалить по поводу разгрома сначала НТВ, а потом и ТВ-6. А в довершение еще и согласился под строгим кремлевским приглядом создать на месте экспроприированного у Березовского ТВ-6 «олигархический колхоз» – марионеточный телеканал ТВ-С. Причем, создавая ТВ-С вместо разгромленного по цензурным соображениям телеканала, Чубайс поставил на карту остатки своей репутации – потому что пообещал журналистам, что там цензуры не будет. Теперь ставить на кон ему больше уже нечего – поскольку даже вполне лояльный Кремлю ТВ-С вскоре цинично закрыли.

И на всю эту самодискредитацию Чубайс пошел ради единственной суперидеи: что Путин даст ему провести радикальную реформу электроэнергетики, которая «навсегда изменит структуру экономики страны»?

Чубайс все время твердил мне:

– Вы не понимаете... Володя – совестливый... Он держит свои обещания...

И на глазах все больше и больше влюблялся в президента.

И чем этот «совестливый Володя» ему отплатил?

Если Чубайса понять довольно сложно, то вот Путина как раз – очень легко. Мне часто приходилось наблюдать, как в регионах Чубайс общается с народом. Со специфическим, правда, народом – губернаторами и энергетиками, в основном, всякими. Но это все равно впечатляло. Несмотря на то что в личном общении Чубайс – невероятно мягкий, доверчивый и ранимый человек, при большом скоплении народа он преображается в безусловного, прирожденного харизматического публичного лидера. В каком бы физическом или моральном состоянии он ни был, через каких нибудь пару минут у него внутри начинает работать какая-то загадочная автономная электростанция и из него просто хлещет вождистская, властная, подчиняющая энергетика. И я своими глазами видела строптивых региональных начальников, которые под взглядом Чубайса моментально превращались в кротких зайчиков. А также местных энергетиков, которые на собрании, под воздействием страстной речевки Чубайса, зачарованно сидели, открыв рты, в состоянии зомби, пожирая своего вождя восторженными взглядами, явно готовые по одному его слову хоть перекрыть магистраль, хоть штурмовать краевую администрацию, хоть отключить Кремль от электричества, хоть устроить демонстрацию на Красной площади с требованием отставки президента.

По сравнению с Чубайсом Путин, разумеется, – лишь блеклое подобие публичного политика. И президент наверняка и сам это очень быстро просек.

На сегодняшний день Путин уже по всем пунктам публично дискредитировал своего виртуального конкурента: у Чубайса теперь не осталось ни мифа о радикальной реформе, проведением которой он раньше мог оправдывать отказ от собственных принципов, ни, собственно, этих либеральных принципов, выразителем которых он прежде являлся для значительной части населения и от которых после прихода Путина к власти Чубайс сам же последовательно, под удобными предлогами, отказался.

Сейчас, когда режим Путина все больше становится авторитарным, после фактической ликвидации в стране института независимых от государства СМИ и появления уголовных дел, сильно смахивающих на начало «охоты на ведьм», Чубайс со своими вечными заботами об энергетике становится и вовсе похож на свихнувшегося электрика, который бегает по тюрьме и успокаивает заключенных:

– Ничего-ничего! Скоро вам свет дадут! По крайней мере, я буду драться за ваше право на освещение до последнего!

При этом электрик этот искренне забывает, что обещанный им свет сразу поступит не только в тюремные лампочки, но одновременно и в электрический стул.

Мы много раз ругались из-за Чубайса с моей подругой Машей Слоним, которая, будучи британской подданной, перенесла и на российскую политику невинное заблуждение сытой, стабильной и благополучной Европы о том, что интеллигентнее – поддерживать леваков. Просто из чувства гармонии – потому что поддерживать всегда нужно слабых, сильные и сами за себя постоят. Именно поэтому Слоним все последние годы симпатизировала Явлинскому (чисто теоретически – потому что избирательного права у нее в России все равно нет). И, разумеется, лютой ненавистью ненавидела Чубайса.

– Твой Явлинский – бездельник и нытик! А Чубайс – вдохновенный Вольный Каменщик! – в романтическом порыве ругалась я на мою милую Машеньку. – В смысле, Чубайс как раз Невольный Каменщик! Он – фиганутый на голову масон, работающий круглые сутки, человек миссии, абсолютно бескорыстный. И именно из-за этого его каждый раз так все и имеют!

– Это Чубайс-то бескорыстный?! Ха-ха! – опереточно обрушивалась на меня в ответ Машка. – Подхалим он, твой Чубайс! Который на все готов, лишь бы его только при власти оставили! Ему уже хоть плюй в глаза – все путинская роса!

В один прекрасный момент я решила, что пора Маше, наконец-то, познакомиться с объектом своей слепой ненависти. И либо помириться с ним, либо... в порыве ярости собственноручно навсегда избавить и самого Чубайса, и страну от его вечно несбывшихся реформаторских потуг. (Шутка.)

В общем, праздновала я у Машки за городом свой день рожденья и среди прочих гостей позвала туда и Чубайса. Но он, видимо, почувствовал, что над ним нависла реальная угроза суда Линча. (Шутка. Шутка. Тчк. Прием-прием.) Какое-то там у них очередное правление или исполком был – не помню – и Чубайс дезертировал. Не с политсовета, разумеется, а к нам в Дубцы не приехал. Но прислал мне с Борей Немцовым свой подарок ко дню рожденья.

А уж когда Слоним засунула свой любопытный носик в сумочку с эмблемой РАО «ЕЭС», где лежали чубайсовы гостинцы, ликование ее просто не знало границ. Там лежали сувениры из так называемого «Магазина для новых русских» – гжель с позолотой: фаянсовая смятая пивная банка с надписью «Старый похмельник», фаянсовый неиграющий компакт-диск с текстом «Тыц-дыц-дыц» и прочие остоумные вещи.

– Ленка, да у твоего друга – просто полное отсутствие вкуса! – обрадовалась Машка. – Теперь-то ты видишь, – все это девичьи бредни – то, что ты мне про него рассказывала?! Ну как можно додуматься такое девушке подарить?! А я-то уж было чуть и правда не поверила в сказку о рыцаре в белых одеждах...

Это, увы, была ее моральная победа в нашем многолетнем споре.

Я до сих пор втайне надеюсь, что эти подарки Чубайс выбирал все-таки не сам. А попросил кого-нибудь (скажем, того же Немцова или Трапезникова) купить что-нибудь по дороге.

Но спрашивать об этом, разумеется, никогда не буду.

Ну не знаю я, отчего Чубайс такой! Может быть, как раз от пресловутых «перегрузок»... Может быть, ему действительно хоть иногда просто высыпаться надо – в принудительном порядке.

Так что для меня Чубайс – это личная трагедия. Он – диггер, который провалил задание, забыл все пароли и явки, и ассимилировался с кремлевскими мутантами.

Или, может быть, он вообще – моя ошибка диггера? Может, у меня уже просто датчики диггерские отсырели от долгого пребывания в кремлевском подземелье? Может, и не было там никогда никаких своих?

Знаете, как в детском анекдоте, когда маленький мальчик идет ночью домой через кладбище, к нему дядька какой-то подходит и ласково спрашивает:

– Мальчик, ты чего это трясешься весь?

– Ой, дяденька, как хорошо, что я вас встретил! Проводите меня домой, пожалуйста! А то я мертвых боюсь очень!

– А чего нас бояться?!

«Веселенькие» похороны

По правде говоря, я страшно не люблю похорон. Особенно чужих. Но однажды, к своему стыду, мне пришлось отправиться на похороны из чисто корыстных соображений.

Звонок от пресс-секретаря Чубайса раздался 23 февраля 2000 года:

– Ты хочешь поехать с нами в Санкт-Петербург хоронить Собчака? Мы завтра летим на своем самолете и можем тебя взять с собой.

При всем моем уважении к Анатолию Собчаку хоронить я его совершенно не хотела. Тем более что на улице стоял двадцатиградусный мороз.

Но Родина (а точнее – моя редакция) сказала: «Надо!» Причем – не ради прощания с покойным Собчаком, а для общения с живым Чубайсом.

На мое счастье, в Питер на самолете Чубайса летел еще и Борис Немцов, с которым мы живем по соседству (я на Пушке – он на Маяковке). Галантный как всегда Борис Ефимович немедленно предложил за мной заехать, но, чтобы не гонять его лишний раз, я обещала подъехать к его дому.

В принципе, от Пушкинской площади до Садового кольца – пять минут пешком. Но мой талант всюду опаздывать (единственный недостаток, который я легко готова простить Путину) не подвел меня и здесь. Из-за зверского холода я решила взять такси. Машина, в которую я села, двигалась со скоростью примерно 100 метров в минуту, потому что Тверская улица превратилась в свежезалитый каток. Кроме того, сумасшедший таксист не сообразил сразу, что свернуть на Садовое кольцо прямо с Маяковской нам не удастся – пришлось объезжать через Белорусскую и добираться до Садово-Кудринской переулками, что еще минут на десять затянуло дорогу...

Через двадцать минут после назначенного времени встречи Немцов позвонил мне на мобильный и завопил:

– Ты что, не понимаешь, что из-за тебя мы опоздаем на самолет?! Это же будет политический скандал, если я не прилечу вовремя в Питер на похороны!!!

– Борь, я тебя умоляю, не жди меня, езжай один! – лепетала я, понимая, что любые оправдания прозвучат сейчас уже как издевательство.

Но Немцов проявил чудеса джентльменства.

– Ты что, с ума сошла?! А как ты поедешь?! Думаешь, тебя по такому гололеду хоть один таксист согласится сейчас везти в аэропорт?! Так, через сколько минут ты будешь здесь?..

В общем, с опозданием в полчаса мы с Немцовым выехали в аэропорт. Я сгорала со стыда: потому что вдруг вспомнила, что Борька – и правда не просто мой приятель, а еще и публичный политик, который никак не сможет объяснить свое опоздание на панихиду тем фактом, что «Трегубова слишком долго добиралась до его дома». В машине я сидела как мышка, зажавшись в угол, и даже боялась взглянуть на Немцова. Он, надувшись, тоже отвернулся от меня и смотрел в противоположное окно.

Через десять минут лидер правых сил первым не выдержал и разрядил обстановку:

– Ладно, Трегубова, расслабься... Все равно мы уже опоздали!..

И стал рассказывать, как в свое время ему пришлось ехать с Ельциным на охоту, чтобы уговорить президента отдать команду прекратить уголовное дело против Собчака.

К счастью, везли нас не на «Волге» (на которой Немцов с маниакальным упорством продолжал в то время ездить в Думу, пытаясь быть верным своему давнишнему популистскому обещанию «пересадить всех чиновников на «Газ»), а на личном немцовском джипе. И благодаря этому мы просто чудом успели на самолет.

В Таврический дворец, где проходила панихида, нас протащили контрабандой с какого-то черного хода: «Это – группа РАО «ЕЭС», пропустите!» – распихивали всех локтями сопровождавшие нас чиновники. Было дико неловко перед людьми, которые с самого утра мерзли в длиннющей очереди, чтобы попрощаться с Собчаком.

Завидев рядом с гробом калининградского губернатора Леонида Горбенко, один из приближенных Чубайса бросился ко мне и зашипел на ухо:

– Убийца!!! Как он только не постеснялся сюда прийти?!

Я изумленно вытаращила глаза.

– Ну да, это же он его напоил! – продолжал мой конфидент. – А ведь он прекрасно знал, что у Собчака больное сердце и ему нельзя пить! Он последний, кто видел Анатолия Александровича живым. Собчак ушел от него к себе в гостиничный номер и там сразу умер. Знаешь, у Горбенко ведь вообще такая манера насильно поить людей! Один раз он и нашего Рыжего чуть в гроб не загнал! Наш-то не спит совсем, поэтому его от полрюмки сразу развозит, а тут вроде нельзя отказаться – губернатор проблемного региона угощает... Ты бы его в тот момент видела! Красный как рак и лыка не вязал! Я честно тебе говорю: я тогда тоже боялся, что у Чубайса сердце из-за Горбенко не выдержит!

Тем временем Чубайс вышел на середину, чтобы сказать прощальное слово:

– Нам всем известны имена убийц...

Я вздрогнула: неужели он сейчас тоже расскажет про Горбенко?!

Но его версия была куда более политкорректной: в смерти Собчака были фактически обвинены тогдашний губернатор Санкт-Петербурга Владимир Яковлев, прокурор Скуратов, Коржаков и все остальные, кто «организовывал на Собчака травлю».

Слез на глазах питерской команды (кроме, пожалуй, Чубайса, на котором просто лица не было от горя) что-то не наблюдалось. Большинство визитеров из Москвы вообще представительствовали на похоронах как на откровенно светском мероприятии. Каждый занимался своим делом. Алексей Кудрин, например, в храме, чтобы зря не терять времени на заупокойную молитву, жарким шепотом прямо перед алтарем сливал журналисту из «Московского Комсомольца» Александру Будбергу оперативную информацию из Белого дома.

Впрочем, вскоре я возблагодарила Бога за мирскую практичность господина Кудрина. Потому что он, в буквальном смысле, спас мне жизнь во время страшной давки на похоронах в Александро-Невской лавре.

Прощаться с Собчаком пришло полгорода. А из-за приезда на это мероприятие Путина президентская охрана, разумеется, никак не хотела пускать на кладбище Александро-Невской лавры простых смертных. Но совсем отсеивать родственников и друзей покойного они все-таки постеснялись. Поэтому близких Собчака, а также официальные делегации (вроде нашей – «от РАО «ЕЭС») на территорию Лавры запускали, но маленькими порциями и с долгими перерывами. Тем временем нормальный питерский народ сзади все напирал и напирал. В результате служба безопасности спровоцировала известный эффект большой бутылки с узким горлышком. При входе на кладбище возникла смертельная давка.

Нас ввезли на территорию Лавры на машинах. Но после этого пришлось еще около километра идти пешком в общей давке до старинных ворот отдельного внутреннего кладбища, где и хоронили Собчака. Я оказалась ни физически, ни морально не в состоянии грубо пробивать себе дорогу локтями, как это делали мои спутники. «Кто я такая, чтобы считать, что у меня есть больше права прощаться с Собчаком, чем у его родных?!» – раздраженно думала я и уже проклинала себя за то, что я вообще там оказалась. Но отступать было уже поздно, и мой инфантилизм чуть не стоил мне жизни. Потому что, не пройдя и ста метров, я почувствовала, что меня начинают затирать. Попытавшись сделать еще несколько шагов – поперек потока, чтобы хотя бы выбраться на обочину, – я убедилась, что и этого уже не могу: народ ринулся вперед в остервенении и отупении, сметая все и всех на своем пути и заполняя собственной массой абсолютно все пространство аллеи, по которой нам нужно было двигаться, – без малейшего, миллиметрового, зазора. Вскоре людской поток начал уже не только затирать, а еще и подминать меня. Я оказалась затянутой в воронку и обреченно, без малейшей воли к сопротивлению, как сквозь туман, осознала, что падаю и еще через несколько секунд неизбежно окажусь на земле – под ногами этой человеческой массы, которая, разумеется, не задумываясь, по мне пройдется.

Но тут, буквально в последнюю секунду перед моим падением, чья-то цепкая рука обняла меня за талию и выудила из этой воронки на поверхность. Потом я почувствовала, что меня кто-то приподнял и понес. Я даже не имела физической возможности в этой давке посмотреть, кто был моим спасителем. Но когда благодаря ему я оказалась уже в более или менее безопасном месте, я увидела, что мой ангел хранитель – никто иной, как Леша Кудрин.

– Берите меня под руку, и покрепче, – строго велел мне будущий вице-премьер. – И главное – не падайте, держитесь на ногах: вас бы сейчас там насмерть затоптали. Держитесь: нам сейчас еще нужно через последние ворота пройти, а там, внутри, на кладбище, уже будет посвободнее... Туда вообще уже никого из простых смертных не пускают...

И как-то необычайно вертко и метко орудуя локтями, с криками: «Пропустите делегацию!» – Кудрин, со мной в охапке, удачно штурмовал и последний кордон. После которого я уже, наконец, смогла вдохнуть воздуха, отыскала Чубайса и вместе с ним и со всей остальной делегацией стойко приняла очередное испытание: не меньше часа стоять на краю свежевырытой могилы и ждать, когда же подъедет Путин.

Потому что без президента – «не начинали».

Воздух на кладбище звенел от мороза. И, несмотря на то что рядом со мной стояли не меньше сотни чиновников, вокруг царила в прямом смысле кладбищенская тишина. Потому что все настолько окоченели, что волей-неволей сохраняли похоронные приличия. И любой звук, даже шепот, как-то особенно гулко разносился надо всей этой заледеневшей процессией.

И тут мы услышали настоящий рев быка, вернее, – автора программы «Час быка» Андрея Черкизова:

– Фашисты! – скандировал он, продираясь сквозь кладбищенские ворота. – Прямо у могилы людей избивают! Родственников Собчака не пускают к нему из-за этой бледной моли!!!

Тут среди окружавших меня официальных лиц вообще уже воцарилось гробовое молчание.

Протаранив охрану, Черкизов в два скачка оказался прямо у могилы, и, видимо, сразу приметив там среди всех чиновничьих физиономий единственное «родное лицо» (увы – мое), набросился на меня чуть ли не с кулаками:

– Бледная моль! – заорал он на меня, дико вращая глазами.

Я слегка удивилась: «Вроде бы у нас с Черкизовым всегда неплохие отношения были. Чего это он вдруг?»

– Ты чего, Андрюш? – с опаской переспросила я.

И в ту же секунду почувствовала по запаху, что Андрюша, кажется, слишком активно поминал в тот день Анатолия Собчака. Я интуитивно на всякий случай отошла на два шага от Чубайса, – чтобы не подставлять и его, если сейчас разразится скандал.

И как в воду глядела...

– А ты с кем прилетела, Трегубова? – строго спросил Черкизов. – С кремлевскими?

Я отрицательно мотнула головой.

– А-а, с Рыжим, наверное... – догадался бузотер.

Спина стоявшего прямо передо мной Чубайса напряженно съежилась.

– Ты видела, что там людей избивают?! – продолжил допрос Черкизов, угрожающе на меня наступая. – Бледная моль!!! Прилетела! А из-за нее тут троюродного брата Собчака на кладбище не пустили!!!

– Чтобы избивали людей, – такого я не видела. А давку устроили действительно безобразную – меня саму вон Кудрин еле спас, – как можно более спокойно ответила я.

И потом примирительным тоном, чтобы не спровоцировать дальнейшего развития скандала у не закопанной могилы, поинтересовалась:

– А ты чего обзываешься-то?

И – лучше бы я этого не спрашивала...

Потому что оказалось, что Бледной молью Черкизов называл вовсе не меня, а совсем другого человека...

– Ты посмотри, как охрана этой Бледной моли над живыми людьми издевается! – заорал он опять на всю округу. – А сейчас она и сама прилетит, эта Бледная моль, и специально для нее здесь на кладбище представление устроят! А я сейчас вот прямо отсюда репортаж в прямой эфир об этом передам, я все-о-о-о расскажу!

И с этими словами Черкизов достал мобилу и принялся дозваниваться до прямого эфира радиостанции «Эхо Москвы».

Тем временем я увидела, как меж могил серой мышкой зашмыгал пресс-секретарь президента Алексей Громов, и по этому признаку поняла, что тот, прибытия которого ожидал Черкизов, уже здесь. Громов подбежал ко мне. Его глаза в растерянности забегали: он явно не знал, как бы прищучить журналистку «кремлевского пула», вопреки его санкции оказавшуюся, как он считал, – на «президентском мероприятии». В результате, он решил, что лучшим вариантом в такой спорной ситуации будет найти общего врага:

– Ты посмотри: как это подонок Черкизов посмел сюда явиться! Пьяное рыло! – злобно заплевался мне в ухо президентский пресс-секретарь.

– Черкизов – мой коллега... Так что, давайте без подобных эпитетов, Алексей Алексеевич, – старалась я держать хорошую мину при откровенно плохой игре.

И как раз в ту самую секунду мой перевозбудившийся коллега, дозвонившись, наконец, по мобиле до прямого эфира «Эха Москвы», начал громогласно, на все кладбище, встречая как раз подходившего уже к могиле Путина, сообщать стране:

– Из-за прилета этой Бледной моли здесь перекрыли все кладбище и не дали родным проститься с Анатолием Собчаком!!

Не знаю, успели ли крылатые слова долететь до прямого эфира, но после этой фразы в студии «Эха Москвы», видимо, попросили Андрюшу сначала слегка отдохнуть, а уж потом продолжить репортаж. Догадаться об этом было нетрудно: по ответным матюгам, которыми Черкизов начал сыпать в трубку. Разумеется – так же громко, чтобы во всей Александро-Невской лавре не осталось ни одного человека, который бы не расслышал каких-нибудь мелких деталей употреблявшихся выражений...

Я оказалась между двух огней. С одной стороны, нельзя было позволить Громову в моем присутствии гнобить коллегу. С другой стороны, я с ужасом предчувствовала, как сейчас Черкизов, получив отлуп у себя на радио, опять примется жаловаться мне разрушительным голосом Джельсомино. Так и случилось... Как только «Эхо» отрубило с ним связь, он, на глазах у всех заинтересованных кремлевских чиновников, бросился ко мне с объятиями и громогласными жалобами на все то же самое белесое летучее насекомое, образ которого художественной натуре Черкизова как-то слишком глубоко въелся в душу.

Приняв огонь на себя, я, непьющая и поэтому слегка неопытная в подобных ситуациях, решила действовать по известной схеме, почерпнутой мною в советских фильмах. Под условным названием: «Ты меня уважаешь?? – Тогда пей».

– Андрюш, ответь мне только на один вопрос: ты меня любишь? – внезапно спросила я Черкизова.

– Я?! Да я, хоть и пидорас, но за тебя, Трегубова, жизнь отдам, если надо! – заорал он мне в ответ, окончательно шокировав публику.

– Так вот, Андрюша, если ты и правда хоть капельку меня любишь и уважаешь, – тогда просто помолчи, пожалуйста, минутку! – педагогично приказала я.

Как ни странно, схема сработала. Выразительно посматривая на свои наручные часы и довольно подмигивая мне, Черкизов промолчал ровно минуту...

Потом выдохнул и спросил:

– Все?

– Молодец, Андрюша. А теперь, пожалуйста ради меня, помолчи, пока они не закопают могилу...

Мне сказали, что по телевизору церемония выглядела крайне благопристойно. Путин, говорят, эффектно пустил слезу, покорив сердца избирателей. Ни о давке, ни о скандале на кладбище ни один из телеканалов, разумеется, ни слова не передал. А я с тех пор вообще зареклась ходить на похороны. Хоть и чужие. Не надо мне больше такого веселья.

«Пролетая над Таити...»

В чем моего друга Чубайса точно никогда нельзя было обвинить – так это в трусости.

Как только глава РАО «ЕЭС» узнал про мои проблемы с Кремлем, он тут же предложил:

– Хочешь, чтобы я поговорил с Путиным?

Я наотрез отказалась:

– Ни в коем случае, Анатолий Борисович, у вас у самого проблем в отношениях с ним по горло. Еще не хватало, чтобы у вас из-за меня этих проблем прибавилось. Не надо. Путин и так прекрасно меня знает, и если это его личное решение – лишить меня аккредитации в Кремле, – то вы вряд ли сможете повлиять.

Тем не менее Чубайс, без всяких просьб с моей стороны, позволял себе такие штучки, как аккредитацию меня от РАО «ЕЭС» на те путинские мероприятия, в праве освещения которых мне отказывал Кремль.

Так, после вышеописанного случая с похоронами в Питере, он преподнес большой сюрприз «кремлевскому пулу» во время поездки Путина в Благовещенск, провезя меня туда «контрабандой».

Часов в семь утра, за три часа до вылета чубайсовского самолета, мне на мобильный позвонил пресс-секратарь Чубайса Андрей Трапезников и выпалил:

– Слушай, мы тут подумали: раз тебя Кремль отказался аккредитовать в Благовещенск, значит – мы сами тебя туда привезем. Чубайс будет участвовать в президентских мероприятиях, и я смогу тебя туда аккредитовать. Представляешь, как смешно будет, как кремлевские удивятся!

Мне тоже показалось забавным ради этой авантюры прокатиться на самолете восемь часов в один конец.

В Благовещенске я сразу же созвонилась по мобильнику с Еленой Вадимовной Дикун из «Общей газеты», которую на этот раз чудом не отлучили от президентской поездки, и она только что успела побывать с Путиным еще и в Северной Корее. Приехав к ней в гостиницу, я обнаружила «кремлевский пул» в состоянии полного морального разложения. Традиционные поиски корреспондентом «Московского Комсомольца» Александром Петровичем Будбергом местного стриптиза казались уже верхом морали. Потому что Татьяна Аркадьевна Малкина из «Времени новостей» на глазах у изумленной благовещенской публики пыталась вывести остальных девушек кремлевского гарема на трассу следования президентского кортежа, чтобы «помахать рукой Путину», когда он будет проезжать мимо: «Девочки, пойдемте, надо поприветствовать Владимира Владимировича! Ему ведь будет приятно...»

Мое внезапное появление спровоцировало среди коллег-журналистов дурно сыгранную немую сцену. Я уж не говорю о президентском пресс-секретаре Громове, у которого, когда он встретил меня на президентском мероприятии, лицо перекосило как от внезапного флюса.

И только Дикун, увидев меня, бросилась мне на шею и, по аналогии с нашими лондонскими приключениями, закричала:

– Ура! Трегубова приехала! Значит, пойдем есть в китайский ресторан!

И, разумеется, именно туда мы немедленно и отправились. Оставив добропорядочных коллег «приветствовать Владимира Владимировича».

Ни лобстеров, ни крабов, ни даже соуса чилли в отличие от нашего любимого лондонского ресторанчика (время для ужина в котором Путин во время своей первой зарубежной поездки любезно освободил нам с Дикун в британской столице, лишив аккредитации) в Благовещенске нами обнаружено не было. Но зато жареный папоротник и свинина по-сычуаньски оказались отменные.

А выйдя после сытного ужина на набережную Амура и разглядывая далекий китайский берег, мы сразу же нашли себе и десерт: прогуливавшихся под ручку, словно Мао и Сталин, Владимира Мау (главу правительственного центра экономических реформ) и Андрея Илларионова (помощника президента по экономическим вопросам).

Я радостно подошла к Мау:

– Володя, как хорошо, что я вас здесь встретила! Объясните мне, пожалуйста, что там за скандал вышел с вашей цитатой, которую я использовала в своей статье? Почему президентский пресс-секретарь заявляет мне, что якобы вы ему поклялись, что ничего подобного не говорили?

Речь шла о моем репортаже о первой поездке Путина за рубеж (в Англию, Белоруссию и Украину). Так вот, Мау еще в Москве, когда мы с ним вместе стояли под воротами «Внуково-2» и ждали, пока нам откроют, честно признался мне, что ни в минском, ни в лондонском визите Путина нет «абсолютно никакого экономического содержания».

– Это, знаете, как в «Блудном попугае»: «Пролетая над Таити...» – образно разъяснил руководитель центра реформ смысл президентского вояжа.

И именно эта цитата известного экономиста сильно не понравилась Кремлю.

И вот, в Благовещенске, на берегу Амура, Мау жалобным голосом поведал мне жуткую историю:

– Да вы просто не представляете, как они все на меня накинулись и начали прессовать! «Зачем вы это ей сказали?!» И потребовали, чтобы я заявил, что я этого вообще вам не говорил...

– Кто конкретно на вас накинулся, Володь?

– Ну какие-то там люди из пресс-службы... Я же их не знаю никого... Ну вот, например, этот, как его... Громов?

– Слушайте, да почему же вы позволяете себя так унижать?! – не выдержала я. – Вы – экономист с мировым именем, и позволяете ничтожествам, которых вы даже фамилии припомнить не в состоянии, диктовать себе, что вам говорить, а что нельзя?! У них же у всех вместе взятых там серого вещества меньше, чем у вас!

Мау нервно молчал, нахохлившись, точно симпатичный «блудный попугай».

А потом грустно и примирительно попросил:

– Ну вы тоже поймите меня, в каком я положении оказался... Я же не политик, я не знаю, как с ними обращаться...

Я немедленно простила его – тем более что Мау умудрился тут же растрогать меня чуть не до слез: попросил у меня напрокат мобильный и принялся звонить маме в Москву.

– Понимаете, у моей мамы давление повысилось... Я должен ее успокоить, что со мной все в порядке...

Ну как можно было дольше злиться на этого доброго, растерянного, несчастного человека? Я примирительно перевела тему на только что завершившийся визит Путина в Северную Корею, очевидцами которого стали оба наши с Мау спутника: Андрей Илларионов и Елена Дикун.

В Корее Путин, по уже отработанной схеме, собрал «кремлевский пул» на ужин и взял со всех журналистов обещание «не писать ничего плохого, критического о нашем партнере – Северной Корее. По крайней мере – во время визита». И абсолютно все мои коллеги согласились сыграть по продиктованным президентом правилам: об увиденном в голодной тоталитарной Корее кошмаре не было написано ни строчки.

Зато Андрей Илларионов по время нашей прогулки по Амуру рассказал мне такое, после чего даже Путин мог показаться демократом.

– Представьте себе, – ужасался очевидец Илларионов, – на обочинах улиц – многотысячная ликующая толпа людей, которых вывели приветствовать Путина. А я специально заставил остановить машину, чтобы на них поближе посмотреть. И, как вы думаете, что я увидел? Там оказался абсолютно четкий механизм, я бы даже сказал – машина принудительного ликования людей. В передних рядах стояли те, у кого еще есть силы достаточно живо изображать ликование: громко кричать, высоко подпрыгивать и сильно-сильно размахивать руками. Но силы у них довольно быстро кончались, голод ведь в стране все-таки, и как только кто-то начинал более вяло подпрыгивать – его тут же начинали колоть и бить специальными палками сотрудники госбезопасности, стоящие за каждым из них во втором ряду. И когда Путин, проезжая, слышал радостные крики простых северокорейских граждан, то некоторые из этих криков были исключительно криками боли – из-за избиения этими ужасными палками. А тому, кто уже вообще больше не мог двигаться, просто давали сзади по голове, оглушали и, чтобы не тратить на него лишнего времени, за ноги отволакивали прочь – туда, где с проезжей части не видно лежачее тело. А на его место немедленно ставили другого, свежего, ликующего гражданина из специального резерва. И я все это видел своими собственными глазами! – клялся президентский советник.

По словам Илларионова, в квартирах обычных северокорейских смертных строго запрещается иметь даже телевизор (Путину на заметку: этот способ еще более эффективен, чем ликвидация телеканалов). Есть только радио: причем не нормальный радиоприемник, а такой же, как был в Советском Союзе, с официозным каналом «на кнопке».

– А интернет там установлен, как мне сказали, только у одного члена политбюро – по специальному разрешению главы Северной Кореи, – ужасался путинский помощник.

Ленка Дикун подбавила красок:

– А у нас в гостиничных номерах в прихожих были большие зеркала – я в это зеркало, например, каждый раз смотрелась, когда переодевалась. А потом оказалось, что в них вмонтированы камеры госбезопасности! Представляешь, как «приятно» мне было постфактум об этом узнать!

– Андрей, ну и зачем же тогда ваш президент поехал с ними дружить? Что, на дружбу более приличных людей Путин уже не рассчитывает? – поинтересовалась я у Илларионова.

Но кремлевский экономист, несмотря на свои красочные рассказы о садизме северокорейской диктатуры, жестко стоял на своем: дружба с Северной Кореей нужна, потому что эту дружбу потом можно выгодно продать Западу.

– А вы представляете себе, что будет, если в какой-то момент вы просто не рассчитаете дозу подачек северокорейскому режиму? И у них как раз хватит сил на то, чтобы дотянуться рукой до ядерного детонатора? – переспрашивала я Илларионова.

К моей радости, Володя Мау горячо поддержал меня и тоже накинулся на нашего визави с упреками.

Жаль только, что отстаивать собственные права на свободу слова внутри российской жизни у бедного Мау духа так и не хватило.

К сожалению, «синдром Мау» мне пришлось вскоре наблюдать и у других ведущих российских правительственных экономистов-реформаторов.

Например, Герман Греф, случайно встретив меня однажды в приемной Волошина, настолько обалдел от того, что я «вхожа» к главе кремлевской администрации, что немедленно кинулся извиняться:

– Ой, Лена, вы уж простите меня, пожалуйста, за то, что во время предвыборной кампании я вас не пускал в штаб Путина! Понимаете, я же не сам это придумал... Мне запретили...

– Кто это вам мог запретить?! – изумилась я.

– Ну кремлевская пресс-служба отдала такое распоряжение: вычеркивать вашу фамилию изо всех списков на аккредитацию...

Как и в случае с Мау, меня просто поразило это мироощущение подопытного кролика:

– Герман, я не понимаю, как самостоятельные, умные люди вашего уровня могут опускаться до того, чтобы выполнять распоряжения каких-то серевеньких чиновников по борьбе с прессой?

– Ну поймите, Лена: я же даже не знал вас лично! Дело в том, что мне только недавно Чубайс рассказал, что вы – порядочная журналистка...

– Ну а других журналистов, которых вы так и не узнали лично, вы по-прежнему так и продолжали бы вычеркивать из списков по указке из Кремля? – уточнила я.

Тут Герман на всякий случай светски полюбопытствовал:

– А что, вообще, сейчас действительно есть какие-то проблемы во взаимоотношениях журналистов с Кремлем?

Посмеявшись над легкой неосведомленностью чиновника, я тем не менее добросовестно рассказала ему, во что превратился «кремлевский пул», как обрабатывает прессу пресс-секретарь Путина и сам президент.

– Правда? – искренне удивился Греф. – Я, честно говоря, просто не знал этой проблемы... Но я обязательно с президентом на эту тему поговорю: он должен понять...

Не знаю уж, отважился ли Греф «поговорить с президентом». Но только вот Путин не по дням, а по часам закручивал ситуацию со СМИ в стране все круче и круче. И никто из так называемых либеральных реформаторов так и не решился вслух предъявить президенту претензии на этот счет. Значит, не очень-то их это и волновало. Или пожертвовать свободой слова в стране ради собственного пребывания во властной обойме казалось им вполне приемлемой ценой?

Когда я рассказала Чубайсу о встрече с Грефом в приемной у Волошина, главный энергетик замахал на меня руками:

– Да нет! Ну что ты! При чем здесь Волошин! Герман – порядочный...

– Может быть, ваш Герман и порядочный. Но трус он – точно порядочный. Представьте себе: несколько месяцев он ни за что ни про что гнобил журналистку, отказывал ей в аккредитации, даже не зная ее лично, – просто потому, что ему приказали из Кремля!

Я предложила Чубайсу пари, что как только начнется очередная волна репрессий в отношении меня со стороны кремлевской пресс-службы, никакое чубайсово заступничество на Грефа не будет производить ни малейшего влияния.

– Вот тогда и узнаете, имела ли для него значение встреча со мной у Волошина или нет! – запальчиво пообещала я Чубайсу.

И – выиграла спор. В следующий раз, после того как меня «отлучили» от президентских поездок, Греф, встретившись со мной на экономической тусовке в Александр-хаусе, опять отвел глаза и сделал вид, что не заметил.

Примерно так же поступил и его правительственный товарищ по либерализму Алексей Кудрин. Дело в том, что после знаменитой истории с похоронами Собчака, где Кудрин вынес меня из страшной давки, мы с ним при встрече всегда тепло, по-приятельски, расцеловывались.

– Вот тот храбрый мужчина, который спас мне жизнь! – обычно приговаривала я при этом со смехом, и Кудрину явно нравилось, что окружающие слышат об этом героическом факте его биографии.

Однако нравилось ему это только до поры до времени...

Как только он почувствовал, что в Кремле объявили на меня травлю, – то моментально, во время одной из президентских поездок (кажется, в Орле) подошел ко мне и, озираясь по сторонам, прошептал на ухо:

– Знаете, Лена, мне довольно неловко, что, когда вокруг – представители администрации, мы с вами вот так вот здороваемся...

Больше вопросов к этому человеку у меня, разумеется, уже не было.

Было только слегка обидно сознавать, что я живу в стране, где даже наиболее умные мужчины, пребыванием которых во властных структурах президент дорожит из-за их реформаторского имиджа на Западе, так и не посмели вслух, жестко, по-мужски, потребовать от Путина прекратить репрессии по отношению к прессе. Более того – несмотря на все свое влияние, ни у кого из них не хватило мужества даже заступиться за девушку-журналистку, которую много месяцев подряд с наслаждением прессовал государственный аппарат. Если молчаливая поддержка этих репрессий – это не собственная позиция реформаторов, то тогда мне просто трудно себе представить: чем уж таким ужасным Путину удалось их до такой степени запугать?

Глава 12

КРЕМЛЕВСКАЯ ШИЗОФРЕНИЯ

В этой главе — давно обещанный десерт: я раскрою секрет кремлевского долгожития. Причем — своего собственного. Если, конечно, можно назвать долгожитием тот факт, что после старта отлично организованной травли со стороны путинской пресс-службы я умудрилась продержаться в «кремлевском пуле» еще ровно год.

Но сначала — о терминах. Может, теперь, после всех предыдущих глав, кто и не поверит, — но, написав в заголовке «шизофрения», я и не думала обзываться. Слово «шизофрения» в данном случае означает ровно то, что означает, ни больше ни меньше: раздвоение личности.

А как еще, по-вашему, можно назвать состояние Кремля, когда пресс-служба лишает некую журналистку аккредитации, а в то же самое время все кремлевское руководство регулярно с той же самой журналисткой встречается и дает ей эксклюзивную информацию?

Или: какой еще диагноз можно поставить властному организму, который сначала левой рукой запихивает в тюрьму Гусинского, потом правой рукой его оттуда вытаскивает, а в довершение всего внятно подмигивает третьим глазом, что он вообще был против всей этой дурацкой сквозной операции?

Или, наконец: как еще, если не шизофренией, можно назвать состояние корреспондентки, которую в Кремле обзывают агентом Березовского, а в газете Березовского — попрекают кремлевскими друзьями? И что уж тут говорить о президенте, который старательно наплодил вокруг себя всю эту сугубо (в смысле — «двояко») здоровую атмосферу?

Так что, если уж продолжать тему раздвоений, в каком-то смысле эта глава — параллельная история того же самого периода кремлевской жизни, что и глава предыдущая. Правда, вот многие действующие лица об этом даже и не подозревали.

Анонимный источник, почесывая в бороде...

Журналистика – конечно, низкий жанр. Но отдельные журналистские проделки все-таки войдут в века. (В интернете я, разумеется, поставила бы после этой фразы смайлик – во избежание кривотолков о журналистской мании величия.)

Так вот, именно к разряду нетленок относится знаменитый кремлевский афоризм, который родился благодаря моему недосыпу и раздолбайству главного редактора журнала «Власть».

Как-то раз, во время однодневной передышки между полетами с Путиным, я должна была успеть написать не только репортаж в газету, но еще и большущую аналитическую статью в наш журнал. Понятное дело: репортажем я занималась днем, а журнальной статье пришлось посвятить всю ночь. Причем, «всю ночь» – это даже громко сказано: потому что выезжать в аэропорт для следующей командировки с Путиным мне пришлось прямо из редакции в четыре часа утра.

Неудивительно, что проследить за дальнейшей судьбой своего текста я была просто физически не в состоянии. Тем временем в нем оказалась мина замедленного действия.

Иллюстрируя абсолютную иллюзорность существования так называемого официального избирательного штаба кандидата в президенты Путина В. В. в Александр-Хаусе (реальный штаб, вопреки всем избирательным законам, разумеется, действовал в Кремле, на базе ельцинской администрации), я процитировала высказывание на этот счет «высокопоставленного кремлевского чиновника».

– А чем же тогда все это время занимался официальный штаб под руководством Дмитрия Медведева? – спросила его я.

– А черт его знает! – с подкупающей честностью ответил чиновник.

Высокопоставленным чиновником был никто иной, как глава кремлевской администрации Александр Стальевич Волошин.

Разговор у нас с ним был неформальный, поэтому назвать его имя в тексте я не могла.

А использование цитат анонимов в «Коммерсанте» не очень приветствуется. Поэтому, исключительно для сведения главного редактора, чтобы он убедился в подлинности цитаты, я в скобках после этого пассажа приписала жирным шрифтом: «ПОЧЕСАВ В БОРОДЕ».

«Редактор у нас – не дурак,– подумала я, – поэтому, конечно же, сразу поймет, кто у нас в Кремле с бородой».

Отправив текст по внутренней электронной почте, я улетела с Путиным со спокойной душой.

Однако, открыв журнал «Власть» на следующей неделе, я просто обомлела: моя хулиганская шутливая приписка для внутреннего пользования была инкорпорирована в текст. Получилось так: «ВЫСОКОПОСТАВЛЕННЫЙ КРЕМЛЕВСКИЙ ЧИНОВНИК, ПОЧЕСАВ В БОРОДЕ, ОТВЕТИЛ: "А ЧЕРТ ЕГО ЗНАЕТ!"»

В Кремле хохотали до слез. Потому что там тоже не дураки и знали, кто у них с бородой.

«Все, вот это уже – конец, – бодро подсказал мне мой внутренний голос. – Теперь даже Стальевич откажется со мной разговаривать».

Однако Волошин, вопреки надеждам моих кремлевских недоброжелателей, с неожиданным достоинством выдержал эту проверку на вшивость. Он не только не порвал со мной отношений, но и, при первой же встрече, вместе со мной весело посмеялся над этой историей.

Цимес этого анекдота заключался в том, что данный высокопоставленный чиновник, несмотря на обладание бородой, тем не менее отнюдь не имеет привычки в ней почесывать. Поэтому Волошину, кажется, не составило никакого труда поверить в то, что эта фраза была просто внутриредакционной шуткой, которая, по недоразумению, оказалась опубликована.

Ровно с таким же, неожиданным для кремлевского мутанта достоинством Волошин выдержал и другую проверку на вшивость. Когда кремлевская пресс-служба начала на меня травлю и принялась лишать меня аккредитации, я обратилась за помощью к Волошину.

– Да тебя твои же собственные завистники в редакции подсиживают! Всем же хочется с президентом ездить... – полушутя сообщил мне Волошин и по-доброму начал перечислять кандидатов в подсидчики.

Но я предложила ему лучше всерьез задуматься над проблемами в его собственной епархии.

– Я хочу, Александр Стальевич, чтобы вы мне внятно объяснили: почему при Ельцине в «кремлевском пуле» были более или менее сносные правила игры, а при Путине вы стараетесь превратить журналистов в придворных левреток? Это же просто непрофессионально – так с прессой не работают ни в одной цивилизованной стране мира, – пыталась объяснить ему я. – Например, в Германии, в журналистском пуле при канцлере, корреспондента оппозиционного издания могут посадить на так называемую Kalte Küche («холодную кухню»): чиновники во властных структурах не дают ему никакую бэкграундную, неофициальную информацию, но на все официальные мероприятия его, разумеется, беспрекословно аккредитовывают. Иначе там был бы просто грандиозный скандал! И уже тем более, ни в Германии, ни во Франции, ни в США не может идти и речи о том, чтобы пресс-секретарь запрещал кому-то из журналистов задавать вопросы главе государства. Это даже не просто варварство – это элементарный непрофессионализм путинской пиар-службы!

– Да?! Вот тебе легко говорить! А на кого нам еще пресс-секретаря заменить? Вот давай тебя, например, президентским пресс-секретарем сделаем? А? Что? Пойдешь? Я серьезно! – предложил Стальевич.

– Ни за что! – в ужасе прошептала я.

– Ага! Конечно! Вот все вы критикуете, а никто не хочет на эту работу идти! – рассмеялся Волошин.

Через два дня после этого разговора Волошин перезвонил мне сам и без всякого пафоса сказал:

– Слушай, Лен, ты просила меня разобраться, какие там проблемы у тебя с пресс-службой возникли... Я разобрался... В следующую поездку с Путиным тебя аккредитуют.

Более того, спустя несколько дней Волошин (уж не знаю – сознательно или нет) устроил смешную демонстрацию нашей с ним дружбы для всего своего окружения. Во время очередного телефонного разговора он в своей обычной стебной манере бросил:

– Слушай, ты куда вообще пропала-то? Заходила бы в гости, что ли...

«В гости» – у него подразумевалось, разумеется, в Кремль.

Он пригласил меня на вечер пятницы, точно подгадав окончание нашей встречи к началу тогдашних традиционных пятничных совещаний, на которых вся кремлевская верхушка подводила недельные итоги освещения президентских акций в прессе.

Волошин долго не отпускал меня, хотя мы болтали уже больше часа, и секретарша то и дело нервно подносила ему записки, означавшие, что в приемной его давно уже ждут. А потом, когда мы, наконец, простились, получилось так, что выйдя из волошинского кабинета в приемную, я наткнулась на его заместителей, топтавшихся перед входом в зал совещаний: Джахан Поллыеву (которая, как я точно знала, приветствовала лишение меня аккредитации) и Владислава Суркова (который, как он сам мне потом признавался, меня «боялся»). Была там и Ксенья Пономарева – главная рулевая по пиару того самого, «черт знает чем» (по меткому волошинскому выражению) занимавшегося официального предвыборного штаба Путина. (Госпожа Пономарева прославилась звонком главному редактору «Коммерсанта» Андрею Васильеву с душераздирающим женским признанием: «Не могу больше видеть Трегубову в Кремле!!!») Ну и еще всякие условно-допущенные придворные типа Глеба Павловского и Александра Ослона.

Увидев меня, выходящую из кабинета Волошина, вся эта компания на мгновение лишилась дара речи. Во-первых, они моментально смекнули, что если их начальник принимает у себя журналистку, – то им, вроде бы, как-то не с руки после этого продолжать ее травлю. А во-вторых, судя по их вытянувшимся физиономиям, они быстренько прикинули в своей аппаратной мозговой коробочке, что раз глава администрации из-за встречи со мной заставил их ждать в приемной, то, значит, все это может быть и не случайно. И, сообразив это, вся компаша, как по команде, расплылась в любезных улыбках, принялась здороваться со мной, обмениваться шуточками, а Джахан даже умудрилась броситься мне на шею и расцеловаться, приговаривая: «Какая же ты все-таки у нас красавица!»

Для меня так навсегда и осталась загадкой причина ненормального (в смысле – почти человеческого) ко мне отношения мутанта Волошина.

На фоне абсолютно людоедской расправы с журналистами медиа-холдинга Гусинского, а потом – экспроприации телеканала Березовского, которая ровно в тот же самый период была санкционирована, в том числе, и лично Волошиным, эта филантропия по отношению к «оппозиционному» журналисту в моем лице выглядела вообще уже дико.

«Видимо, он просто руководствуется старым ленинским принципом: «Чтобы бороться с врагом, надо его знать в лицо», – решила я вначале.

Однако потом я почувствовала, что Волошин с искренним удовольствием выслушивает, когда я во время наших встреч, не стесняясь, критикую действия Кремля, Путина и главы администрации в частности.

– Ты вот вспомни историю: почему царское правительство профукало Россию большевикам? – отбивался Волошин от моих увещеваний, что стыдно добивать и так уже побежденную политическую оппозицию. – Потому что там, в дореволюционном правительстве, сидели интеллигентные, приличные, порядочные люди, которым и в голову не могло прийти использовать против этих распоясавшихся уголовников их же террористические методы. И чем все это соблюдение приличий кончилось? Сама прекрасно знаешь! Мы просто не имеем права быть такими же мягкотелыми «вшивыми интеллигентами», чтобы второй раз не допустить в стране той же самой ошибки!

– Все это правда, Александр Стальевич, – отвечала я. – За исключением одного маленького нюанса: когда вы начинаете применять против своих политических противников «террористические» методы, то вы сами автоматически становитесь с ними на одну доску. Чем вы тогда отличаетесь от тех самым уголовников-большевиков? Да, безусловно, в истории двадцатого века были примеры правых диктатур, которые принесли позитивные плоды для экономики страны. Но что-то я не вижу у главаря вашего «пиночетовского режима» ни одного проблеска осознанных либеральных экономических идей. Не тянет ваш клиент на Пиночета. Не фокус всех замочить по сортирам. Важно другое: ради чего? Просто ради его личной власти? И вы ему готовы в этом помогать?

– Ну, ты не права... – пытался возражать Волошин. – Мы вот сейчас, например, до конца года готовимся принять абсолютно революционный пакет законов по валютному регулированию. В Россию должны прийти зарубежные банки, кроме того, мы должны отменить все драконовские запретительные нормы и для российских граждан, и для фирм...

(Кстати, эти хваленые законы до сих пор так и не приняты, и когда я в последний раз заходила к Волошину, мне пришлось напомнить: «Александр Стальевич, да вы ж мне их уже два года назад принять обещали...»)

Не менее забавными были наши споры про российскую внешнюю политику. Когда я ругалась на Волошина за какой-нибудь очередной дружеский жест Путина в адрес агрессивных отморозков из «третьего мира», глава администрации, с какой-то отеческой нежностью в голосе, говорил мне:

– Ты просто еще маленькая. Я тоже раньше так думал: зачем дружить с отморозками, когда кругом есть приличные страны. Честно тебе скажу: я когда только пришел в Кремль, мне все это тоже дикостью какой-то казалось. Но потом я как-то пообвыкся и понял, что это – государственная политика. Она не всегда поддается нормальной человеческой логике. И для того чтобы ее понять, нужно проникнуться логикой государственного мышления, нужно, чтобы ты оказался внутри...

– Да вы что же такое говорите! – взрывалась я. – Вы сами послушайте, что вы сейчас произнесли! Ну зачем, спрашивается, нужна такая государственная логика, которая нормальной, человеческой логике не поддается?! И которую в состоянии понять только какой-нибудь замшелый кремлевский чиновник, у которого мозги уже успели заплесневеть!

– Ты это на меня, что ли, намекаешь?! – довольно хихикал Волошин.

Признаюсь: после многих месяцев постоянного личного общения с Волошиным я, помимо собственной воли, стала испытывать к нему уважение. Я очень быстро почувствовала между нами внятный резонанс – прежде всего, потому, что он – человек абсолютно не внешний а внутренний. Меня завораживала его внутренняя, сосредоточенная сила и какая-то прямо-таки йоговская, медитативная уверенность в безграничности собственных возможностей. «Главное – поставить задачу», – смеясь, говорил он. Мне было очень близко это ощущение. Правда вот применять его я старалась все-таки в мирных целях.

И, как всякую сильную личность, Волошина явно всегда больше привлекали такие же сильные люди, которые смеют сказать ему в лицо неприятную правду, а не лизоблюды. И за это я его тоже уважала.

Я из всех сил старалась сохранять дистанцию. Но тем не менее балансировать на тонкой грани между уважением к противнику (которым для журналиста всегда в какой-то степени по определению является любой государственный чиновник. А уж тем более – тот, кто целенаправленно уничтожает в стране все негосударственные СМИ) и эмоциональным переходом на его сторону баррикад было чрезвычайно сложно.

По стилистической иронии судьбы, в этой моей внутренней борьбе мне неожиданно помогла однофамилица нового главного врага Кремля – Березовская (моя однокурсница, журналистка и сетевой менеджер).

Когда я в очередной раз с восторгом в глазах заливала ей о том, какой Волошин «властный» и какая от него исходит «невероятная внутренняя энергетика», Юлька цинично вернула меня на грешную землю:

– Да у тебя у самой там совсем уже крыша поехала в этом твоем Кремле! Они тебя там явно заразили какой-то бациллой! Тебе надо как можно скорей оттуда ноги делать! Посмотри, что твой властный друг в реальности делает, на что он свою внутреннюю энергетику направляет! У нас в стране скоро благодаря его энергетике сплошная газета «Правда» останется... В смысле, «Известия»...

Юлька была права. А у меня в ответ было только одно-единственное оправдание: свои личные отношения с Волошиным я никогда не переносила в статьи. И в данном случае я являлась для самой же себя самым жестоким цензором. Мне приходилось применять по отношению к Волошину свое давнишнее хитрое журналистское ноу-хау: «Когда пишешь о том, кто тебе симпатичен, мочи его в два раза сильнее. А поскольку он тебе все-таки симпатичен, то в результате как раз и получится объективно».

Короче, традиционный ушат гадостей со страниц газеты про себя и про своего президента Волошин получал на свою бороду... ой, простите, голову, как только у меня выдавалась такая возможность.

Дареному Гусю в зубы не смотрят

В мае 2001-го газета «Stringer» опубликовала распечатки прослушки кремлевского телефона Волошина. Там, в частности, была подборка звонков на волошинский день рожденья: нескончаемый поток страждущих, спешащих засвидетельствовать кремлевскому главе свое нижайшее почтение: журналисты (в том числе и несколько корреспондентов «кремлевского пула»), главные редактора и, конечно же, чиновники и «независимые» социологи и политологи (выпрашивавшие повышения финансирования). Комизм усугублялся еще и тем, что в большинстве случаев волошинская секретарша (явно по его распоряжению) не соединяла поклонников с ним, а остроумно врала, что его нет и не будет.

Прочитав распечатки, политически озабоченные граждане принялись спорить, кто же посмел, а главное – кто смог прослушать, по сути, главное должностное лицо в стране после президента. «Это – черная метка, которую послала Волошину новая политическая команда, связанная со спецслужбами» – таково было консолидированное мнение московской политической тусовки.

Меня же, признаюсь, больше тревожил другой аспект этой истории. «Какое счастье, – сразу пронеслось у меня в голове, – что я НЕ ЗНАЛА, когда у Волошина день рожденья. Потому что даже если бы я, безо всякого чинопочитания, просто по-приятельски решила позвонить и поздравить его, то автоматически встала бы в ту же паскудную очередь. Вот был бы позор...»

Я стала в ужасе прокручивать в памяти все свои телефонные беседы с Волошиным. У меня просто все холодело внутри, когда я зримо представляла себе опубликованными на газетной полосе все эти «выбранные места из переписки с друзьями». Чего стоила, скажем, одна наша фирменная приветственная прибаутка...

– Александр Стальич, как дела, чего вы там делаете? – спрашивала я по телефону.

– Как это «чего делаем»? Свободную прессу душим, ты же знаешь! – шутил он.

– А-а, ну ладно, тогда я за прессу спокойна. Она – в надежных руках, – поддерживала я игру.

«А ведь если они сумели прослушать его телефон, – рассуждала я дальше, – то что им могло помешать поставить жучок и у него в кабинете?!»

От этой мысли мне вообще делалось дурно. Я представляла себе, как эффектно смотрелись бы на газетной полосе, например, регулярные придирки главы администрации президента Волошина к прическе независимой журналистки Трегубовой.

– Слушай, опять ты этот мелкий баран себе на голове устроила! – сетовал при встрече кремлевский консерватор. – Тебе гораздо лучше с пучком!

«Оппозиционный журналист Трегубова» в ответ строжилась не меньше. Например, когда Волошин, перед выездом в аэропорт для встречи президента, заболтавшись со мной у себя в кабинете, пролил кофе на рубашку.

– Ничего. И так сойдет. Галстуком прикрою – и ладно... Он не заметит... – пофигистски заявил мне глава администрации.

Но я в принудительном порядке отправила его застирывать рубашку:

– Вы что, с ума сошли?! Это же – президентский протокол! Я совершенно не хочу, чтоб вас из-за меня из Кремля уволили!

Но еще более пикантно смотрелся бы в «прослушке» наш шутливый договор:

– Сразу же, как только меня уволят из Кремля, пойдем праздновать это событие в какой-нибудь хороший ресторан...

А как-то раз я притащила Волошину видеокассету с фильмом «Осада» – американским боевиком, случайно купленным мной как-то ночью, во время жесточайшего приступа бессонницы из-за нервных перегрузок.

В фильме была ситуация, как два капли воды напоминавшая войну в Чечне и приход к власти Путина. Вывод, в духе голивудского ширпотреба, был предельно прозрачен: военные и спецслужбы всегда настаивают на ведении войны на части территории и особого режима управления во всей остальной стране отнюдь не для наведения порядка, а для выкачивания из бюджета денег, шантажа президента и контроля над страной.

– Александр Стальич, передайте, пожалуйста, эту кассету Путину. Пусть он посмотрит на досуге. Там – как раз для него, ему полезно будет. Только сами ни в коем случае не смотрите! Вы, все-таки, слегка потоньше устроены, а это – примитивный боевик... – объяснила я.

Но Волошин в отличие от меня, видимо, никогда не забывавший, что у стен есть уши, очень строго мне выговорил:

– Ты что же, хочешь сказать, что президент у нас – примитивно устроен?! Тоже мне, пришла, значит, молоденькая журналисточка и давай президента примитивным обзывать!

– Только не надо передергивать, Александр Стальевич! – развеселилась я. – Я так не сказала. Я просто вас предупредила, что фильм – не для вас, потому что у вас – более тонкая нервная и интеллектуальная организация...

Побрюзжав на меня еще немного для порядку, Волошин заявил:

– Ну ладно, я Людмиле отдам – супруге Владимира Владимировича, пусть она посмотрит. А у президента нет времени фильмы смотреть.

А уж распечатка наших с Волошиным тематических разговоров «О птичках» (причем в буквальном смысле этого слова) стала бы просто хитом политического сезона...

Как-то раз, зайдя в гости к главе администрации, я рассказала ему о только что случившемся чуде: впервые в жизни умирающий голубь, который попросился ко мне на руки на улице, за ночь, отлежавшись в моей квартире, невероятным образом исцелился и утром, разбудив меня, попросил открыть окно и, попрощавшись, довольный, улетел по делам. А поскольку я только что вернулась из города Ассизи, я честно призналась Волошину, что без вмешательства моего любимого Франческо тут дело явно не обошлось. Волошин сначала посмеялся и обозвал меня тимуровкой. Но потом вдруг с совершенно детской интонацией признался, что когда был маленьким, тоже все время подбирал на улице больных птиц.

– Знаешь, одна синичка совсем уже было выздоровела. Но потом... Они ведь не умеют замечать стекол, и вот она, как только смогла взлететь, со всей силы рванулась на улицу и разбилась о стекло... Насмерть. Для меня это такая трагедия тогда была, до сих пор не могу забыть...

Словом, предание огласке любого из этих задушевных разговоров независимого журналиста с главным «душителем свободной прессы в стране» в то время с лихвой бы хватило, чтобы я еще долго стеснялась показаться коллегам на глаза. Впрочем, в какой-то момент, чтобы не зацикливаться на параноидальной идее вездесущих прослушек, я чудовищным усилием воли приказала себе расслабиться: «Ну что теперь поделаешь? Да, у меня такие приятели... Ну да – мутант. Подумаешь! Бывают мутанты и похуже... Которые даже птичек не любят».

Кстати, возвращаясь к теме поздравлений с днем рожденья...

Должна признаться, что однажды я все-таки преподнесла Волошину подарок. Только вот не к его дню рожденья, а к своему собственному. Да и подарок, прямо скажем, получился какой-то провокаторский.

Отправившись в «Stockmann» покупать всякие мелочи к своему дню рожденья, я вдруг обнаружила там среди кухонной утвари великолепного, огромного, тучного гуся. В наглых темных солнечных очках. И имеющего прямо-таки вызывающее портретное сходство с одноименным опальным олигархом. Даром что из глины.

Дело было в конце мая 2000-го, когда Гусинский был еще в Москве, и только в дурном сне могло привидеться, что спустя пару месяцев Путин засунет его в тюрьму, а потом – в эмиграцию.

Но наезд на «Медиа-Мост» с использованием прокуратуры и людей в масках уже начался. И атмосфера вокруг владельца оппозиционной Кремлю империи СМИ неприятно сгущалась не по дням, а по часам.

И увидев, что мой прекрасный, полуметровый глиняный гусь с вальяжно вытянутой шеей, плюс ко всем вышеописанным достоинствам, является еще и копилкой для денег, я, не задумываясь, купила его в подарок Волошину.

Явившись к нему в Кремль с огромной подарочной коробкой и извлеча длинношеего гостя на свет, я, к своему несказанному удовольствию, услышала от Волошина:

– Ой, да это ведь – Гусь! Вылитый!

– Так, Александр Стальевич, а теперь смотрите внимательно: я вам буду показывать, как этим гусем правильно пользоваться. Потому что у меня сильные сомнения, что вы здесь, в Кремле, это умеете, – с этими словами я принялась наглядно демонстрировать Волошину два способа, которым можно извлечь деньги из этой копилки: жесткий и мягкий.

– Первый способ, жесткий – самый примитивный. И именно им, по моим подозрениям, вы и решили воспользоваться, – сказала я и показала ребром ладони, как можно отрубить глиняному гусю шею. – Конечно, можно разбить копилку. Это – проще простого. Но ведь подумайте сами: тогда вы больше ею воспользоваться не сможете. Второй раз оттуда денег уже не вытащишь – их там просто уже не будет!

Второй же способ, мягкий, вызвал у Волошина хохот: я внезапно перевернула копилку вверх дном и продемонстрировала очень удобную, широкую резиновую пробочку на животе у зверя:

– Ну согласитесь сами: только упертый, злобный тупица может полениться воспользоваться этой пробочкой, чтобы достать из копилки деньги! Ведь если действовать аккуратно, без членовредительства, тогда и гусь цел останется, и деньги у вас будут, и копилка вам доходы продолжит приносить!

Отсмеявшись, Волошин вдруг помрачнел, сел в кресло, закурил и в сердцах выпалил:

– Вот ты меня все время этим Гусем попрекаешь! Да сука этот Гусь!

– Правда?! Ой, хорошо, что сказали! – съязвила я. – А я-то грешным делом думала, что он – талантливый медиа-магнат...

– А ты знаешь, например, что этот «талантливый медиа-магнат» в прошлом году, во время избирательной кампании, передал через одного нашего общего знакомого, что «ни Волошину, ни Юмашеву, ни Татьяне теперь не жить, даже если они уедут за границу»!

В этот момент я поняла, что даже у «железного Стальевича» есть слабое место: личная месть.

– И что же, теперь вы, в свою очередь, готовы заявить, что «не жить – Гусю»? Это – кровная межклановая вендетта, что ли?

– Да нет, ради Бога, пусть живет, – с совершенно серьезным, даже каким-то мрачноватым лицом, ответил Волошин. – Только где-нибудь подальше отсюда... И бизнес весь пусть отдаст.

Защита Путина

С Путиным творилось неладное. Несмотря на то что его собственная пресс-служба регулярно вычищала мою фамилию из списков на аккредитацию, сам новоиспеченный президент во время официальных мероприятиях вдруг, ни с того ни с сего, начинал приятельски мне подмигивать. Или, пробегая с делегацией мимо журналистов, мог вдруг позволить себе, спровоцировав легкую оторопь у моих коллег, бросить: «Лен, привет! »

На минском заседании таможенного союза он так откровенно гримасничал в мой адрес прямо со сцены, где сидел вместе с другими главами государств, что довел бедную Ленку Дикун, сидевшую со мной в первом ряду, до состояния буйного помешательства.

– Трегубова, ну это же уже просто неприлично! Немедленно признавайся: вы что, с ним дружили раньше? – жарким шепотом пилила она мне ухо всю пресс-конференцию.

Мне пришлось вкратце рассказать ей историю моего знакомства с Путиным.

– Спорим, что теперь, когда он увидит, что ты ездишь с ним в «кремлевском пуле», он немедленно потребует от пресс-службы, чтобы тебя тоже приглашали на закрытые встречи с ним! – убеждала меня Дикун.

Даже Сашка Будберг, активно приветствовавший новые репрессивные порядки в «кремлевском пуле», изумлялся:

– Слушай, Трегубова, я не понимаю: если ты лично знакома с Первым лицом, то почему у тебя тогда вообще могут быть проблемы с его пресс-службой?!

Я не могла ответить на этот вопрос. И лишь пересказывала им комментарий своего приятеля – опытного кремлевского аппаратчика, который, как я уже рассказывала, был наоборот убежден, что именно Путин распорядился удалить меня из пула – как раз из-за опасения иметь рядом человека, знавшего его по прошлой жизни.

По крайней мере, тот факт, что меня не только не начали аккредитовывать на закрытые брифинги Путина, но и, наоборот, все чаще стали препятствовать присутствию даже на его официальных мероприятиях, подтверждал именно версию моего аппаратного конфидента.

О том, что травля ведется именно с санкции главы государства, мне, по сути, прямо объявил его пресс-секретарь Алексей Громов.

После того как я провела описанную ранее воспитательную беседу с Александром Волошиным и тот отдал распоряжение пресс-службе возобновить мою аккредитацию в президентских поездках, Громов при первой же нашей встрече с нескрываемой ненавистью в голосе проговорил:

– Можешь жаловаться на меня кому хочешь. Мне плевать! Я подчиняюсь лично президенту...

А если учесть, что громовским непосредственным начальником был все-таки именно глава администрации Волошин, разгадать эту нехитрую кремлевскую шахматную задачку никакого труда не составило. Ведь если пешка вдруг становится сильнее ферзя и сама метит в дамки, значит, она находится под прямым прикрытием короля.

В июне 2000 года начался качественно новый этап в моем противостоянии с кремлевской пресс-службой. В том смысле, что теперь меня уже травили не только как журналиста, а заодно еще и как представителя газеты Березовского.

Учитывая, что за всю историю существования газеты «Коммерсантъ» больше, чем я, гадостей про БАБа на ее страницах не писал, пожалуй, никто, то, конечно же, самым обидным теперь было стать «мученицей за веру» Березовского.

Все началось ровно в тот момент, когда Борис Абрамович из «верного сторонника, но слишком активного и беспокойного деятеля» (как за глаза называл его в частных разговорах еще в конце 1999-го Александр Волошин) превратился для Кремля в «зло» (эпитет, которым уже в начале 2000 года Березовского наградил в беседе со мной Владислав Сурков).

В конце мая 2000-го Березовский опубликовал открытое письмо президенту с резкой критикой начатой им так называемой реформы властной вертикали, которая, по сути, отменяла в стране федерализм.

На следующий же день после демарша олигарха, как раз во время обсуждения в Госдуме путинских законопроектов о властной вертикали, президент решил уехать в Ярославль: заручиться публичной поддержкой лояльного губернатора Лисицина.

И я решила поехать вместе с Путиным, чтобы заставить президента дать внятные комментарии: во-первых, о войне, начатой им против региональных элит, а во-вторых, – о войне, начатой против него самого олигархом Березовским, который, по сути, и сделал его президентом.

Но как только я приехала в Ярославль, пресс-секретарь Путина прямо объявил «кремлевскому пулу», что «президенту сейчас нельзя задавать вопросы о Березовском».

– С какой это стати? Ведь это сейчас главная новость в стране!–возмутилась я. – А вы думаете, зачем еще сюда все журналисты приехали? Полюбоваться на показуху, которую Лисицин устроил для президента?

Я решила, что имею полное моральное право задать президенту ровно тот вопрос, который хочу, а не тот, который мне подскажет его пресс-служба.

И когда пресс-секретарь Громов в очередной раз попытался наподобие охранника, растопырив руки, отогнать журналистов от президента, я решила, наконец, проэксплуатировать эмоциональную реакцию Путина на меня и, увидев его, громко произнесла:

– Здравствуйте, Владимир Владимирович!

Путин остановился, поздоровался и вынужден был начать отвечать на мои вопросы о Березовском и о тех главах регионов, которые выступают против возврата к советским образцам централизации власти.

– То, что кто-то высказывает свою позицию, – это нормально. Если это только не направлено на то, чтобы раскачивать лодку, – произнес Путин с нажимом на последнюю фразу. – В любом случае, победит та позиция, которая получит большинство. А как мы видим по сегодняшнему голосованию в Думе, большинство получит именно наша позиция.

В самом это путинском ответе ничего сенсационного не содержалось. Но то, что я раскрутила президента на прямой комментарий наличия в стране серьезной оппозиции начатого им урезания полномочий регионов, было чрезвычайно важно. И, разумеется, именно это стало главным ньюсом во всех телевизионных выпусках новостей в тот день.

После того как Путин сам согласился ответить мне, его пресс-секретарь Громов так растерялся, что даже уже не знал, как на меня реагировать: то ли опять грозить репрессиями за несанкционированный вопрос, то ли – наоборот, срочно начать подхалимничать. В Ярославле он выбрал второе.

В местном драмтеатре, пока Путин на сцене раздавал награды каким-то ярославским передовикам (среди которых, как сейчас помню, оказался, по вечной иронии судьбы, какой-то местный Волошин), Громов подсел ко мне на галерке и принялся заверять, что лично ко мне у него «особых претензий в последнее время нет».

– Но вот газета ваша – совсем уже распоясалась! Вы ведь скоро начнете скатываться до уровня рупора Березы! Давай с тобой вместе подумаем, Леночка, как мы можем этому противостоять...– ласково предложил мне президентский пресс-секретарь.

Главной претензией Громова к газете «Коммерсантъ» оказалось то, что мы (только – не падайте!)... публикуем у себя выдержки из публикаций западной прессы о России и Путине. (У нас действительно есть постоянная рубрика «No comment», в которой мы, соответственно названию, без комментариев публикуем наиболее интересные западные статьи.)

У меня просто глаза округлились от изумления:

– Да вы что, Алексей Алексеевич! Вы хотите, как в советское время, запретить нам «перепечатки вражеских голосов»?! Это же просто смешно!

– Нет, Лена! Это совсем не смешно: там – сплошь антироссийские провокации и клевета, направленная против Владимира Владимировича! – не унимался Громов.

Особенно разозлило кремлевского цензора то, что в западных статьях, перепечатанных в «Коммерсанте», критиковалась кампания, которая с негласной санкции Путина была развернута российской прокуратурой против Владимира Гусинского и оппозиционных Кремлю средств массовой информации из холдинга «Медиа-Мост».

– А когда до вашего олигарха, до Березы, дойдет очередь, и мы его тоже раскулачивать начнем, – что, ваша газета тоже начнет кричать, что это – борьба Путина против оппозиционных СМИ?! – вдруг в сердцах выпалил Громов.

Я была просто потрясена этим заявлением. Будучи мелкой кремлевский сошкой, Громов тем не менее по глупости выболтал мне тот план, который уже явно существовал в голове его хозяина.

По возвращении в Москву я, разумеется, немедленно пересказала этот разговор главному редактору «Коммерсанта» Андрею Васильеву и предложила написать об этом статью. Он только посмеялся.

Но через несколько дней нам обоим уже стало не до смеха. Кремлевская пресс-служба официально отказалась аккредитовать меня в поездку президента Путина в Испанию и Германию.

Стало совершенно очевидным, что, несмотря на показную любезность Путина со мной во время публичного общения в Ярославле, он тем не менее пришел в ярость из-за того, что я заставила его перед телекамерами говорить на скользкую тему: о Березовском. После этого он явно вставил своей пресс-службе по первое число и потребовал впредь оградить его от нежелательного общения с настырной журналисткой. И если в Ярославле Громов, говоря со мной, еще колебался между всегда трудноуловимым для царедворцев выбором – гнобить или заискивать, то по возвращении в Москву Путин уже, видимо, железным перстом указал ориентацию своему верному псу.

Но на этот раз в ярость уже пришел не только президент, но и главный редактор «Коммерсанта». Если до этого в полугодовой борьбе кремлевской пресс-службы против меня Васильев занимал лишь пассивную роль, время от времени проводя с пресс-секретарем кулуарные переговоры, то теперь, когда Путин откровенно наехал на «корпоративные интересы» «Коммерсанта», главный редактор впервые решил вступиться за меня публично.

В первый же день зарубежного турне Путина на первой полосе газеты «Коммерсантъ» была опубликована заметка собственноручного васильевского изготовления:

«ИЗВИНЕНИЕ ПЕРЕД ЧИТАТЕЛЯМИ

Почему «Коммерсантъ» не будет писать про визит Путина.

На этом месте мог бы стоять репортаж кремлевского обозревателя «Коммерсанта» Елены Трегубовой о поездке президента России Владимира Путина в Испанию и Германию. Но читателям «Коммерсанта» его не читать – по не зависящим от редакции обстоятельствам. Кремлевская пресс-служба отказалась аккредитовать Трегубову. Без всякой официальной мотивировки. Но есть неофициальная версия отказа. По сведениям «Коммерсанта», кремлевская пресс-служба намерена самостоятельно отбирать в президентский эскорт устраивающих ее журналистов. Мы же убеждены, что это – несомненная прерогатива редакций.

Конечно, можно было бы написать о поездке Путина, пользуясь известным методом компиляции. Но как-то это не в наших правилах.

Но за развитием событий «Коммерсантъ» будет следить. И информировать пораженных в своих лучших правах читателей.

Редакция».

Сразу же после выхода этой статьи мне позвонил тогдашний министр-посланник посольства Германии Андреас Кертинг и сделал официальное предложение:

– Елена, мы возмущены фактом нарушения Кремлем ваших профессиональных прав как журналиста. И поэтому я уполномочен передать вам предложение от господина посла: мы готовы сделать для вас аккредитацию от Германского правительства на все официальные мероприятия во время визита президента Путина в нашу страну.

Следом за немцами в редакцию «Коммерсанта» позвонили и из посольства Испании и сделали точно такое же предложение. Однако в последний момент руководство газеты почему-то все-таки побоялось идти на радикальное обострение отношений с Кремлем, и Васильев настоятельно попросил меня отказаться от предложений Германии и Испании и остаться в Москве.

А через два дня нам стало окончательно ясно, почему Путин счел необходимым заранее подстраховаться и накануне своего европейского турне зачистить «кремлевский пул» от журналистов, которые могли осмелиться задать ему жесткие вопросы. Ведь именно на тот момент, когда Путин был в Испании, был запланирован арест оппозиционного олигарха Владимира Гусинского.

Гражданин кантона Ури

Удивительно, но иногда даже в супермаркетах можно случайно найти штучный, эксклюзивный товар. Именно так в супермаркете поселка Жуковка на Рублевке весной 2000 года я совершенно случайно обнаружила самый экстравагантный кремлевский экземпляр – заместителя главы администрации президента Владислава Юрьевича Суркова, покупавшего себе там сосиски.

Вернувшись после одной из поездок с Путиным, я прямо из аэропорта «Внуково-2», не заезжая домой, решила отправиться отсыпаться к своей подруге Маше Слоним в подмосковные Дубцы. По дороге, разумеется, закупив в Жуковке наш с ней любимый джентльменский набор – французский сливовый джем без сахара «St. Dalfour» на виноградном соке и обезжиренный творожок «Danone».

Дочитав до этого момента, не знакомая со мной аудитория, наверняка расколется на две половины: первая решит, что я – тайный рекламный агент обеих упомянутых фирм, а вторая – что я добровольный проповедник здорового образа жизни. Мой ответ сторонникам первой версии: «Нет!» – а сторонникам второй: «Ни за что!» Просто это очень вкусно, когда смешать. И уж по крайней мере, согласитесь, – куда вкуснее, чем сосиски.

По внешнему виду чиновника, с которым я столкнулась задом (буквально) у кассы, было сразу видно, что потчуют его в Кремле исключительно нездоровой пищей: темные круги под глазами, блеклый взгляд, ссутуленные плечи, слабенький, безвольный голос. И огромный телохранитель в придачу.

В моем взгляде было, видимо, столько невольного соболезнования, что Слава тут же принялся жаловаться:

– Дико устал... Голова раскалывается...

– Бедненький... – искренне пожалела его я. – А зачем же тебе телохранитель в супермаркете?! Тебя же, вроде бы, широкая публика вообще в лицо не знает... (В тот момент Сурков действительно еще был известен лишь отдельным ценителям кулуарного лоббистского искусства.)

– Ну были пару раз инциденты... – как-то застенчиво признался Слава.

– Что – убить пытались?! Серьезно, что ли?! – с ребяческим восторгом переспросила я.

Слава смущенно, но явно утвердительно промолчал.

В эту минуту я обнаружила в себе крайне странное ощущение: физическую неловкость за то, что я, вот такая красивая и жизнерадостная, гордо возвышаюсь над практически умирающим кремлевским заморышем. На детей президентского подземелья я явно производила просто-таки вызывающе витальное впечатление.

Мы, конечно же, и до этого виделись с Сурковым, – но только в стенах администрации. На фоне кремлевского камуфляжа лично для меня он был вообще как-то незаметен как живой персонаж: сливался то с кабинетом, то с коридором, а то – и вообще с другими действующими лицами и исполнителями. Как сам он абсолютно точно себя классифицировал: «Я отношусь к тому редкому виду бактерий, которые гибнут на свету». В Жуковке же, будучи извлеченным на свет, Сурков, наконец, стал заметен, но производил примерно такое же душераздирающее впечатление, как Человек-невидимка в конце фильма, когда у него закончился эликсир.

Расставшись с унылым потребителем сосисок, я вдруг четко поняла, что Слава, как и 99% мужчин, просто-напросто болезненно озабочен состоянием собственного здоровья. Я тут же вспомнила, как впервые зашла в его кремлевский кабинет: на письменном столе были разложены какие-то блестящие хромированные медицинские приборчики и зеркальца. Я, как сорока падкая до всего блестящего, с восторгом набросилась на все эти штучки, на их фоне даже не приметив самого хозяина кабинета.

Слава грустно объяснил:

– Это мне тут горло лечили... Времени нет к врачу сходить, поэтому пришлось прямо здесь, на рабочем месте...

И тут же, едва дав мне задать какие-то вопросы о политике, Сурков плавно перешел к жалобам на свое повышенное давление.

– А ты чудовищным усилием воли снижать его не пробовал? – весело поинтересовалась я. – Я вот, например, умею по желанию понижать или повышать себе давление. Я так в школе уроки прогуливала: приходила к врачихе и внушала себе, что у меня низкое давление. Она мерила своей машинкой – и правда, низкое. И мне сразу – освобождение от уроков на две недели с диагнозом вегето-сосудистая дистония!

– Я так сразу и подумал, что ты – сумасшедшая, – с облегчением выдохнул Слава.

Вскоре, впрочем, мне представилась возможность узнать совершенно другого Суркова. Как-то раз мы пошли с ним поужинать, и, едва Слава почувствовал во мне доброжелательного собеседника, он просто на глазах преобразился в яркое, красивое и чрезвычайно избалованное существо.

Во-первых, к моему несказанному изумлению, обнаружилось, что в Кремле есть хотя бы один человек, читавший книги (под книгами я, разумеется, не имею в виду Пелевина). И уж по крайней мере, он – точно единственный кремлевский обитатель, о котором можно с небрежностью бросить в разговоре, что «Улисс» – не последняя толстая книжка, которую он осилил в жизни.

Правда вот литературные вкусы заместителя главы кремлевской администрации, на мой взгляд, оставляют желать лучшего. Своей любимой книгой Слава назвал «Бесы» Достоевского и даже признался, что коллекционирует разные издания этого произведения. Я отношусь к Достоевскому несколько более сентиментально, чем, скажем, Набоков, но вот по поводу «Бесов» я с последним как раз абсолютно согласна: безвкусное нагромождение ходульных образов, писанных оскорбительно-дурным, опереточным стилем.

Приятно, конечно, что одному из главных кремлевских начальников пришлось по душе, как Достоевский развенчивает идею русских революционеров. Только вот, кажется, Сурков все-таки не вполне отдает себе отчет, что если уж рассматривать это низкохудожественное произведение как социальную сатиру, то больше всего компашка мелких бесов Достоевского напоминает пародию на нынешний узкий круг кремлевских «революционеров».

Но уж что стало для меня абсолютно фантастическим открытием – это радикальное отличие Суркова от чукчи. В том смысле, что Слава оказался не только читателем, но еще и писателем. По его собственному признанию, в молодости он писал рассказы и даже всерьез мечтал о писательской карьере.

– Почему же ты бросил, сумасшедший? Неужели возиться во всем этом политическом дерьме тебе приятней? – ужаснулась я.

– Честно говоря, у меня – высокие амбиции. А в какой-то момент я просто понял, что в литературе я – не гений, – спокойно ответил Слава. – И одновременно я оказался недостаточным графоманом, чтобы всю жизнь получать кайф от написания негениальных рассказов.

Как он признается, рассказы он писал «под Борхеса». Что, по моему глубокому убеждению, изначально было тупиком – Борхес ведь и сам честно признавался, что он «хороший читатель, а не писатель». В общем, чукча наоборот.

Недореализованность в литературе превратила Суркова в практикующего эстета в жизни. Начать с того, что при ближайшем рассмотрении он производит впечатление человека, который не понаслышке знает: покупать костюмы меньше, чем за пару тысяч баксов, – это просто mauvais ton.

Более того: он производит впечатление мужчины, который точно знает, что покупать костюмы вообще нельзя. Их нужно только шить. Мне доставила редкое эстетическое наслаждение его страстная лекция о том, как сложно выбирать из сорока пяти оттенков серого, когда тебе шьют одежду.

Жаль вот только, что его машину (вероятно, дорогую) я по достоинству оценить не смогла: я не только предельно холодна к этому предмету мужской роскоши, но, вдобавок, еще и абсолютная дальтоничка в смысле крутых моделей и тюнингов. Мне лишь бы красивенькая была – и ладно.

Как-то раз, во Флоренции, едва выйдя из галереи «Уффици» (из «офиса», в смысле), я не смогла удержаться, чтобы немедленно не позвонить Суркову и не съязвить:

– Слушай, Славка, я наконец-то поняла, на кого ты как две капли воды похож! Видел караваджиовского мальчика-Вакха? Вот! Типичный замглавы кремлевской администрации! (Не путать с «Маленьким больным Вакхом» той же кисти из коллекции Виллы Боргезе: это – следующий этап.– *Е.Т.*)

Мы со Славой стали друг для друга взаимным культурным шоком. Например, он сразу запросто признался мне, что «очень» любит деньги.

– Понимаешь, у меня было бедное детство. У меня ничего этого не было, мы с мамой ничего этого не могли себе позволить... – трогательно вспоминал он.

Я же в ответ открыла ему про себя другую страшную тайну:

– Я, конечно, довольно избалованна. Но если мне хватает денег ровно на то, чтобы поддерживать мой теперешний образ жизни, – то и слава Богу, больше не надо.

Суркова это признание не на шутку испугало.

– А сколько ж ты, извини, получаешь, если не секрет? – на всякий случай с опаской осведомился замглавы администрации.

Я честно назвала ему сумму.

– Ну-у... это – большие деньги... – неискренне прокомментировал главный кремлевский лоббист.

– Нет, Славка, это – совсем маленькие деньги, – искренне поправила его я. – Но при моей патологической нелюбви продаваться мне этого пока хватает.

– А ты не любишь продаваться? – еще более поразился Сурков. – Ты хочешь сказать, что ни разу в жизни не писала статьи по заказу?

Получив отрицательный ответ, он, как-то совсем уж обескураженно, протянул:

– А-а, ну тогда все с тобой понятно...

Несмотря на то что в Славиной карьере любовь к литературе оказалась, в конце концов, побеждена в неравном бою второй его страстью – к деньгам, тем не менее, в его политических взглядах все-таки тоже нет-нет да и проскальзывало некое эстетство.

Как-то раз, говоря о варварском стиле накопления капитала в нашей стране в последние десять лет, мы с ним сошлись на том, что прогресс, даже политический, все-таки всегда идет по направлению отчуждения от средств производства. Даже если этим средством производства является автомат Калашникова. В том смысле, что, по циничной логике развития государства, первоначальный наемный убийца был менее цивилизован, чем тот, кто уже не сам убивает, а только заказывает. Примерно так же, как тот, кто ел руками, стоял на более низкой ступени цивилизации, чем тот, кто сумел отдалиться от куска мяса с помощью вилки и ножа.

– А уж когда олигархи вообще договорились не пытаться убить друг друга, – можно считать, что они вообще уже даже и чистой салфеткой за столом стали пользоваться, – развил мысль Слава.

В чистой теории в наших с ним разговорах он категорически отрицал любые формы тирании и насилия – с эстетической, разумеется, точки зрения:

– Это же примитивно! Это для тупых и ленивых: взять и силой заставить кого-то что-то сделать. Любой качественный процесс по определению должен быть сложным. Процесс долгого, мучительного согласования гораздо более сложен, но и гораздо более красив, чем диктатура!

С теорией Суркова насчет того, почему Россия патологически склонна к диктатуре, тоже трудно было не согласиться:

– Это прямое следствие интеллектуальной лени и отупения, которое не позволяет оценить красоту сложных решений...

Однако как только теоретические убеждения хоть както мешали его лоббисткой работе, все эстетство мгновенно улетучивалось как дым.

К примеру, журналистику как часть «сложного красивого политического процесса» Сурков вообще всегда ненавидел как класс:

– Вы все – просто профессиональные провокаторы, которых нужно изолировать как можно дальше от того места, где принимаются решения! Ты же сама прекрасно понимаешь... – доверительно сообщал мне мой приятель.

Кстати, возможность покупать журналистов или депутатов за деньги (что тоже по определению является гораздо более примитивным процессом, чем убеждение) тоже както совершенно никогда не оскорбляла Славиных эстетических чувств.

Так что, если оставить в стороне флер рафинированности, по части практического цинизма Слава – плоть от плоти того же самого поколения 35–40-летних ребят, вроде Романа Абрамовича или Саши Хлопонина, рано сделавших большие деньги и рано заподозривших, что этим и исчерпывается бóльшая часть человеческих отношений.

Что же касается «отстраненности от средств производства» (как показателя большей рафинированности), то приходится констатировать, что и в этом смысле главный лоббист страны Владислав Сурков, без активного кулуарного вмешательства которого через Думу не проходит ни один важный законопроект, стоит отнюдь не на верхней ступеньке цивилизации. Потому что, если брать за модель упомянутое соотношение между наемным киллером и заказчиком, то в данной модели заказчиком является, конечно же, Александр Волошин, а киллером – Сурков. Поэтому именно Волошин, в данном случае, рафинированно «ест с ножом и вилкой», не выходя из своего кабинета, а Славе приходится копаться по локоть в депутатских нуждах.

Впрочем, если выстраивать логическую иерархию еще выше, к главному «госзаказчику», на которого сейчас работают и Волошин, и Сурков, то вся наша со Славой умозрительная эстетская конструкция и вовсе перверсируется. Потому что в рафинированности того, крайнего сверху в Кремле, вопреки колоссальной отстраненности его от средств производства, я вообще категорически не уверена.

Но в любом случае, Владислав Юрьевич Сурков совершенно уникален среди кремлевских обитателей (думаю, всех поколений) хотя бы тем, что когда я как-то раз в шутку обозвала его Гражданином кантона Ури, он не только понял, о чем я, но и тут же, не задумываясь, парировал:

– Надеюсь, я кончу лучше.

Динамо-машина им. Б. А. Березовского

В июле 2000 года, в момент, когда Кремль пендюлями проталкивал через Думу и Совет Федерации президентский закон, фактически уничтоживший верхнюю палату как представительство регионов, я, наконец, поняла, про кого тот знаменитый анекдот, где внутренний голос все время подзуживает ковбоя: «Нет, это еще не конец!.. Подойди и плюнь Большому Джо в лицо... А вот это – уже конец!»

Так вот история эта – точно про Бориса Березовского.

На путинскую реформу властной вертикали Березовский ответил тогда шумной кампанией в прессе вокруг создания так называемой партии регионов, которая, как он обещал, спасет страну от ликвидации федерализма.

Затея была откровенно безнадежной. Запуганные губернаторы предпочли поскорее лечь под Кремль сразу, чтобы потом их не взяли силой. А единичные бузотеры, вроде, например, бывшего харизматика Александра Руцкого, очень скоро за переговоры с Березовским поплатились (курского губернатора, как известно, через несколько месяцев после этого сняли с выборов прямо накануне голосования).

Тем не менее, если Дума президентский закон о новом порядке формирования Совета Федерации сразу с радостью утвердила, то вот сенаторы-то поначалу сами себе намыливать веревку все-таки отказались. Во время первого тайного голосования этот закон в верхней палате поддержали всего 13 человек. Это наглядно показывало истинный мизерный процент поддержки путинской авторитарной властной перекройки в российских регионах.

Кремль не на шутку встревожился. Разумеется, Путин уже ни на секунду не сомневался, что рано или поздно он все-таки пропихнет закон. Но пропихивание это грозило стать слишком затяжным (массовая скупка депутатских голосов в Думе судорожно велась обеими враждующими сторонами) и уже неприличным. И самое главное, чего опасался Путин, – это что тот же самый человек, который годом раньше придумал его самого, – Березовский, теперь возглавит региональную фронду и устроит бывшим кремлевским соратничкам новую серию информационной войны в своих СМИ.

И тут кремлевские пиарщики решились на беспрецедентный ход. Владислав Сурков позвонил мне и сказал, что готов дать интервью на эту тему накануне нового голосования в Думе. Это было сенсацией. Раньше этот кремлевский чиновник не давал интервью ни одной газете. Открытый выход Суркова («бациллы», по его собственному выражению, «моментально погибающей на свету») в публичную политику стало событием абсолютно экстраординарным. И, вроде бы, для «Коммерсанта» это было круто.

Но, с другой стороны, получалось, что мы предоставляем Кремлю трибуну для психической атаки на губернаторов.

Мы долго совещались с главным редактором «Коммерсанта» Андреем Васильевым. «Береза, мля, ругаться будет – я уже представляю как... Но отказываться глупо», – решил он в результате.

Несмотря на мой обычный, жесткий, стиль ведения интервью, Сурков, разумеется, успел сказать все, что хотел...

– Я немножко знаю методы Березовского: он везде рассказывает, что за ним все олигархи стоят и Кремль, что он уже договорился с Вяхиревым и Алекперовым, что в администрации президента он может все решить... Ну неправда все это!.. Я с Березовским действительно работал и до сих пор нахожусь в нормальных отношениях. Это не секрет никакой – действительно Борис Абрамович довольно долго был вхож во все высочайшие коридоры. И часто его советы приводили к эффективным результатам. Но еще чаще – и к неэффективным... – заявил Сурков.

Это была внятная черная метка, публично посланная Борису Березовскому его прежними кремлевскими дружками. И одновременно – четкий сигнал всем потенциальным бунтарям: «Березовский – больше не всесильный кремлевский теневой разводчик, а изгой, и даже если очень захочет, не сможет заступиться за вас. Теперь мы – ваша единственная крыша».

Мы горячо спорили обо всем этом с Машей Слоним за трапезой у нее в Дубцах, когда вдруг позвонил наш друг Алик Гольдфарб, находившийся в приятельских отношениях с Березовским. Узнав, что я сижу у нее в гостях, Алик моментально примчался к нам – расспрашивать меня о скандальном интервью.

– Лена, ну вот скажи, что ты думаешь о Суркове? Его же, вроде бы, в политику привел именно БАБ...

– Очень хитрый. Очень гибкий. Предельно циничный. Знаешь, как про него в Кремле за глаза его же коллеги говорят? «Маму родную продаст». А уж тем более, я думаю, – «родного папу» Березовского. И по моим ощущениям, он в Кремле еще и Волошина переживет, если Путин захочет старую команду оттуда вычистить.

– А какова твоя оценка кремлевской ситуации в целом в отношении Бориса? – продолжал расспрашивать меня Гольдфарб.

– Извини, Алик, не хочу тебя расстраивать, но, по-моему, Борису твоему – п....ц, – как можно более точно сформулировала я свою экспертную оценку. – Сдали они его.

Тут мы с Машкой, в свой черед, накинулись на Алика с расспросами:

– А сам-то Борис Абрамович что думает на эту тему?

– Ну, «что-что думает»... – замялся Алик. – Борис говорит: «Ситуация динамичная, надо действовать!»

А через две недели Совет Федерации прогнулся. Вопреки элементарному инстинкту самосохранения, сенаторы подавляющим большинством утвердили закон, по сути, о собственном расформировании.

Но зато для нас с Машкой крылатая фраза Березовского, сказанная в тот момент, стала настоящим домашним анекдотом. До сих пор, когда у кого-нибудь из нас случается какой-нибудь полный триндец на работе или дома, мы каждый раз с хохотом подбадриваем друг друга: «Ситуация динамичная, надо действовать!..»

«Его посадили...»

Самый модный политический анекдот конца 2000 года, как известно, Путин придумал про себя сам, когда на вопрос американского тележурналиста Ларри Кинга: «Так что же все-таки произошло с вашей подводной лодкой?» – лидер российского государства с идиотской улыбочкой ответил: «Она утонула...»

В московской политической тусовке, разумеется, сразу по-доброму развили тему...

– Так что случилось с вашей подводной лодкой?

– Она утонула... – отвечает Путин и улыбается.

– А что случилось с вашей Останкинской телебашней?

– Она сгорела... – отвечает Путин и улыбается.

– А как здоровье первого президента России Бориса Ельцина?

Путин улыбается.

– Что?! Умер?! – в ужасе кричит Ларри Кинг.

Исключительно из-за того, что Гусинского успели не только посадить в тюрьму, но и выпустить еще до всех этих знаменательных событий, в анекдоте несправедливо отсутствовал вопрос Ларри Кинга: «А как поживает ваш крупнейший медиа-магнат?»

Поскольку из-за очередных репрессий со стороны путинской пресс-службы в момент ареста опального олигарха территориально я оказалась гораздо ближе к Гусинскому, чем к Путину (в смысле, в Москве, а не в Мадриде), свежие вести с мадридских информационных полей мне телеграфировала коллега по «кремлевскому пулу» Елена Дикун. Для нее все происходящее было вопросом жизни и смерти: в тот момент она работала кремлевским обозревателем в «Общей газете», единственный источник финансирования которой вдруг переехал в Бутырки.

– Здесь у нас какое-то сумасшествие творится! – стонала бедная Дикун на том конце трубки. – Представляешь, Малкина (обозреватель газеты «Время новостей». – *Е. Т.*) звонит прямо при всех с мобилы в Москву в Кремль и советует им, как лучше обыграть арест Гуся в смысле пиар-компании...

Сам Путин, комментируя ситуацию из-за бугра, как известно, вообще насмешил до колик всю страну: во-первых, уверял, что «не смог дозвониться до генпрокурора», а во-вторых, сказал, что генпрокурор у нас – «независимый».

По правде сказать, мне, находясь в Москве, комментировать арест Гусинского было гораздо труднее, чем Путину в Мадриде. Путин-то в отличие от меня хотя бы точно знал, кто этот арест инициировал. А мне, для того чтобы написать статью, нужно было экстренно обзванивать всех своих приятелей во властных структурах с одним и тем же безнадежно-нетелефонным вопросом: «Кто отдал приказ?» Не хотелось ведь голословно оклеветать президента...

Внезапно над моими муками творчества сжалился пресс-секретарь Чубайса Андрей Трапезников.

Сначала на мой звонок он уклончиво ответил:

– Я еще с шефом не переговорил, ничего не знаю.

Однако через пару часов Трапезников перезвонил и попросил:

– Только ты мне не задавай сейчас по телефону никаких наводящих вопросов. Решение принял один человек. Сам.

– Ну, слушай, Андрюш, не надо мне лапши на уши вешать: ты сам прекрасно знаешь, что генпрокурор у нас сам таких решений не принимает!

– Перезвоню...– снова загадочно перебил меня Трапезников.

На этот раз он перезвонил гораздо быстрее, и на определителе моей мобилы высветился какой-то совсем уж нечитабельный номер.

– Угадай сама: на «П», но не «прокурор»! – протараторил Трапезников скороговоркой.

Ровно такую же версию, только гораздо более расширенную, спустя несколько дней подтвердил и замглавы администрации президента Владислав Сурков, придя в закрытый клуб «Четыре стороны» (это – ресторан для негласных встреч с прессой на Старом Арбате, крышуемый приятелем Валентина Юмашева референтом президента Андреем Ваврой).

– Владислав Юрьевич, а правда ли, что решение об аресте Гусинского принял один-единственный человек: Путин Владимир Владимирович? – спросила я Суркова в присутствии еще десятка журналистов.

– Нет, не правда, – ответил Слава.

«Елки, ну сейчас тоже начнет врать про независимого прокурора...» – с тоской подумала я.

Но Сурков внезапно творчески развил свою мысль:

– ...Нет. Не правда, – повторил замглавы администрации. – В окружении президента были люди, которые активно настаивали на таких мерах и поддержали это решение.

После наводящих вопросов Сурков внятно дал понять, что решение об аресте Гусинского президент принял при активной идеологической поддержке силового крыла своей команды.

– Могу прямо сказать: мы были категорически против такого решения... – процедил наш кремлевский «язык».

– Кто это «мы»? Александр Волошин был тоже против?

– В том числе, – подтвердил Сурков.

Крупные российские бизнесмены, как все помнят, подписались тогда под открытым письмом с протестом против силовых действий в отношении Гусинского. (Своей подписью под этой бумажкой еще долго потом прикрывался как иконой Анатолий Чубайс – каждый раз, когда я попрекала его готовностью оправдать любые действия Путина.) Однако письмо это было малодушно адресовано даже не президенту, а генпрокурору. Который у нас, как хорошо известно со слов Путина, «независимый». И ни Чубайс, ни другие подписанты, ни тем более – кремлевские «оппозиционеры» Волошин с Сурковым, так и не решились публично высказать то, о чем вслух уже говорила вся страна: применение уголовных методов к строптивым олигархам санкционировал именно Путин.

Когда я во время интервью для «Коммерсанта» попыталась раскрутить Владислава Суркова на то, чтобы со страниц газеты он повторил те же откровения, которые до этого смел лишь вполголоса произнести в кулуарах, с замглавой кремлевской администрации случился истерический припадок:

– Или вы мне перестанете задавать эти провокационные вопросы о расколе в президентском окружении, или никакого интервью вообще не будет! Прекращаем интервью! – закричал мне Слава в диктофон.

Но аккуратно заходя то с одной, то с другой стороны, в конце интервью мне все-таки удалось выудить из нервного кремлевского пациента витиеватое, но крайне недвусмысленное признание:

– Я лично считаю, что слой наших выдающихся промышленников, причем «промышленность» я в широком смысле имею в виду, в смысле «промыслы» – потому что, например, Владимир Александрович Гусинский несколько другим промышляет, но он тоже в своем роде предприниматель, слой этот очень тонкий и очень ценный. И, конечно, к ним ко всем надо очень бережно относиться, к этим знаковым фигурам, потому что это – носители капитала, интеллекта, технологий. И, конечно, горячиться в отношениях с ними нельзя, даже если они не очень приятны. Даже если они занимают позицию, отличную от нашей. Это – очень деликатная сфера, и в нее не должны внедряться люди, которые не чувствуют деликатности момента...

На вопрос же, будет ли, на его взгляд, Путин и впредь применять к олигархам такие меры воздействия, как посадка в тюрьму, Сурков припомнил русскую пословицу:

– От тюрьмы да от сумы не зарекайся!

«Чисто от себя» Владислав Юрьевич добавил к народной мудрости лишь спорный афоризм, что «нефтяники не менее важны, чем нефть», поэтому государство должно их сберечь.

Через пару месяцев экстренный закрытый брифинг у себя в офисе РАО «ЕЭС» на улице Академика Челомея устроил и Анатолий Чубайс. Он провозгласил, что Россия стоит на пороге чекистского переворота, и что чуть ли не «последним оплотом демократии в стране» теперь остался глава кремлевской администрации Александр Волошин. Это откровение впечатляло: ведь в тот момент глава РАО «ЕЭС» находится с Волошиным в контрах из-за модели реформирования энергетики.

А еще через год, в конце 2001-го, нервы сдали и у бывшего главы администрации Валентина Юмашева: он примчался в клуб «Четыре стороны», чтобы порадовать журналистов сенсационным открытием: что чекисты уже, по сути, захватили власть в стране и Россия стоит накануне диктатуры и отмены всех демократических завоеваний Ельцина. Впрочем, сказал все это Юмашев, разумеется, тоже «не для печати». А так – чтобы как бациллу по тусовке разнести.

В итоге, ни один из вышеперечисленных бойцов невидимого фронта, так активно обличавших своих конкурентов-чекистов «за глаза», так ни разу и не отважился произнести ничего подобного публично.

Почему? Точнее всего на этот вопрос, по-моему, отвечает пример Романа Абрамовича. Явившись в тот же закрытый клуб на Арбате, на любознательный вопрос журналистов, «что лично он, Абрамович, стал был делать, если бы вдруг, в какой-то момент, арестовали бы, скажем, его или кого-нибудь из его близких?», Роман Аркадиевич высказался в том духе, что даже в такой ситуации ни за что не стал бы обращаться к прессе и к общественности, а предпочел бы «решать вопросы» с Кремлем исключительно кулуарным образом, внутри властной системы.

Пока что нарочитая внутрисистемность действительно приносила Роману Абрамовичу ожидаемые плоды, – если судить, скажем, по проведенному в его пользу сразу же после прихода Путина в Кремль алюминиевому переделу (договоренность о котором, говорят, была достигнута еще до выборов – в обмен на щедрую финансовую поддержку предвыборной кампании) или по итогам состоявшегося в декабре 2002 года скандального аукциона по «Славнефти», тоже превратившегося в перераспределение собственности в его карман.

Помню, как еще в момент ареста Гусинского мы поспорили на эту тему с прежним гендиректором «Коммерсанта» Леней Милославским, грезившим «черными полковниками», которые во всем виноваты.

– Знаешь, у меня такое ощущение, что никакие черные полковники тут не при чем, – призналась я. – Березу, кажется, сдал даже не Путин и не какие-нибудь чекисты, а именно выращенный самим же БАБом молодняк, вроде Суркова и Абрамовича. Волошина к молодняку, конечно, уже не отнесешь, но всем им, по-моему, просто захотелось самим переделить ту поляну в бизнесе и теневой политике, которую при Ельцине занимал их «крестный отец» Березовский.

Однако именно системный алгоритм поведения, образцом которого можно считать Абрамовича, является для уцелевших олигархов и очевидной миной замедленного действия.

Сначала все олигархическое сообщество, трусливо побубнив что-то на ушко журналистам, позволило Путину сожрать Гусинского. Просто потому, что «Гуся уже все ненавидели»...

Потом – уже даже ничего не бубня, а, наоборот, активно аплодируя, – позволили Путину скушать Березовского. Потому что «Береза уже всех достал»...

Теперь публично опустили Ходорковского: потому что нефига быть богатым, умным и красивым – так ведь и до Кремля недалеко, да и вообще нескромно как-то. А коллеги-олигархи опять молчат в тряпочку. Да и сам Ходорковский, впрочем, – что самое смешное – тоже. Скоро еще и благодарить товарища Путина начнет. Потому что, действительно: редкой души человек, мог бы ведь и шашачкой рубануть.

По совершенно четкой логике развития событий, наблюдателям остается лишь с интересом ждать: кого же следующего из своих рядов позволят Путину схарчить олигархи? Чубайса? Очень вероятно. Футболисту Абрамовичу красную карточку покажут? Или вообще на скамью запасных из страны вышлют? Всю волошинскую команду за пределы Садового кольца выселят? Не исключено. Тем более что не далее как после очередных президентских выборов силовое крыло путинского окружения, которое, по меткому выражению московской бизнес-тусовки, «до сих пор ходит голодным», наверняка выставит Путину счет за поддержку всех его силовых спецопераций. И тогда, чтобы удовлетворить аппетиты своих товарищей, глава государства опять раскрутит «русскую рулетку» – на вылет среди уцелевших олигархов. Ту самую рулетку, которую сами же олигархи так охотно позволили ему завести в 2000 году, когда заведомо знали, что лузы подпилены и выбор, «кого равноудалять первым», точно падет не на них, а на их конкурентов.

Не зря ведь, когда во время одного из закрытых брифингов на заре репрессий Путина спросили, как же соотносится провозглашенный им принцип равноудаления олигархов с откровенным равноприближением к Кремлю Романа Абрамовича, президент по-чекистски ответил анекдотом:

– А это, знаете, как в той шутке: «Мужик приходит к стоматологу, говорит: «У меня зуб болит». Врач выдернул ему зуб, оказалось – не тот. Врач выдернул и второй зуб, потом третий, потом четвертый – и все не те. Мужик ругается, а стоматолог ему говорит: «Ничего, рано или поздно мы и до больного зуба доберемся!»

С точки зрения аппаратной целесообразности тактика Путина безукоризненна, – потому что списана с банальных исторических методичек по авторитаризму.

Переругаться сразу со всеми олигархами, которые его и породили, – страшно. А вдруг – возьмут и «родят обратно»? А вот откусывать головы бывшим союзникам поочередно, учитывая стойкую нелюбовь последних выносить сор из кремлевской избы на публику, а также стойкую любовь к халяве (в смысле, к расправе над конкурентами чужими руками) – это, во-первых, безопасно, а во-вторых, – позволяет значительно продлить удовольствие от процесса пищеварения. Видно, долгая командировочная жизнь на прошлой работе научила Путина золотому правилу: главное – взять с собой в долгую командировку побольше консервов.

Если, конечно, уцелевшие олигархические «консервы», поняв неотвратимость очередной президентской трапезы, не взбунтуются против штопора. И тогда Путин вполне может оказаться на интересном ужине, «где ест не он, а где едят его самого». Ведь в российском политическом общепите пожирающие объекты и пожираемые субъекты меняются местами с еще более головокружительной быстротой, чем в одной смешной бессмертной трагедии.

Who is Vespucci?

Каждому трудоголику знаком кошмар отпускного синдрома: когда раз в десять лет берешь отпуск, в стране сразу все рушится. Причем кажется, – что все это из-за тебя. Когда в августе 2000 года я взяла отпуск и поехала путешествовать по Италии, в переходе рядом с моим домом на Пушкинской взорвали бомбу. А потом утонула лодка «Курск». А потом, когда мне позвонили и сказали, что горит Останкинская башня – я уже не поверила и подумала, что это глупая шутка.

Известие о первом несчастье настигло меня в Риме, возле Сан-Пьетро. Из-за каприза моей подруги Софьи Гендлиной (той самой Сони, которую мы с Владимиром Евтушенковым как-то раз ходили навещать на телекоммуникационную выставку) мы вынуждены были вылететь из Москвы в Рим на сутки раньше запланированного.

И вот, как только мы добрались до главной площади Вечного города, Гендлиной на мобилу позвонила из Москвы мама, и через минуту подруга мрачно мне сообщила:

– Скажи «спасибо», Трегубова. Я спасла тебе жизнь. Ты ведь в это время каждый день спускалась в переход на Пушкинской, чтобы на другой стороне ловить машину и ехать в редакцию, правильно? Так вот там теперь камня на камне не осталось...

Я сразу вспомнила лица девчонок-киоскерш, у которых я все время покупала в этом злосчастном переходе колготки. Все их киоски были разворочены взрывом, и я до сих пор не знаю, выжил ли хоть кто-то из них.

Весть о катастрофе с «Курском» настигла меня уже в Венеции, когда я вечером сидела рядом с мостом Rialto, одна, у самой воды. Позвонила на мобильный Юля Березовская из Москвы и, всхлипывая, проговорила, что вот сейчас, в этот самый момент, под водой задыхаются люди, а военные и президент уже, по сути, отказались от них. Я инстинктивно отошла подальше от чернеющих волн Canale Grande. Смотреть на них без ужаса теперь было уже невозможно.

Странно, но даже абсолютно аполитичных итальянцев мгновенно облетела трагическая новость из России. Официанты, узнав, что мы русские, выражали соболезнование. Даже простые жители Венеции, заслышав русскую речь, подходили и спрашивали, не знаем ли мы подробностей о «русском корабле».

Это при том, что, как выяснилось, многие итальянцы к тому времени даже не успели еще выучить имени русского президента. Венецианский архитектор, с которым я случайно разговорилась на Сан-Марко, узнав, что я – журналист из России, попытался выяснить, о чем конкретно я пишу.

– I'm working WITH PUTIN, – попыталась объяснить я, понимая, что «кремлевский пул» – это для иностранцев вообще какая-то абракадабра.

– Vespucci? Who is Vespucci?! – дико удивился архитектор, даже не подозревая, что в самой обидной для Путина форме повторил вопрос журналистки Труди Рубин «Who is Mr. Putin?».

Тем временем мистер Vespucci именно в этот момент наслаждался шашлыками вместе с благонадежной частью «кремлевского пула» на Сочинском побережье. Помимо уже традиционного пункта программы – кормежки доверенных журналистов, в президентской резиденции были предусмотрены и такие увеселительные мероприятия, как катание на катере, водных лыжах и скутере. Вместе с журналистами и президентом, разумеется, наслаждался курортной жизнью и его верный пресс-секретарь Алексей Громов, обеспечивший надежный идеологический face control журналистов для входа в этот курортный президентский клуб. Так что не удивительно, что Путин предпочел не прерывать отдыха в такой приятной компании ради спасения гибнущей подводной лодки.

Истории «из жизни отдохнувших» очень скоро стали в деталях известны всей политической Москве. Даже в картинках – в смысле, с демонстрацией фотографий. Дело в том, что даже среди допущенных в тот момент к телу журналистов случайно затесались те, кто расценивал эту историю как позорное пятно собственной биографии.

А уж звонившие мне в тот момент коллеги-изгои все, не сговариваясь, произносили один и тот же текст:

– Слава Богу, что нас туда не пустили! От такого ведь потом всю жизнь не отмыться...

А когда я вернулась домой, в Москву, в воздухе уже стояла гарь и телевизор не работал. Пожар на Останкинской башне стал абсолютным прообразом того разгрома, который уже спустя несколько месяцев Путин устроил сначала на ОРТ, потом на НТВ, а затем на ТВ-6 и ТВ-С.

Путин был в ярости от того, что ОРТ и другие телеканалы критиковали его бездействие в момент трагедии. Но это был, разумеется, лишь мелкий предлог для того, чтобы начать глобальный передел на телевидении, направленный на ликвидацию неподконтрольных Кремлю телеканалов.

Президент немедленно собрал в Кремле очередной закрытый брифинг для карманных журналистов и передал стране через этих гонцов следующее послание:

– Если олигархи будут вопить, то будут сразу же получать по башке!

В тот момент в качестве главного кандидата на получение по башке Путин наметил, разумеется, Бориса Березовского, который, как выразился президент, в момент гибели «Курска» «сознательно раскачивал лодку» (через контролируемый олигархом в тот момент ОРТ). Этим заявлением Путин дал отмашку к следующей серии раскулачивания олигархов: теперь уже не только врага Гусинского, а и бывшего друга – Березовского, а также к активным действиям по переделу СМИ. В том числе – и силовым. В ночь после выхода в эфире ОРТ сюжета, где ставилась под сомнение адекватность действий главы государства в момент гибели подводной лодки, соответствующие кассеты были изъяты милицией из архивов редакции. Причем – с согласия гендиректора ОРТ Константина Эрнста. И это было только начало.

В своей ярости на Гусинского, Березовского, а главное – на все СМИ, вместе взятые, Путин, кажется, не осознавал одного: если бы даже все оппозиционные телеканалы Кремль прихлопнул тогда сразу, не мучаясь, – просто не восстановили бы после останкинского пожарища, «по техническим причинам», и все, – тот, первый год путинского президентства все равно бы запомнился его избирателям именно теми жуткими, зловещими, символическими трагедиями, следовавшими одна за другой.

Их ответ Чемберлену

Я знала, что даже после зачистки из «кремлевского пула» большинства «птенцов гнезда Гусинского» некоторым журналистам из холдинга «Медиа-Мост» не только сохраняли в Кремле аккредитацию, но даже и время от времени устраивали конфиденциальные встречи с главой государства. Все эти люди использовались Кремлем, конечно же, совсем не в качестве журналистов, а как связные между администрацией президента и опальным олигархом, – поскольку отношения в ходе взаимной войны настолько обострились, что связь по прежним, прямым каналам, стала уже немыслимой.

Так, в качестве связного между Кремлем и Гусинским (уже после вынужденного бегства последнего за границу) использовался, например, Алим Юсупов, работавший в тот момент на канале НТВ. Пару раз он даже связывал Путина по телефону с Гусинским, и президент пообещал олигарху встречу на нейтральной территории. Но потом обманул.

Однажды, в сентябре 2000 года, в роли посредника между администрацией президента и хозяином газеты «Коммерсантъ» Березовским пришлось выступить и мне. Но, к счастью, не через какие-то секретные каналы (я в тот момент даже телефона Березовского не знала), а прямо со страниц газеты.

Борис Березовский быстро почувствовал, что 1-й телеканал, ОРТ (БАБ являлся в тот момент владельцем 49% акций этого телеканала и главным спонсором), станет 1-м и в кремлевском списке на ликвидацию, и придумал хитрый контрход. Опальный олигарх объявил, что передает все свои акции представителям творческой интеллигенции в трастовое управление. И предложил то же самое сделать и государству с оставшимися 51% акций. То есть, если бы схема сработала, то отнимать телеканал Кремлю пришлось бы уже не у олигарха, а у «общественности».

Мне позвонил главный редактор «Коммерсанта» Андрей Васильев и попросил:

– Слушай, а можешь ты раздобыть в Кремле «их ответ Чемберлену» на публичную инициативу Березы? Хотя бы анонимный?

В своем открытом письме Березовский утверждал, что «высокий чин кремлевской администрации» предъявил ему ультиматум: «передать в течение двух недель в управление государству свой пакет акций ОРТ или отправляться вслед за Гусинским». Вся тусовка знала, что этот высокий чин – сам Путин. Вслед за которым ультиматум Березовскому подтвердил и глава кремлевской администрации Александр Волошин.

Вот я и отправилась за «ответом Чемберлену» к Волошину.

– Александр Стальевич, Березовский понял фразу «отправляться вслед за Гусинским» как прямую угрозу Кремля посадить его в тюрьму.

– Во-первых, про Бутрыки ему ни слова никто не говорил, – сходу, даже не попытавшись опровергать факт ультиматума, заявил мне глава администрации. – Имелось в виду – отправляться куда подальше...

– «Куда подальше» – это в принудительную эмиграцию без права возврата? – уточнила я.

– Да куда угодно! Надоел он уже здесь всем – сил нет! – нервно хихикнул Волошин.

Всегда избегавший публичных интервью, в этот раз кремлевский администратор заявил мне, что я могу процитировать его ответ в газете со ссылкой на «высокопоставленного кремлевского чиновника». В компании с «высоким чином», на которого ссылался Березовский, это создавало в стране симпатичную властную вертикаль анонимов.

Суть же ответа Волошина сводилась к следующему: государство свою половину акций никому не отдаст, а Березовский, даже если попытается не отдать свои 49% акций, все равно ни на что влиять не сможет.

– Костю Эрнста мы считаем своим человеком, которому можно доверять, – заложил гендиректора ОРТ Волошин. – Журналисты не смогут себе больше позволить спекулировать на чувствах людей и раздувать антипрезидентские настроения. (Имелось в виду как раз освещение по ОРТ беззаботного отпуска президента Путина в момент гибели подлодки «Курск».)

А на прощанье, когда я уже направлялась к дверям, Волошин выложил свой самый главный аргумент:

– Да все равно мы у Березы все акции отнимем, не переживай!

На следующий день в «Коммерсанте» появилась передовица с заголовком: «Березовский получил ответ на письмо Путину через корреспондента «Коммерсанта» Елену Трегубову».

Вроде бы это был профессиональный успех. Но ничего, кроме брезгливости, я от этой «секретный миссии» не испытала. Было уже даже наплевать, что коллеги стали еще чаще дразнить меня «кремлевскими друзьями». Но главное – я четко почувствовала в тот момент, что ни о какой работе журналиста в Кремле, в нормальном, профессиональном понимании этого слова, речь уже не идет. Перебрасывать гранаты со сдернутой чекой из одного вражеского окопа в другой – это уже не журналистика.

Разгром

Когда в конце 2000 года главный редактор «Коммерсанта» Андрей Васильев под давлением кремлевской пресс-службы все-таки принял решение о моей замене в «кремлевском пуле», ничего, кроме запредельной усталости, я уже не почувствовала. Где-то, на самом краешке моего сознания, журналист твердил, что это – малодушие, что нельзя было газете так сдаваться. Но я настолько измучалась в тот год борьбы за выживание, что эмоций по этому поводу взять было уже неоткуда. Я знала, что сделала не просто по максимуму все, что от меня зависело, но и гораздо больше, чем было в человеческих силах. Под перекрестным огнем президентской пресс-службы и кремлевских чиновников я удерживала этот рубеж в течение целого года. И уже самим этим фактом доказала новому президенту, что всех журналистов в стране так просто купить или прогнуть ему не удастся.

Главный редактор объяснил мне свое решение так:

– Я понимаю, что ты с ними говна уже вдоволь наелась за этот год. Но ты пойми и меня – мне, в каком-то смысле, было не легче, чем тебе: я же не только журналист, но еще и менеджер. Мне же приходится как-то с ними отношения выстраивать. А они ведь после каждой твоей статьи звонили и устраивали скандал, чтобы я отстранил тебя. Я им говорю: «Правильно, что вы там все из-за нее на ушах стоите, – потому что она классный политический журналист и пишет классные политические тексты!» Короче... Ну не хотят они сейчас никакой вообще политики про себя читать!..

Васильев рассказал, что теперь хочет отправить в «кремлевский пул» сотрудницу отдела культуры, занимавшуюся телевизионной критикой, Викторию Арутюнову:

– Ты пойми: мне все-таки хочется, чтобы кто-то там, в «кремлевском пуле», от «Коммерсанта» был. Вот Вика и будет там выполнять чисто представительские функции: ездить с президентом в поездки, писать оттуда репортажи – как светскую хронику – «Путин сел, Путин встал...» Потому что она не будет там политических тем выискивать, и скандалов не будет...

В журналистской среде у Вики Арутюновой была стойкая репутация «доверенной журналистки министра печати и информации Михаила Лесина», поэтому я не сомневалась, что в Кремле ей действительно обрадуются гораздо больше, чем мне.

Однако, отъездив с президентом несколько месяцев, Вика вообще перешла на чиновничью работу – пресс-секретаря государственного телеканала РТР.

Смешно, но вскоре после моего изгнания из «кремлевского пула», когда, казалось бы, я стала уже свободным и счастливым человеком, Путин опять чуть было не подпортил мне Пасху. Если в 2000 году, как я уже жаловалась, мне, по путинской милости, пришлось во время Пасхи выслушивать от питерского батюшки, что в его храме «все как один за Путина голосовали», то в 2001 году, как нарочно, именно накануне Пасхи, в ночь Страстной пятницы, Путин затеял силовую операция по смене власти на НТВ. И я должна была безвылазно сидеть всю ночь и следующий день в Останкине, потому что по случайному стечению обстоятельств я оказалась последним журналистом, у которого еще действовал выписанный Киселевым пропуск на энтэвэшный этаж. А в субботу вечером пришлось допоздна брать интервью у «изгоев», укрывшихся после разгрома в соседнем здании Останкина. Но зато потом я крикнула заехавшей за мной Ленке Дикун: «Гони!» – и мы как раз, минута в минуту, успели к полуночи на праздничную Всенощную в церковь Воскресения, что в Брюсовом переулке. Я восприняла это без преувеличения как свой личный реванш.

Сейчас в «кремлевском пуле» от «Коммерсанта» прикомандирован Андрей Колесников – один из авторов путинской предвыборной книги интервью.

Бедного Андрея мне искренне жалко: ему приходится реанимировать давно забытый в российской журналистике эзопов язык: хвалить так изящно, чтобы догадливые читатели между строк улавливали, что ты ругаешь.

Но на фоне того, что в «кремлевском пуле» о Путине уже давно пишут как о покойнике: или хорошо, или никак, – «Коммерсантъ» выглядит просто-таки боевым листком оппозиции.

И как меня уже неоднократно уверяли мои приятели из политической тусовки, в Кремле уже принято принципиальное решение отобрать у Березовского и «Коммерсантъ».

У Путина вообще стали все чаще проявляться какие-то странные «фантомные боли». Вернее – «фантомные страхи». Вроде и прессу всю уже давно под корень зачистил – ан нет, после освещения газовой атаки на Дубровке осенью

2002 года даже в карманном НТВ опять примерещилась президенту оппозиция, и главаря диссидентов Йордана тотчас обезвредили. Точно так же Кремль зачем-то сражался с по жизни безнадежной «Либеральной Россией» Березовского, рейтинг которой был едва отличим от нуля. А потом – ликвидировал беззубый ТВ-С. Если так пойдет и дальше, то скоро, глядишь, Путин и Добродеева с Эрнстом в карбонарии запишет. А потом и радио на всякий случай опять на «на кнопку» переведет. Потому что ведь ни с Чечней, ни с терактами президент так и не справился. А в любом, даже самом верноподданническом, освещении этих тем можно без труда расслышать издевательство над самым святым. В смысле – над президентом. Тем более, если самому президенту, как кровавые мальчики, везде уже мерещатся призраки недоликвидированных им телеканалов.

В каком-то смысле Путин – это Ельцин сегодня. Потому что большинство ельцинских проблем так и остались нерешенными. Даже стилистика их пугающе похожа: до боли знакомые забастовки из-за невыплат зарплат – и те возобновились перед прошлым Новым годом, и даже ностальгическая борьба семейного и несемейного клана олигархов за право рулить президентом тоже опять в разгаре. Структурные реформы по-прежнему не проводятся, и страна как висела, так и продолжает висеть на волоске капризной конъюнктуры мировых цен на нефть. Так что «стабильность», наступление которой провозгласил подопечному народу Путин – не более чем вопрос смены терминов: жаль, Брежнев не дожил, чтобы провозгласить наступление «развитого социализма». Потому что если в брежневское время дуриком вырученную сверхприбыль от высоких мировых цен на нефть тратили на поддержку «дружественных» Советскому Союзу режимов в недоразвитых странах, то теперь эти деньги бросают на поддержание иллюзии «народного благосостояния». В смысле, на хотя бы физиологическую страховку от голодных бунтов в своей собственной стране.

Не скрою: для меня будет приятной неожиданностью, если круг не замкнется и Путин, случись в его царствование обвал цен на нефть и очередной крупномасштабный финансовый кризис в России, не сделает судорожного выбора в пользу военизированной мобилизационной командной экономики – к чему в момент дефолта 1998 года призывали друзья Примакова. В защиту от которого окружение Ельцина, собственно, и придумало Путина. А то уж совсем как-то обидно получится, да?

Главное, что по большому счету изменилось в стране с ельцинских пор, – это как раз то, что российскую прессу настойчиво попросили обо всех этих проблемах, и главное – о Чечне и Путине – помолчать. И российская пресса согласилась. А тем, кто не понял, объяснили силой.

Тут вот недавно американский журналист Дэвид Рэмник, наобщавшись с российскими телевизионными начальниками, на полном серьезе спросил меня:

– А вам не кажется, что они правы: что просто революционное время в России закончилось, и что теперь российским журналистам просто скучно и не о чем писать, потому что никаких теневых интриг в Кремле, вокруг президента в отличие от ельцинских времен теперь уже больше нет?

Формулу о пользе «скучной политики», давно уже придуманную кремлевскими пиарщиками и активно втираемую в мозги журналистам, трудно было не узнать. Я честно призналась Дэвиду, что, по моим наблюдениям, теневых интриг в Кремле стало сейчас даже куда больше, чем при Ельцине, – просто потому, что теперь писать о них нельзя и автоматически все как одна стали теневыми, ушли в тень. Так что в этом смысле ельцинские интриганы были просто мальчиками – об их теневых проделках кремлевские журналисты обычно узнавали максимум через пару дней.

Кстати, еще один фирменный прием путинской макаренковской педагогики «для тех, кто не понял» – это институт «заложничества». Я имею в виду Глушкова и Титова, о сути «уголовной» вины которых никто в политичекой тусовке ни секунды не сомневался: уголовная статья первого называется «друг Березовского», а второго – «друг Гусинского». Шантаж обоих высланных из страны оппозиционных медиа-магнатов Березовского и Гусинского частично удался – Березовский, например, уверял, что на его решение отдать государству свои акции ОРТ повлияло именно обещание Кремля освободить больного Глушкова. Впрочем, это обещание оказалось как раз из серии тех, которых три года ждут. А вот Титова за несколько месяцев до публикации моей книги выпустили – по слухам, в результате каких-то кулуарных договоренностей между Кремлем и Гусинским об условной политической лояльности бывшего оппозиционного олигарха.

Последние реляции о судьбе «кремлевского пула», пробившиеся ко мне, на волю, сквозь толстые кремлевские стены, словно морзянка, тоже были не менее драматичны, чем SOS с уже затонувшего корабля. Одна моя бывшая подружка, говорят, пребывает в полной уверенности, что управляет государством, – только из-за того, что пару раз давала Владимиру Владимировичу личные советы по его прическе (стричься, как уверяют высокопоставленные кремлевские источники, она советовала президенту под его же собственного пресс-секретаря Громова). Другая бывшая коллега ходила на закрытые президентские брифинги не иначе, как доведя искусственный загар до негритянской стадии и испещрив все имеющиеся на руках пальцы бриллиантовыми кольцами – чем заработала быстро разлетевшийся по всей политической Москве восторженный комментарий Путина: «Какой загар! Какие брюлики!»

Этот президентский афоризм в кулуарном хит-параде на время побил даже любимую идиому Путина: «Хватит сопли жевать!» – которой он баловал новую «элиту журналистики» во время аппетитных групповых обедов.

Расшифровки слабеющей морзянки из «застенка» уверяют меня также (сразу говорю: предпочитаю не верить), что президентские фрейлины между собой уже почти дерутся от ревности. И как только одной удается на миг приблизиться к Главному Телу Страны на миллиметр ближе другой, как ее неудачливая соперница начинает бегать по всей тусовке и распускать про конкурентку слухи адюльтерного характера.

А в какой-то момент статс-дамы и придворные кавалеры из числа бывших журналистов, сопровождавших президента в поездках, еще и ввели для себя в редакциях настоящий институт рабов: сами они иногда выезжали за границу только для того, чтобы интимно поужинать с президентом, а писать статьи из этих командировок заставляли специально взятых для этого молодых корреспондентов.

В конце 2002 года, во время поездки Путина по маршруту «Пекин–Дели–Бишкек», новые порядки в «кремлевском пуле» потрясли даже видавших виды правительственных чиновников. Дело в том, что в Бишкеке так называемый передовой президентский самолет (на котором летели журналисты и чиновники), якобы заправили некачественным керосином. И уже по дороге домой пилотам пришлось совершить вынужденную посадку. И как только шасси самолета коснулись земли, посреди салона встала новая руководительница путинской пресс-службы Наталья Тимакова (прежде – одна из самых толковых и острых кремлевских репортеров) и громко предупредила прессу: «Господа журналисты! У вас есть, конечно, право написать об этой аварийной посадке. Но у нас есть право не аккредитовать вас тогда в следующую поездку с президентом».

Обитатели Белого дома на Краснопресненской набережной долго еще потом с выпученными глазами переспрашивали у кремлевских журналистов, «давно ли у вас так?».

Так что, угадайте: из скольких букв (из двух или из трех?) я дала бы ответ на вопрос в кремлевском кроссворде: «Жалею ли я, что лишена теперь счастья работать в «кремлевском пуле»?»

А насчет скуки, воцарившейся в стране, кремлевские идеологи, пожалуй, даже правы: в том смысле, что чувства юмора у этих ребят, кажется, совсем уже не осталось.

Одно меня удивляет, когда я думаю о Путине: ну неужели этому парню действительно не хочется, чтобы его президентство запомнилось хоть чем-нибудь, кроме этой паскудной скуки и безнадеги? Хоть чем-нибудь, кроме расправы над журналистами, возобновлением в стране репрессий, политических убийств и политэмиграции?

Вот ведь прошлый век недавно кончился – и как на ладони видно, что надуть историю нельзя – можно надуть только современников. Да и то ненадолго. И уже всего через одно поколение про каждого Великого Диктатора все знают, что он всего лишь навсего диктатор, про каждого Великого Убийцу, – что он всего лишь навсего убийца, и про каждое Великое Ничтожество, – что он всего лишь навсего ничтожество.

Иногда уж даже с тоски думаешь: ну заткнул ты всем рты – ну ладно, фиг с тобой! Ну так воспользуйся же этим – сделай тогда хоть что-нибудь великое в экономике! Ведь Дедушка Ельцин, бедный, боялся доводить до конца непопулярные реформы – именно потому, что про него сразу гадости писали и рейтинг падал! Но у тебя-то теперь руки развязаны! Почему ж ты-то ничего не делаешь? Слишком занят затыканием ртов? Да, это дело – хлопотное, понимаю, на него действительно можно всю жизнь положить, прецеденты в истории были.

Ну неужели тебе не хочется войти в историю, сделав хоть что-нибудь прекрасное? Дедушка Ельцин свою прекрасную миссию хотя бы отчасти выполнил: дал стране вздохнуть свободно. Низкий ему поклон за это. А ты смог только опять кислород перекрыть. Ну зачем? Ну ради чего? Ради того, чтоб в теленовостях мы опять видели то, что едва успели позабыть наши родители: «И это все о нем, и немного о погоде», – а потом: «Стройными рядами партийные массы приветствуют...»?

Ради чего конкретно?

Не отвечает Русь...

Bonus track 2

КОГДА БЫЛ ЛЕСИН МАЛЕНЬКИМ

О «профильном» для каждого российского журналиста министре печати Лесине, прославившемся на весь мир скандалом с подписью на «Бутырском протоколе» об освобождении репрессированного олигарха Гусинского из тюрьмы в обмен на акции его СМИ, мне были известны еще целых два интригующих факта.

Во-первых, что в ближайшем окружении его за глаза ласково, по-сыновьи, называют «человеком с добрым лицом детоубийцы».

А во вторых, что большинство журналисток, пытающихся взять у него интервью, уходят с еще более краткой и емкой характеристикой на устах: «Хамло!»

Последнее качество Михаил Юрьевич однажды любезно продемонстрировал и мне. Дело было еще при Ельцине, в жарком городе Бишкеке, во время саммита «азиатской пятерки» (России, Китая, Киргизии, Казахстана и Таджикистана). Россия, по просьбе своих китайских друзей, подписала там скандальную декларацию о том, что нарушения прав человека являются внутренним делом государства. В документе так прямо и было сказано: «Права человека не должны использоваться в качестве предлога вмешательства во внутренние дела государства».

Выйдя в фойе конференции, я высказала все, что думаю по этому поводу, тогдашнему номинально главному внешнеполитическому стратегу Кремля, президентскому помощнику Сергею Приходько:

– Позор!

Приходько начал бурчать себе под нос какие-то невнятные оправдания про то, что «таковы государственные интересы России».

Тут-то на меня и наехал, отпихивая от Приходько – буквально – пузом, тогдашний «политический тяжеловес» Лесин (стремительно исхудавший потом при Путине, по модной системе доктора Волкова).

– Девушка! А вы вообще кто такая, чтобы говорить такие слова про нашу страну?! – орал он, вгоняя в краску даже стоявших рядом несколько более галантных кремлевских чиновников.

Я не нашла ничего более адекватного, как ответить вопросом на вопрос:

– А вы – кто такой?

Этот прием, широко используемый российской внешнеполитической дипломатией под кодовым названием «симметричный ответ», очень не понравился министру. И ознаменовал начало длительной холодной войны между нами.

Но вот клеветническую характеристику «лицо детоубийцы» применительно к этому министру я все-таки хочу категорически опровергнуть. Потому что, по моим впечатлениям, Лесин, наоборот, – не только заботливый отец, но и человек, искренне, по-отцовски, заботящийся обо всем подрастающем поколении в России. Это ярко доказывает следующая история.

После прихода к власти Путина Министерство печати под чутким руководством Лесина приняло активнейшее участие в разработке не только программы «по созданию положительного образа России на Западе», но и «патриотического воспитания населения». По трагической случайности, интервью на эту тему у Лесина пришлось брать именно мне. Нетрудно себе представить, как мы с ним друг другу обрадовались. Но деваться было уже некуда.

В отличие от своего «духовного сына», нынешнего главного правительственного пиарщика Алексея Волина (никогда не позволявшего себе в общении с журналистами такого откровенного непрофессионализма, как попытки назвать собственный цинизм патриотизмом), Лесин, принадлежащий все-таки к более старому советскому поколению, чем Леша, принялся по старинке учить меня, как Родину любить.

«Я. Михаил Юрьевич, а когда вы сами были пионером – интересно, как вы относились к попыткам привить вам патриотизм? Причем, в том понимании, которое было у тогдашнего руководства страны?

Л е с и н. Прививали! Когда гимн звучал, что-то щемило там, в груди.

Я. А военно-патриотические игры вам нравились?

Л е с и н. Было очень интересно. Я очень многое получил тогда. Без этого, может, и вся жизнь моя бы пошла по-другому ...

Что, вы нам теперь прикажете всю жизнь избегать тех слов, которые когда-то использовались при коммунистическом строе?! Патриотическое воспитание, уважение к своей стране, к национальному флагу, к армии, к защите Родины!

Мы столкнулись с тем, что сейчас на Западе ведется планомерная работа по формированию негативного образа России. Поэтому пора перестать стесняться пропагандировать свою страну. Сегодня идет подготовка технического задания этого проекта. Сейчас, конечно, все начнут искать мой личный интерес и комиссионные, которые мы за это получим. Заранее говорю: не ищите!

Я. Вы считаете, это патриотизм – восхвалять российскую армию несмотря на коррупцию в армейском руководстве, несмотря на массовую дедовщину, на убийства, несмотря на остров Русский, на Чечню?

Л е с и н. В вашем вопросе изначально заложены очень тяжелые последствия! Вы изначально все это ненавидите! А представляете, как бы мы выиграли Великую Отечественную, если бы мы изначально ненавидели свою армию?!

Я. А представляете, во сколько раз меньшей кровью можно было бы эту войну выиграть, если бы при Сталине изначально слепо не восхваляли советскую армию и генералитет?

Л е с и н. Знаете, точно так же можно сказать, что наших журналистов есть за что ненавидеть!

Я. Михаил Юрьевич, а вы не находите, что между журналистами и армией есть небольшая разница: журналисты никого не убивают.

Л е с и н. Иногда журналисты убивают хуже, чем военные! Иногда одним росчерком пера, одной строчкой прерывают жизнь людей!

Я. Кстати, а у вас лично, когда вы служили в армии, были проблемы, связанные с дедовщиной?

Л е с и н. Ну... Во-первых, я служил еще в другое время, до падения коммунистического строя... Да, я мыл туалеты. Да, я больше, наверное, убирал кубрик, чем старослужащие. Несомненно. Но, наверное, мне это больше пошло на пользу, чем во вред. Когда приходит в армию восемнадцатилетний человек и ничего не умеет, ничего не хочет – его надо научить подчиняться. И, наверное, разные формы обучения надо применять...

Я. А у вас есть дети мужского пола?

Л е с и н. Да, есть сын.

Я. Призывного возраста?

Л е с и н. Еще нет.

Я. И вы хотите, чтобы он служил в нашей армии? Он будет служить?

Л е с и н. Не знаю, как получится. Если будет учиться – значит, будет учиться. Если будет служить – значит, будет служить...»

Перевода разговора на родное чадо Лесин, как настоящий любящий отец, не вынес. Сразу же после этого вопроса он вспылил:

– Слушайте, вы меня так спрашиваете, как будто я действительно возглавляю министерство пропаганды! А мы – всего лишь навсего – исполнительный орган! Мы исполняем те задачи, которые перед нами ставят! И вообще, знаете, у меня сегодня, вот только что перед вами, заседание комиссии по раздаче частот было, и у меня сейчас голова вообще другим забита. Поэтому я чувствую, что вы меня уже начинаете раздражать! Приходите лучше завтра...

Я, по нашей доброй традиции, призналась Лесину, что «не уверена, что завтра он в свою очередь не будет раздражать меня», собралась и ушла. По дороге с удовлетворением обнаружив, что последнее «прости» Лесина тоже записалось на диктофон.

На следующее утро мне позвонил Леша Волин и от имени Лесина передал, что весь текст интервью аннулируется.

– Ах вот как?! – мстительно заявил главный редактор журнала «Власть», у которого уже была заверстана под эту тему треть номера. – Они нам тираж хотят сорвать?! Тогда они получат скандальное интервью по полной программе – вместе со всем тем бредом, который он нес про патриотизм, и вместе с финальной фразой Лесина о раздражении!

Узнав о намерении редакции публиковать текст, Лесин стал в истерике звонить мне на мобильный:

– Лена, ну объясните мне, в чем дело? Почему вы ко мне так враждебно настроены?! Я понимаю: я, наверное, совершил ошибку – я должен был отвести вас куда-нибудь пообедать, посидеть, поговорить по-хорошему, по-человечески...

Я просто онемела от такой наглости.

А Лесин все не унимался, стараясь продемонстрировать знание журналистских проблем:

– Я прекрасно понимаю, Лен, что у вас там в журнале – жопа на полосе! Но ведь это еще не повод!

– Да, Михаил Юрьевич. У нас в журнале – действительно «жопа на полосе». И я даже знаю, чья это жопа, – с яростью, отчетливо выговорила я.

Министр заявил, что тогда будет звонить главному редактору.

До позднего вечера лучшие умы лесинской команды переписывали интервью. И в результате министру печати удалось уговорить шеф-редактора «Коммерсанта» опубликовать пресный, отцензурированный текст, в котором, увы, пропала не только большая часть вышеприведенных патриотических перлов Лесина, но и его трогательные воспоминания о юности. Которые, я считаю, все-таки жалко было бы утаить от общественности, поскольку они, наконец-то, развенчивают несправедливые мифы о характере министра печати.

Глава 13

МЕТАМОФОЗЫ

«Ломка» продолжалась у меня где-то с полгода после завершения диггерской миссии и выхода из кремлевского подземелья на свет Божий. Все-таки, ко всему привыкаешь, даже к зловонью Стикса и ежедневному общению с мутантами. Оказалось, что за время жизни в Кремле я уже даже начала слегка подзабывать человеческий язык: я слушала, как разговаривают вокруг меня люди, и мне все казалось, что говорят они все о чем-то не о том. И что все они чего-то недопонимают, потому что не побывали «там», «за стенкой».

Но и от вида Кремля, в стену которого я в отличие от Венички Ерофеева, наоборот, все время, как нарочно, утыкалась взглядом, куда бы ни ехала, меня просто физически мутило.

И даже в родных книгах нет-нет да и проскальзывали вдруг предательски герои-паразиты: то Бродский издевательски заявлял: «До свиданья, Борис Абрамыч! До свиданья. За слова — спасибо», — то Набоков, хитро подмигивая мне, как бы ненароком подсовывал в давно читаный-перечитаный рассказ «мальчика Путю», берущего уроки бокса, и его учителя-географа Березовского, «автора брошюры «Чао-Сан, страна утра».

В общем, типичная диггерская контузия.

К счастью, мои друзья (в смысле, не мутанты) проявили невероятный такт и терпение и, каждый как мог, бережно проводили со мной курс «посткремлевской реабилитации». Лучший российский театральный критик Роман Должанский, например, чтобы хоть как-то реанимировать контуженого «сталкера», несколько месяцев самоотверженно водил меня по театрам, знакомил со своими друзьями — лучшими актерами и режиссерами страны. Но мне все казалось, что и они чего-то недопонимают. Потому что они тоже говорили: «О-у! Вы Путина знаете!»

В свою очередь, московский арт-критик Игорь Гребельников в психотерапевтических целях водил меня на модные столичные выставки и арт-тусовки. Но когда мои друзья-геи для разнообразия устроили мне экскурсию в московский гей-клуб «Шанс», мне даже и там умудрились подсунуть Путина! Толпа фэнов, окружавшая подиум, отчаянно скандировала: «Путин! Пу-тин!» И Путин появился. Это был молоденький, худосочный, смазливый мальчонка с резко выступающими скулами и чуть надутыми губками, который действительно чем-то отдаленно напоминал Путина в юности (по крайней мере, если судить по фотографиям). Мне объяснили, что прозвище Путин за этим танцором так прочно закрепилось, что стало уже его сценическим псевдонимом. Я почувствовала, что если голубая пацанва не боится называть своего кумира в гей-клубе Путиным – значит, страна еще не совсем безнадежна.

Но мне-то легче от всего этого не становилось!

Голова была — как перегруженный компьютер, часть материала из памяти которого необходимо было срочно сгрузить на «мягкий диск».

А уж от теленовостей про «Наше Все» со мной происходило ровно то же самое, что с Геббельсом при слове «культура». Поэтому несколько месяцев, чтобы, чего доброго, не устроить Кремлю холокост, я вообще не включала телевизор, засмотрев до дыр мировую киноклассику прошлого века.

В какой-то момент я четко поняла, что не преодолею посттравматического диггерского синдрома, пока вновь, уже опять превратившись в свободного человека, не решусь переступить порога Спасской башни. И я отправилась в гости к Александру Волошину. Чтобы потом, вернувшись из Кремля домой, сесть писать книгу.

Мои друзья как они есть

Волошин, как всегда, проявил дружелюбие и, как только я ему позвонила, быстренько послал к черту государственные дела:

– Когда ты можешь? Завтра? Давай в три? Приходи, я тоже соскучился...

И как только я увидела главу администрации, мне сразу же полегчало. По очень смешной причине: Волошин заметно поправился. И больше не похож на доходягу из Освенцима. Честное слово! Щеки не впалые, и даже чиновничий животик наметился. И его как-то сразу же перестало быть жалко.

А так – я по-прежнему с удовольствием захожу к Волошину «в гости», в Кремль. Правда, теперь гораздо реже, просто повидаться с ним, а не по делу. А он по-прежнему каждый раз критически высказывается о моей прическе. Я же, в свою очередь, иду по коридорам его корпуса и испытываю физическое наслаждение, что все эти вампирские стены вокруг на меня уже совсем не давят. Отпустило. Прохожу, например, мимо президентской библиотеки и, вместо того чтобы думать о президенте, разглядываю старинные гравюры, которые развешаны в коридоре. В первый раз в жизни, кстати, заметила. Готова поспорить, что Волошин-то их до сих пор так и не видел.

А другой мой друг кремлевской эпохи, Анатолий Чубайс, наоборот, резко похудел (сидит на диете, по кичевой в московской политической тусовке «системе доктора Волкова»). И его тоже сразу перестало быть жалко. Как перестает быть жаль любого «человека миссии», который вдруг начинает заниматься собой. А не своей миссией. Должна признаться, что уже года полтора я не решаюсь встретиться с Чубайсом и поговорить лично. Боюсь. Потому что до сих пор считаю его другом. И если его мутация зашла уже в необратимую стадию, то пусть лучше у меня хотя бы останутся о нем хорошие воспоминания. Как о погибшем диггере.

Партию свою, кстати, «Союз правых сил», электрик Чубайс, похоже, вообще посадил между двух электрических стульев. Накануне думских выборов «СПС» мучительно выбирает, и все никак не может выбрать: либо лечь под Кремль, как настаивает Чубайс, – и тогда потерять весь свой традиционный либерально-демократический электорат (потому что для избирателей СПС самыми главными достижениям ельцинской эпохи были как раз те, которые уже, по сути, отменены Путиным: свобода слова и свобода СМИ), либо уйти в оппозицию – и тогда оказаться отрезанными Кремлем от всех телевизионных каналов во время предвыборной кампании.

С лидером СПС Борисом Немцовым я стараюсь о политике вообще не говорить, – что б не разругаться. Вот недавно ходили с ним вместе на концерт Пола Маккартни. Смешно получилось: кумир моего битломанского детства впервые приехал в Москву ровно в день моего рожденья, 24 мая, и остроумный Немцов подарил мне билет на концерт на Красной площади, в первый ряд VIP-сектора. То есть сидеть я должна была рядом с Путиным.

– Борь, – говорю, – тебя ж потом в Кремль больше не пустят, после того как рядом со мной на концерте увидят!

– Плевать! – разумеется, ответил Немцов.

А в результате мне так скучно стало смотреть на лица старперов-чиновников, сидевших, как истуканы, в VIP-секторе, что мы плюнули на свои модные билеты и пошли вместе с Борькой, его дочкой Жанной и ее подружкой танцевать в толпе тинэйджеров прямо перед сценой, «на подтанцовке». И уже оттуда я вдруг с удовольствием заметила, как на композиции «Hey, Jude» главу кремлевской администрации Александра Стальевича Волошина проняло и он стал трогательно подпевать. Не поверите, тексты знает!

Но вот о том, что я не захотела сидеть рядом со своими кремлевскими «друзьями» – я еще ой как порадовалась! Потому что когда Путин, как обычно с опозданием, явился на концерт, вся чиновничья урла, вместо того чтобы веселиться под Маккартни, стройными рядами встала приветствовать Отца и Учителя – прямо как на съезде «Единой России». В общем, правильно им Пол на прощание «Back in the USSR» спел...

Недавно встретилась с «властелином думской кнопочки» Владиславом Сурковым, на которого уже вся политическая тусовка за глаза жалуется, что «совсем мозгами съехал на идее воссоздания в стране однопартийной системы с несколькими фракциями».

– Слав, – говорю, – ну что вы за тоску зеленую в стране развели? Самому-то не противно от того, что вы рты всем позатыкали?

Владислав Юрьевич как всегда искренне задумался и признался:

– Слушай, знаешь, действительно противно: я вот с главными редакторами встречаюсь, они все задают какие-то дежурные вопросы, потом я спрашиваю: «Ну а еще-то вопросы какие-нибудь у вас остались? Еще-то вас хоть что-нибудь интересует? Задавайте!» Нет, все молчат, боятся, что ли – не знаю даже, почему?

– Ты – не знаешь?! Разве вы не собственными руками все это сделали?

Слава в ответ улыбнулся своей фирменной застенчивой улыбкой.

Я решила, как и положено, судить писателя (даром что несбывшегося) по его же собственным художественным законам:

– А разве ты не помнишь, Славка: у тебя вот раньше была прекрасная идея о том, что качественными и эффективными в политике могут быть только сложные конструкции? А диктатура не качественна и, в конечном счете, неэффективна именно потому, что это – примитивно, одноклеточно, это деградация. Так почему ж ты теперь позволил себя так примитивизировать? Тебе – умному человеку – не впадлу управлять страной такими примитивными методами, как сейчас?

Слава засмеялся:

– Да видишь ли, – старею я, видимо! Старый я стал – вот мне и захотелось покоя и застоя!

– Слушай, а почему я, молодая девушка, должна страдать из-за того, что ты стареешь?! – пошутила я в ответ. – Почему мы из-за вашего старческого маразма вынуждены уходить из профессии?!

Тут Сурков вдруг посерьезнел и сказал:

– Знаешь, вот попомни мое слово: сейчас, конечно, застой, но еще через несколько лет вы все еще вспомните с благодарностью, что мы этот застой удерживали! Потому что сейчас еще лет восемь в стране застой будет, но зато потом – ка-ак еба...ет – никому мало не покажется!

Я не поклонница эксгумации, но на прошлогоднем приеме во французском посольстве я случайно откопала существо даже не из прошлой, а из позапрошлой жизни. Это был скелет эры, предшествовавшей появлению тиранозавров, когда на кремлевской поляне паслись еще отдельные безобидные травоядные игуанодонты. Короче – Дмитрий Дмитриевич Якушкин, неудачливый кремлевский пресс-секретарь, которому выпала трагическая миссия проводить Ельцина в последний президентский путь. В смысле, из Кремля – на покой. Впрочем, Семья, как хорошо известно в Кремле, своих не бросает, и после, прямо скажем, неблистательной пресс-секретарской карьеры, Якушкина, говорят, пристроили в один из российских банков – МДМ, кажется.

Так вот, наш меланхолический Якушкин, едва завидев меня на фуршете Победителей Бастилии, кинулся ко мне как к родной:

– Лена! Я слышал, вас путинская пресс-служба выгнала из Кремля! Какой кошмар! Видите вот, какие времена настали! Я бы вот вас никогда не выгнал – вы же знаете! Что бы вы там не писали!

– Прекрасно знаю, Дмитрий Дмитриевич, – абсолютно искренне ответила я.

И тут Якушкин, вздохнув, неожиданно расфилософствовался:

– Как говорится, были яркие времена – и люди яркие были. А настали серые времена – и люди теперь в Кремле серенькие...

Но вот чего уж я точно не ожидала – это что когда-нибудь стану вести долгие беседы по телефону с человеком, которого я всю свою диггерскую жизнь ненавидела как злого гения российской политики – Борисом Березовским. Я вдруг почувствовала, что именно сейчас, когда вся родная политическая тусовка от него отвернулась, дав Путину молчаливое добро на его травлю, – именно сейчас для диггера и не впадлу с ним познакомиться.

Тем более что, по моим наблюдениям, страдания очеловечивают мутантов. И именно страдания становятся для них протезом тех чувств, которыми нормальные люди наделены с рождения.

Впрочем, наши с Березовским отношения по-прежнему преследует какой-то злой рок: сначала он регулярно, с маниакальным упорством, когда видел меня, не мог вспомнить, кто я такая (на мое счастье, – потому что в этих ситуациях он лишь отвешивал мне галантные комплименты, а не вспоминал статьи, в которых я его поливала). А теперь, когда он, наконец, начал идентифицировать меня, – ему, в силу известных обстоятельств, приходится это делать исключительно по голосу.

Как-то раз на мои упреки в изобретении Путина Березовский признался:

– Слушайте, Лена, да я в тот момент его и не знал почти! Ну два раза водки вместе выпили – и вперед, в президенты!

Зная легендарную динамичность Березовского, в это охотно верится.

Самое смешное: недавно встретила олигарха-эмигранта в лондонском ресторане «Нобу» (совершенно случайно, клянусь! Я туда с молодым человеком поужинать зашла!) – посидели, поговорили. А на следующий день мне сказали, что Березовский меня опять не узнал...

А мой ангел-хранитель времен «кремлевского пула», бывшая журналистка «Общей газеты» Ленка Дикун, не вынеся циклических воспитательно-карательных мер со стороны путинского пресс-секретаря Громова, ушла не только из пула, но и из журналистики. С горя она вдруг сама неожиданно переквалифицировалась в пресс-секретари. Только не Кремля, а «Союза правых сил».

Осенью 2002 года, перед скандальным визитом Немцова в Белоруссию, Дикун организовала один из первых в своей постжурналистской жизни подвоз прессы в аэропорт.

Она позвонила мне и произнесла ту самую нашу коронную, незабвенную с предвыборных времен, фразу:

– Ну что, завтра в девять утра – на нашем месте?.. (Имелось в виду то самое место на Белорусской, откуда мы уезжали во «Внуково-2», когда нужно было лететь с Путиным.)

Мы обе хохотали минут пять. А потом оказалось, что Ленка вовсе не шутила, – и из ностальгических соображений она заказала автобус для прессы именно на то самое место: к новому выходу из метро Белорусская.

Едва я села в автобус, Дикун, просто как заправский кремлевский пресс-секретарь, принялась раздавать журналистам толстенные папки с бессмысленными и скучными документами про визит.

– Дикун, а вот угадай с трех раз: куда я сейчас твою папочку засуну?! – неполиткорректно спросила я Ленку на весь автобус. И тут же демонстративно произвела над папкой ровно то же самое действие, что и сама Дикун всегда производила над раздававшимися нам в Кремле безмозглыми тоскливыми документами: оставила в живых один-единственный нужный листок – график визита, а остальное отработанным жестом отправила куда подальше – под сиденье автобуса.

И Ленка опять хохотала как сумасшедшая. Признав, что «там этим документам и место».

Зато потом, когда вышел мой текст про визит Немцова, пресс-секратарь «СПС» смеяться уже перестала. А позвонила мне и заявила, что все ее коллеги требуют, «чтобы Трегубову больше на порог никогда не пускали».

– Ну зачем было выносить сор из избы?! Есть такие вещи, о которых писать нельзя, неужели ты этого не понимаешь?! – заявила Дикун.

«Упс... Еще одна выпала из гнезда кукушки...»– с тоской подумала я.

Но дня через два Дикун сама перезвонила и с какой-то особенной, диггерской радостью в голосе призналась:

– Ладно, Трегубова, по-журналистски-то я ведь прекрасно понимаю, что репортаж у тебя – классный... Я всем своим тут уже строго-настрого сказала: «Я тут вам не позволю второй Кремль устроить! Руки прочь от Трегубовой!»

Кстати, вторая журналистка, которая в момент начала в Кремле репрессий против СМИ не побоялась заступиться за меня, Татьяна Нетреба из «Аргументов и Фактов» — тоже недавно приняла решение прекратить поездки с Путиным: «Нервы –дороже» – говорит она.

Недавно встретила Лешку Венедиктова с «Эха Москвы» и пожаловалась ему, что из-за терпкого путинского духа, который с быстротой и неотвратимостью радиации распространяется по всей стране, я даже уже и в газете чувствую себя пенсионером:

– Я вот тут призналась коллегам в «Коммерсанте», что точно знаю, чем буду под старость деньги зарабатывать, если доживу: помнишь, были такие сумасшедшие старушки, про которых говорили: «Она ЛЕНИНА видела!» А я точно так же буду ходить по школам и рассказывать, как я ЕЛЬЦИНА видела. А коллеги мне в ответ, знаешь, что отвечают: «Во-во! К тому времени, как ты станешь старушкой, как раз скоропостижно оборвется десятое президентство Владимира Владимировича Путина...

– С ума можно сойти! Если уж Трегубова у нас о пенсии думает, – куда катится мир! – засмеялся Венедиктов, вспомнив, как еще совсем недавно покровительственно называл меня комсомолом.

Кстати, Алексей Алексеевич Венедиктов по-прежнему при встрече то и дело поддергивает меня за нос, как учитель – ученицу. А я каждый раз радуюсь, и хожу потом весь день рот до ушей: приятно ведь себя хоть иногда ребенком почувствовать.

Мой кремлевский Вергилий – Волин, по какой-то прямо-таки изысканной шутке судьбы, умудрился ровно в тот день, когда я сдавала эту рукопись в издательство, уволиться с поста главного пиарщика Белого дома. Так что, как плоско шутят в кремлевской тусовке, «Волин – уволен». Думаю, теперь и ему забавно будет вспомнить, как он водил меня по кремлевским лабиринтам.

А что касается Владимира Владимировича Путина, то его до недавнего времени я каждый день видела у себя дома в туалете. Вернее, если использовать сленг, который более симпатичен нашему президенту, – в сортире. Коллеги из «Коммерсанта» подарили мне матрешку, где сверху – Путин, потом снимаешь его голову, а внутри – Ельцин, а дальше – Горби, а еще глубже – Брежнев. И так до самого Сталина.

– Это тебе, – чтобы у тебя в сортире террористы не завелись! – пояснили коллеги.

Да у меня там террористов и до этого-то как-то не было...

Одного высокопоставленного правительственного чиновника, заглянувшего как-то раз по какой-то нужде в мой туалет, чуть кондратий не хватил.

Он немедленно выскочил оттуда, почтительно декламируя:

– Двое в комнате – я и Путин...

А моя подруга-лингвистка, в совершенстве знающая немецкий, вывела даже четкое научное этимологическое обоснование пребывания Путина именно в этом месте:

– В Германии ведь, чтобы избежать грубого оборота «пошел в туалет», употребляют иногда эвфемизм «Zum Keiser gehen» – то есть «пойду-ка я схожу в гости к Кайзеру»... Так что, с учетом отечественных политических реалий, – это полная калька с немецкого – «пойду-ка я к Путину!».

В общем, паломничество по путинским местам было отдельным аттракционом в моей квартире. И никого из гостей равнодушным не оставляло, неизменно рождая самые живые аллюзии.

Но после того как я дописала книгу, мне почему-то вдруг захотелось убрать матрешку с глаз долой. В смысле – прочь с бачка.

Я засунула ее в ящик на антресолях. И на этом эпоха Путина закончилась. По крайней мере – в моем личном сортире.

С диггерским приветом!

На самом деле, никакого Путина в реальности и нет. Как не было и никакого «Связьинвеста», никакого Примакова, никакого разворота над океаном, никакого Лужкова (то проклинавшего ельцинскую Семью, то присягающего на верность ее наследнику Путину) и никаких Гусинского с Березовским (то поддерживающих Кремль, то воюющих с ним – и, соответственно, то мешающих свободе СМИ, а то, наоборот, подкармливающих независимую от государства журналистику), и даже никакой кремлевской пресс-хаты. Все это – лишь соблазны, которые эфемерны, когда мы не обращаем на них внимания, но которые сразу же приобретают кровь, плоть и когти, как только мы принимаем их всерьез.

Наша «Московская Хартия журналистов», к примеру, не собирается у Маши Слоним уже почти два года. Из-за Путина? Да ну, глупости какие!

Ну разве что только один из прежних гостей наших посиделок может оправдаться Путиным: Алик Гольдфарб – тот самый, который, прилетая в Москву из Нью-Йорка, сразу же заявлялся к Машке с бутылкой прекрасного дорогого вина и банкой несъедобных дешевых шпрот. Будучи потомственным авантюристом, Гольдфарб ввязался в очередную историю: спас полковника Литвиненко, обвинившего ФСБ в причастности ко взрывам жилых домов в Москве, – попросту выкрал его из Стамбула и нелегально привез в Лондон, и из-за этого теперь, как в добрые советские времена, стал «не въездным».

Не знаю, может, мои коллеги ушли в подполье и затихли, потому что вновь надеются спасти свои СМИ ценой добровольного молчания? Ну что ж: очень логично – спасти от закрытия газету, телеканал, журнал или радиостанцию, введя жесткую самоцензуру, – то есть, по сути, собственноручно их самоликвидируя. Правильно – тогда Путину даже и закрывать их не придется.

А может быть, нам теперь так страшно снова встретиться вместе потому, что не хочется мучить себя воспоминаниями о том неуловимом духе вольного диггерского братства, который едва успел пригрезиться нам в ельцинскую эпоху и который мы сами так по-глупому спугнули, впустив в нашу жизнь эфемерных чудовищ?

Так что не надо ля-ля: никакого Путина нет. Есть только мы сами.

Я вот, тоже, видите, в предисловии пообещала ответить «как мы дошли до жизни такой» – да так и не смогла. Ну не знаю я! Почему я все должна знать?!

Пока я несколько месяцев тщетно искала в родной стране издателя, который бы не побоялся опубликовать мою книгу, «Московская Хартия журналистов» все-таки наконец встретилась.

Мы собрались в апреле 2003 года – по сути, в первый раз с момента прихода Путина к власти. Встреча проходила на нейтральной территории, ничем не напоминающей о былых ельцинских посиделках в квартире у Слоним – но зато стилистически напоминающей о позавчерашних, брежневских диссидентских посиделках: в квартире у корреспондента «Радио «Свобода». Пришли не все: Владимир Корсунский (который издает теперь собственную интернет-газету «Грани. ру» – одно из последних неподцензурных СМИ в России), Алексей Зуйченко (который после краха нескольких печатных изданий нашел прибежище в виртуальном ковчеге Корсунского на «Гранях. ру»), Сергей Пархоменко (который после захвата журнала «Итоги» государственным концерном Газпром-Медиа и перестановок в «Еженедельном журнале» оказался временно безработным, зато родил еще одного наследника – Матвея), Алексей Венедиктов (который по-прежнему руководит радиостанцией «Эхо Москвы» и буквально стонет, что «настали такие времена, когда ради сохранения единственной независимой от Кремля радиостанции приходится идти на компромиссы с Кремлем же». Алексей Алексеевич Венедиктов тоже, кстати, занялся подготовкой себе профессиональной смены – растит сына, которого, как нетрудно догадаться, тоже зовут Алексеем

Алексеевичем), Сергей Бунтман и Ольга Бычкова (трудящиеся под десницей Венедиктова на «Эхе Москвы»), Владимир Тодрес (ушедший не только из политической журналистики, но и из русской журналистики вообще, и руководящий теперь московским корпунктом агентства «Блумберг»), Михаил Соколов и Анна Качкаева (работающие в московском бюро «Радио «Свободы»), Ирина Антоновна Иновели (думский корреспондент официозного агентства «Интерфакс», всегда проявляющая необъяснимое мужество, связываясь с нашей компрометирующей компанией), Наталия Геворкян (уехавшая в Париж обживать корпункт «Коммерсанта»), Вероника Куцылло (давно уже ушедшая с беспокойной должности начальника отдела политики «Коммерсанта» на пост заместителя главного редактора журнала «Власть» и тоже недавно родившая себе по этому случаю наследника – красавца-сына Филиппа) и, конечно же, Маша Слоним (документальный фильм которой о нашей «Хартии» и драматической истории постсоветской журналистики «Это тяжкое бремя свободы» не решился, разумеется, продемонстрировать ни один российский телеканал). Вот и все диггеры. Из почти трех десятков журналистов, которые прежде были в списке «Хартии».

Повод, заставивший нас собраться, был запредельно «жизнеутверждающим»: поминки всеми нами любимого Сергея Юшенкова. Помянули и разошлись.

Когда я была еще маленькой и умной, я дико завидовала своим старшим друзьям, прошедшим школу диссидентского выживания при советской власти. Я так жалела, что опоздала родиться и не успела хлебнуть той, настоящей жизни.

Теперь, став уже большой и глупой, я скорее склонна согласиться с Варламом Шаламовым насчет того, что есть в жизни такой опыт, который на сто процентов отрицателен. И которого лучше бы в твоей жизни не было вовсе. Потому что, если честно, то пережив всего лишь навсего кремлевскую пресс-хату, где никто даже не угрожал моей жизни, я теперь совсем не уверена, что смогла бы все это пережить заново и не сломаться.

Так что сегодня я просто благодарна Богу за то, что, пройдя сквозь все эти кремлевские круги ада, я осталась такой, какая я есть. По крайней мере, иначе не было бы и этой книги.